A VIDA SEXUAL
DAS GÊMEAS
SIAMESAS

Irvine Welsh

A VIDA SEXUAL DAS GÊMEAS SIAMESAS

Tradução de
PAULO REIS

Título original
THE SEX LIVES OF SIAMESE TWINS

Copyright © Irvine Welsh, 2014

O direito de Irvine Welsh ser identificado como autor desta obra foi assegurado por ele sob o Copyright, Designs and Patents Act 1988.

Nenhuma parte desta obra pode ser reproduzida ou transmitida por qualquer forma ou meio eletrônico ou mecânico, inclusive fotocópia, gravação ou sistema de armazenagem e recuperação de informação, sem a permissão escrita do editor.

Primeira publicação na Grã-Bretanha em 2014
por Jonathan Cape
Random House, 20 Vauxhall Bridge Road,
Londres SW1V 2SA

Direitos para a língua portuguesa reservados
com exclusividade para o Brasil à
EDITORA ROCCO LTDA.
Av. Presidente Wilson, 231 – 8º andar
20030-021 – Rio de Janeiro – RJ
Tel.: (21) 3525-2000 – Fax: (21) 3525-2001
rocco@rocco.com.br
www.rocco.com.br

Printed in Brazil/Impresso no Brasil

Preparação de originais
MAIRA PARULA

CIP-Brasil. Catalogação na fonte.
Sindicato Nacional dos Editores de Livros, RJ.

W483v Welsh, Irvine, 1961-
    A vida sexual das gêmeas siamesas / Irvine Welsh;
    tradução de Paulo Reis. – 1ª ed. – Rio de Janeiro: Rocco, 2016.

    Tradução de: The sex lives of siamese twins
    ISBN 978-85-325-3028-8

    1. Ficção irlandesa. I. Reis, Paulo. II. Título.

16-32391
CDD–828.99153
CDU–821.111(41)-3

Para Elizabeth (novamente)

*Preciso criar um sistema ou ser escravizado
pelo sistema de outro homem.*

WILLIAM BLAKE

SUMÁRIO

Parte um / Migrantes
1. Colônia de leprosos... 13 / 2. Páginas matinais de Lena 1... 21 / 3. Heroína... 25 / 4. Contato 1... 47 / 5. Trajes de banha... 52 / 6. Contato 2... 72 / 7. Vilã... 74 / 8. Contato 3... 89 / 9. Bichinhos fofinhos... 90 / 10. Contato 4... 122 / 11. Diaba... 124 / 12. Humano futuro – Introdução... 137 / 13. Contato 5... 141 / 14. Lummus Park... 143 / 15. Contato 6... 161 / 16. Art Walk... 162 / 17. Contato 7... 170 / 18. Páginas matinais de Lena 2... 171 / 19. Bala na bunda... 180 / 20. Humano futuro – o processo... 190 / 21. Contato 8... 192 / 22. Um ambiente controlado... 194 / 23. Humano futuro – Reações críticas x Comerciais à obra de Lena Sorenson... 203 / 24. Contato 9... 205 / 25. *Heat*... 206 / 26. Contato 10... 220 / 27. Páginas matinais de Lena 3... 223 / 28. Contato 11... 251

Parte dois / Reféns – Quatro semanas depois
29. Contato 12... 255 / 30. O homem barracuda... 259 / 31. Decisões imediatas... 265 / 32. Contato 13... 278 / 33. Apartamento... 280 / 34. Contato 14... 287 / 35. Um instituto de arte... 289 / 36. Cachorros... 296 / 37. Contato 15... 309 / 38. O pacote... 310 / 39. Contato 16... 315 / 40. A Lena de West Loop... 318 / 41. Síndrome de Estocolmo... 336 / 42. Matt Flynn... 344 / 43. A Comissão da Verdade e Reconciliação de Miami Beach... 347 / 44. Contato 17... 362 / 45. Flórida x Nova York... 365 / 46. Algemas vazias... 375 / 47. Contato 18... 383 / 48. De um jeito ou de outro... 385 / 49. Coma ou seja comida... 388

Parte três / Transferências – Vinte e dois meses mais tarde
50. Um sonho para compartilhar (com quem realmente se importa)...395 /
51. Ação de Graças...399 / 52. Contato 19...407 / 53. A incursão...409

Agradecimentos...415

PARTE UM

Migrantes

1
COLÔNIA DE LEPROSOS

2-4-6-8, de quem é o último biscoito?

Os números são a grande obsessão americana. Como nós avaliamos as coisas? Nossa economia em frangalhos: porcentagem de crescimento, gastos dos consumidores, produção industrial, PIB, Índice Dow Jones. Como sociedade: homicídios, estupros, adolescentes grávidas, pobreza infantil, imigrantes ilegais, viciados em drogas, registrados ou não. Como indivíduos: altura, peso, quadris, cintura, busto, índice de massa corporal.

Mas no momento o número que estava na minha cabeça era o que causa mais problemas: 2.

A discussão com Miles (1,85 m de altura, 95 kg) fora trivial, pois é, mas com uma dose de discórdia suficiente para me impedir de dormir no apartamento dele em Midtown (que equivale a uma cidade fantasma). O babaca tinha se queixado a noite toda de dor nas costas, bancando a vítima chorosa e sem fazer nada. Enquanto seus olhos ficavam mais úmidos, minha xota ficava mais árida. Nem é tão difícil compreender uma porra dessas. Ele chegou até a pedir que eu calasse a boca durante os últimos minutos de um episódio de *The Big Bang Theory*; tipo, qual é, cara! Além disso o seu chihuahua, Chico, estava ganindo em tom beligerante, e ele não quis botar o bicho em outro aposento, insistindo que ele logo se aquietaria.

Bom, que se foda.

Ele não aceitou bem que eu optasse por me mandar: bancou o neném emburrado, empertigando o corpo e fazendo bico. Tipo, banque a porra do homem! Alguns caras simplesmente não são bacanas quando mostram raiva. O Chico, que mudou sua rotina ao pular no meu joelho, embora fosse continuamente baixado de volta ao chão por mim, tem mais culhões do que ele.

Portanto, estou voltando para South Beach, e são quase três e meia da madrugada. Mais cedo, a noite fora até calma, com a lua e algumas estrelas fazendo estilhaços de luz que entrecortavam o céu arroxeado. Então, quase no mesmo momento em que dou a partida no meu sibilante Cadillac DeVille 1998, herdado de minha mãe, percebo a mudança no tempo. Não me preocupo, pois tenho Joan Jett gritando "I Hate Myself for Loving You" nos meus alto-falantes, mas quando chego à ponte Julia Tuttle, rajadas de vento açoitam a frente do meu carro. Diminuo a velocidade, enquanto um toró se abate sobre o para-brisa, fazendo com que eu aguce o olhar por entre os rápidos movimentos dos limpadores.

Subitamente tudo se reduz a um leve chuvisco e o velocímetro volta a marcar oitenta, mas dois homens surgem da negra escuridão já sem estrelas, agitando os braços e correndo na minha direção pelo meio da pista quase deserta. Sob as luzes brilhantes da ponte, o que vejo mais próximo de mim é um sujeito arquejante e bochechudo como um hamster, com olhos ensandecidos. A princípio, acho que se trata de uma espécie de pegadinha; universitários de merda ou viciados malucos fazendo alguma porra de desafio. Então um sonoro *"puta merda"* martela a minha cabeça quando pressinto que se trata de uma espécie elaborada de roubo de carro, dizendo a mim mesma: *não pare, Lucy, deixe esses babacas se desviarem*. Só que eles não fazem isso, então sou obrigada a frear rápido, fazendo o carro derrapar. Agarro firme o volante, pois parece que há um titã tentando arrancá-lo das minhas mãos, e em seguida ouço um baque surdo e um barulho farfalhante, o que é um dos sujeitos rolando por cima do meu capô. O carro desacelera até parar e sou lançada para trás no banco quando o motor morre, desligando o CD bem na hora em que Joan está prestes a começar um refrão pauleira da porra. Dou uma olhadela em volta, tentando entender a situação. Logo à minha frente, mas na outra pista, um motorista não consegue reagir com a mesma rapidez, e o segundo homem ricocheteia no capô dele, revirando no ar feito uma bailarina maluca e quicando no asfalto. O carro segue velozmente adiante, noite afora, sem fazer qualquer tentativa de parar.

Graças ao santificado cu do Doce Menino Jesus, não há qualquer outra pessoa atrás de nós.

Ladrões de carros nunca tiveram tanta coragem, nem tanto medo assim. Milagrosamente, o cara atingido pelo outro veículo, um tipo latino baixo e gorducho, levanta cambaleando. Parece tomado por um pavor que supera qualquer dor que ele esteja sofrendo, pois nem liga para o escroto varejado pelo meu carro. Só fica olhando por cima do ombro para a noite escura, enquanto vai se afastando com esforço. Então, pelo espelho retrovisor vejo o cara que atropelei, um branquelo magricela que também já está de pé. Tem cabelo louro, com mechas oleosas penteadas para trás, e vai mancando rapidamente, feito uma aranha semialeijada, em direção às árvores do canteiro central que divide as pistas que vão dar no centro ou na praia. Então vejo que o tal tipo latino deu meia-volta e está mancando na minha direção. Ele martela a minha janela, berrando, "ME AJUDE!"

Fico paralisada no banco, com o cheiro fumegante dos freios e da borracha nas narinas, sem saber que merda devo fazer. Então um *terceiro* cara surge da escuridão, caminhando depressa pela ponte em nossa direção. O tal latino solta um ganido de dor, talvez o efeito do choque já tenha passado, e vai mancando para trás do carro, parecendo se agachar na janela traseira.

Eu abro a porta e salto, sentindo minhas pernas trêmulas no concreto firme, além de um estômago vazio e oco. Quando faço isto, ouço um estalo e algo passa zunindo pela minha orelha esquerda. Com um estranho senso de abstração, percebo que foi um tiro. Sei disso porque o terceiro homem, saindo da escuridão borrada, está apontando para o carro com algo na mão. Só pode ser uma arma. Ele já está quase do meu lado, e tudo se congela quando vejo claramente a pistola. Sinto minhas pálpebras se revirarem em um pedido primevo por piedade, enquanto penso: *é assim que tudo termina*. Mas ele passa por mim como se eu fosse invisível. Está perto o suficiente para que eu possa tocá-lo, ver de perfil seu pequeno olho vidrado de furão, e até ser bafejada por seu odor corporal choco... só que ele segue em frente, dedicado apenas a perseguir seu alvo oculto.

– POR FAVOR! POR FAVOR! NÃO! – implora o latino, agachado ao lado do meu carro com os olhos fechados e a palma da mão estendida.

O atirador abaixa lentamente o braço, apontando a arma para sua vítima. Algum instinto toma conta de mim, fazendo com que eu me levante de um salto e derrube o babaca com uma voadora entre as omoplatas. Ele é um sujeito leve, de aparência frágil, e cai de cara sobre seu pretenso alvo, largando a pistola ao bater no asfalto. O latino parece perplexo e depois rasteja em direção à arma. Eu chego lá primeiro e chuto a pistola, que desliza para baixo do Cadillac, enquanto a presa olha para mim por um segundo, boquiaberta, antes de levantar e se afastar manquitolando. Então eu caio em cima do atirador, jogando todo o meu peso sobre suas costas, montando nele, com os joelhos deslizando rude e dolorosamente sobre a superfície quente da ponte. Ponho ambas as mãos em torno da nuca magricela do sujeito. Ele não é grande (branco, cerca de 1,65 m, 55 kg), mas nem sequer tenta resistir, enquanto eu grito: – SEU BABACA MALUCO, QUE PORRA VOCÊ ACHA QUE TÁ FAZENDO?

Sons de soluços de bebê com voz alquebrada, e entre um e outro uma arenga queixosa.

– Você não entende... ninguém entende...

Enquanto isto, outro carro se aproxima devagar e depois se afasta velozmente. Já estou sentindo a vibração agourenta de mais uma camada de merda caindo sobre mim. Ergo o olhar e vejo o latino rumando para as árvores do canteiro central, na direção de seu compadre fugitivo branquelo. *Ainda bem que estou de tênis*, é o pensamento que me assola, já que planejava usar uma gladiadora de salto-agulha para combinar com a minissaia de brim e a blusa que vesti para tentar fazer Miles pensar no seu pau e esquecer a coluna. Vendo como a saia subiu, fico feliz por ter lembrado de usar calcinha.

Então uma voz entusiasmada guincha no meu ouvido:

– Eu vi o lance todo, você é uma heroína! Já passei adiante! Chamei a polícia! Filmei tudo no meu celular! São provas!

Ergo o olhar e vejo uma gordinha, os olhos quase escondidos por uma longa franja preta: 1,57 m, talvez 1,60, quase uns 100 kg. Como acontece com todo mundo que está acima do peso, só dá para especular sobre a idade dela, mas eu diria vinte e tantos anos.

– Eu liguei... está tudo aqui! – repete ela, agitando o celular. Depois aponta. – Eu tinha estacionado ali.

Eu viro o pescoço na direção do seu carro, visível sob as luzes e quase enfiado na barreira de moitas, arbustos e árvores plantada no acostamento entre a ponte e a baía. Ela olha para o sujeito prostrado e alquebrado embaixo de mim, que continua preso pelas minhas coxas enquanto soluça convulsivamente.

– Ele está chorando? Está chorando, senhor? – continua ela.

– Ele vai estar – rosno, enquanto sirenes rasgam a noite e uma viatura policial derrapa até parar, banhando a todos com uma luz azulada. Só então percebo o nojento cheiro de urina que emana do sujeito embaixo de mim, tornando fétido o ar.

– Ai... – diz a gorducha displicentemente, franzindo o nariz.

O cheiro parece de mijo de álcool antigo, o vagabundo em questão deve andar tomando birita barata há dias. O líquido quente escorre pelo asfalto e faz contato com meus joelhos ralados, mas eu não vou abrir mão do meu domínio sobre este filho da puta que só sabe gemer. Então sinto o facho de uma lanterna na minha cara e ouço uma voz com autoridade mandar que eu levante devagar. Pisco e vejo a gorda ser afastada do local por um policial. Tento obedecer, mas meu corpo montado em cima daquele malandro mijão parece grudado, e tomo consciência de que estou usando uma saia curta, com uma perna de cada lado sobre um desconhecido que mija em uma ponte, cercada por policiais, enquanto os carros vão passando velozmente. Então sou forçada a me pôr de pé por mãos grosseiras, ouvindo os soluços abafados que ainda vêm daquele triste saco de ossos no chão. Uma mulher latina de uniforme, baixa e machona, está bem à minha frente, enfiando as mãos nos meus sovacos e me puxando brutalmente para cima.

– Você precisa se afastar daí agora!

Não consigo usar minhas mãos e meus braços para me equilibrar, nem girar ou inclinar meu dorso à frente, e quando levanto piso em cima do sujeito. Tudo isto é constrangedor pra caralho. Minha amiga, Grace Carillo, é uma policial de Miami, e eu poderia citar o nome dela, mas não quero ser vista *daquele jeito* por Grace ou qualquer conhecido. A minha saia de brim, curta e justa, subiu e virou um cinto grosso e dobrado em torno da minha cintura, já que chutei o tal maluco e montei em cima dele. O brim nunca volta ao lugar simplesmente porque levantamos, e a porra dos policiais não me soltam para que eu possa alisar a bunda da minha saia.

– Preciso arrumar minha saia – grito.

– Você precisa se afastar daí! – grita a vaca outra vez.

Minha calcinha está visível, tanto pela frente quanto por trás, e vejo os rostos paralisados feito cera dos policiais me esquadrinhando sob a luz dos faróis, quando me afasto do mijão.

Sinto vontade de abrir um cu novo no corpo daquela vaca, depois lembro do conselho de Grace: é sempre burrice sacanear um policial de Miami. Para começar, eles são treinados a presumir que todo mundo anda armado. Os dois outros policiais, ambos homens, um negro e um branco, algemam e erguem o atirador soluçante. Enquanto isto, eu finalmente consigo endireitar minha saia. O rosto do atirador é pálido, seus olhos molhados estão fixos no chão. Percebo que não passa de um garoto, talvez com vinte e poucos anos, no máximo. Que porra estava passando pela sua cabeça?

– Esta mulher é uma heroína. – Ouço a garota gorducha esganiçar com veemência fanática. Depois ela aponta para o garoto algemado, que passou de assassino a sangue-frio para desgraçado digno de piedade, com uma grande mancha na calça. Sinto seu líquido nojento nos meus joelhos ralados. – Ela desarmou esse cara. Ele estava atirando naqueles dois homens. – Ela aponta para a beira da ponte.

Os dois aleijados fugitivos estão parados juntos, contemplando a cena. O latino tenta se esgueirar para longe, enquanto o branquelo tem a mão sobre os olhos para se proteger da luz ofuscante que vem de cima. Outros dois policiais vão até eles. A gorduchinha continua falando, quase sem fôlego, com a policial latina.

– Ela desarmou o cara e chutou a pistola dele pra baixo do carro – diz ela, apontando um dedo gorducho. Então afasta dos olhos a franja suada, agitando o celular com a outra mão. – Está tudo aqui!

– O que você estava fazendo parada ali? – pergunta o policial negro a ela, enquanto vejo outro policial branco examinar meu Cadillac e depois olhar de volta para mim, perplexo.

– Eu passei mal dirigindo. Precisei parar. Acho que foi alguma coisa que eu comi. Mas vi tudo – diz a gorda, já exibindo aos policiais o vídeo gravado no celular. – Um outro carro também atropelou esses homens, mas nem parou!

Mesmo quando sinto o meu coração bater mais depressa do que após um intenso exercício cardiovascular, fico pensando que a pele desta garota, diante da pulsante lâmpada vermelha da viatura policial, combina quase que *exatamente* com a horrível e gigantesca camiseta rosada que ela está usando com uma jeans baggy.

– É isso mesmo, ele simplesmente começou a atirar em nós. – O branquelo com a perna arrebentada cambaleia para frente, flanqueado por outro policial, com a dor estampada no rosto enrugado feito couro velho, enquanto aponta para o filho da puta do atirador com cara de fuinha, que está sendo empurrado para a traseira da radiopatrulha. – Esta moça salvou a minha vida!

Minhas mãos estão tremendo, e eu me arrependo fervorosamente de ter saído da casa de Miles. Até uma foda sem graça com um mala imobilizado por um problema nas costas seria preferível a me ver enrolada nesta babaquice. Agora sou conduzida até a traseira de outra viatura, o policial falando coisas tranquilizadoras com um sotaque latino tão forte que mal consigo entender. Percebo que eles estão levando o Cadillac e ouço minha voz dizer algo sobre as chaves provavelmente ainda estarem na ignição, e que minha amiga Grace Carillo é uma policial do departamento de Miami-Dade em Hialeah. O nosso carro parte, com a gorda no banco do carona virando o pescoço banhudo para mim e a policial machona, dizendo com um sotaque folclórico do Meio-Oeste: – Foi a coisa mais corajosa que eu já vi na vida!

Eu não me sinto nem um pouco corajosa, porque estou tremendo e pensando: *por que eu tive de abrir a porra daquela porta e sair do carro?* Por alguns instantes quase desmaio, ou fico meio ausente, algo assim. E quando percebo onde estou, já estamos entrando na garagem da delegacia de

Miami Beach, na rua 11 com a avenida Washington. Uma equipe do plantão de notícias televisivo já está lá, afastando-se quando passamos pela barreira.

– Esses babacas estão cada vez mais rápidos – diz a policial latina machona, mas seu tom é de comentário, sem rancor. Como que aproveitando a deixa, eu viro para a janela e vejo a lente de uma câmera bem na minha cara. A gorda de rosa, com os olhos vidrados dardejando de mim para a repórter, grita em tom quase acusatório: – É ela! É ela! Ela é uma heroína! – Mas o reflexo da minha imagem naquela lente me diz que só pareço perplexa pra caralho.

Chego à conclusão de que preciso bancar a machona nesta porra, e assim, quando a gorda rosada, com aquela maldita voz tatibitate, fala pela enésima vez, "Caramba, você é mesmo uma heroína", sinto um leve sorriso se armar no meu rosto e penso comigo mesma: *é, talvez eu seja.*

2
PÁGINAS MATINAIS DE LENA 1

Eu experimento qualquer coisa ao menos uma vez, falei para Kim. Ela disse que estava curtindo muito fazer as tais Páginas Matinais. Basta você associar livremente qualquer coisa que passar pela sua cabeça. Bom, ao menos uma vez, muita coisa aconteceu comigo ontem à noite. Portanto, aqui vou eu!

Eu tinha parado na ponte e saltado do carro, sentindo o ar pesado e úmido. Coloquei as mãos na barreira metálica e olhei as negras águas revoltas da baía de Biscayne. Logo depois a chuva torrencial que estava caindo parou, e isto foi sincronizado, de alguma forma, com buzinas raivosas dilacerando a noite, seguidas pelo uivo de freios. Então surgiram da escuridão os carros, os homens e ela. Gritando e berrando. Depois houve o assobio de algo que eu percebi, pelas caçadas feitas com meu pai, ser um tiro. Eu deveria ter voltado logo para o carro e me mandado dali: no entanto, por alguma razão que ainda não consegui explicar para mim mesma, que dirá para aqueles persistentes policiais, não fiz isso. Ao contrário, avancei vários passos em direção à pista e comecei a filmar tudo com meu celular.

Eu não sou burra, falei para os policiais. Eles ficavam olhando para mim com um ar de avaliação condescendente, e dava para ver que não estavam me levando a sério. Mas isto era culpa minha, porque eu estava falando em tom nervoso, dan-

do explicações demasiadas, devido à insegurança e ao entusiasmo.

— É ela — gritei, apontando para a garota, a tal mulher que acabara de dominar o pistoleiro.

Então mostrei aos policiais o celular. A princípio, quando ela derrubou o atirador, a imagem estava escura, mas quando eu me aproximei deles, logo ficou mais clara. Ela estava em cima do cara, pressionando o corpo dele no chão.

Depois que os policiais viram o meu vídeo, uma coisa se tornou óbvia: até eles ficaram muito impressionados com esta tal de Lucy Brennan. E ela parecia à altura do papel, com sua cabeleira castanha manchada de mel pelo sol da Flórida. Sobrancelhas espessas encimavam grandes e penetrantes olhos amendoados. Tinha um maxilar trapezoidal bastante definido. Contrastando com esta severidade de amazona, havia um delicado nariz arrebitado, que lhe dava uma beleza paradoxal. Ela usava uma saia curta de brim, uma blusa branca e tênis com cadarços brancos. Um dos joelhos estava ralado, provavelmente porque imobilizara o pistoleiro com suas coxas musculosas e trabalhadas.

Eles levaram todos nós (eu no mesmo carro que a heroína, com o atirador e seu alvo em outro) à delegacia de South Beach. Então me separaram de Lucy Brennan. Fui escoltada até uma sala de interrogatório de paredes cinzentas, só com uma mesa, várias cadeiras duras e luzes fluorescentes de rachar o crânio. Eles ligaram um gravador e me fizeram todo tipo de pergunta. A única coisa que eu ouvia deles era: para onde você estava indo? Estava vindo de onde?

Faziam com que eu sentisse que tinha agido mal, só por parar na ponte e saltar do carro para tomar um pouco de ar!

O que se pode dizer? Eu contei a verdade maçante: que estava me sentindo mal, por causa do e-mail que tinha recebido da minha mãe, que estava confusa pelo que tinha acontecido com o Jerry, que estava frustrada com o meu trabalho e me sentindo culpada pelos animais, por usar os ossos deles. Ou seja, quase tudo andava uma boa merda. Estava sentindo que uma enxaqueca já se aproximava, por isso parei para respirar um pouco, só isto. Eles escutaram, e então uma policial, a tal latina que chegara primeiro na cena, perguntou mais uma vez: O que aconteceu depois, srta. Sorenson?

— Está no celular — disse eu. Já tinha encaminhado o vídeo para eles.

— Também precisamos ouvir a história com as suas palavras — explicou ela.

Então repeti tudo outra vez.

Lucy Brennan. Lá na sala de espera ela já tinha me contado que era uma personal, tipo preparadora física. Isso fazia sentido; ela irradiava saúde, transbordava energia e confiança. Seu cabelo, sua pele e seus olhos brilhavam.

E por trás do meu cansaço eu estava ardendo de entusiasmo, só por estar perto dela. Porque sentia que alguém como Lucy poderia me ajudar. Só que quando a polícia acabou de me interrogar e me deu um tíquete para pegar as chaves do meu carro no estacionamento lá embaixo (eles tinham insistido que eu não podia ir dirigindo até ali), eu dei um tempo e procurei Lucy, mas ela já se fora. Perguntei a um policial no balcão se *eu poderia entrar em contato com ela. O sujeito só me deu um olhar severo e disse: Não é uma boa ideia.*

Eu me senti feito uma criança repreendida. Então, quando o cara da equipe do noticiário conversou comigo lá fora, de um jeito civilizado e direito, eu fiquei feliz: deixei que me entrevistassem, e encaminhei para eles o meu vídeo.

Portanto, estas são as minhas Páginas Matinais. Eu escrevo um e-mail explicando a mesma coisa a Kim, mas não a mamãe, pois ela e papai já se preocupam o suficiente só por eu estar em Miami. Depois de ir dirigindo até minha casa, eu me sentia exausta, mas ainda eufórica. Então fui até o ateliê e comecei a desenhar. Não sou uma retratista, mas precisava tentar capturar aquela fantástica juba castanho-dourada de Lucy, bem como aqueles vigilantes olhos ardentes. Só consigo pensar em pegar o telefone e ligar para ela.

Mas por onde começar?

3

HEROÍNA

Não consegui dormir. Nem sequer tentei. Quando o sol nasce, estou me alongando em Flamingo Park, já me preparando para minha corrida matinal. Não vou deixar Miles, um Acidente com Veículo Motorizado, um babaca que dispara uma arma, e nem mesmo todo o Departamento de Polícia de Miami-Dade foderem minha rotina. De modo que vou descendo a rua 11 em direção à Ocean Drive a uns tranquilos doze quilômetros por hora. Uma turma de operários latinos reergue palmeiras caídas, firmando os troncos com estacas de madeira. As árvores reabilitadas se agitam e ondulam graciosamente na brisa fresca.

Quando cheguei aqui pela primeira vez, uma estudante ressentida do segundo ano colegial, lembro do namorado de mamãe, Lieb, explicando que as palmeiras tinham raízes mais rasas do que a maioria das árvores; assim, embora fossem facilmente derrubadas por furacões e tempestades, elas não sofriam grandes traumas e conseguiam sobreviver. Eu tinha saudade de Boston e fiz um comentário moleque, dizendo que em Miami até as raízes das árvores são superficiais. Só que na ocasião nem dei muita atenção a elas, pois meu desdém estava fixado em uma mancha vermelha na careca de Lieb. É claro que, dois meses mais tarde, quando a coisa se revelou um câncer de pele agressivo, que ele felizmente conseguiu remover, eu me senti bastante culpada pela minha repugnância anterior.

Quando chego na Washington, desacelero o ritmo da marcha para uns seis quilômetros e meio por hora durante dois quarteirões, optando por absorver a confusão de salões de tatuagem, bares de esportes, boates e lojas de roupas de praia cafonas. Mesmo a esta hora, alguns grupos de bêbados continuam passeando, examinando as vitrines das lojas fechadas em busca de compras futuras. Garotas estridentes conferem biquínis com inscrições do tipo NÃO SEJA UM BUNDÃO, COMA UMA, enquanto marmanjos risonhos escolhem camisetas com a silhueta de dançarinas de boate nuas e a proclamação EU APOIO MÃES SOLTEIRAS. South Beach abriga todos os níveis sociais, sejam luxuosos salões de coquetéis, bares de esportes bregas, ou espeluncas decadentes. Só uma coisa une tudo: o amor pela sordidez pura e inalterada. Os conversíveis vão passando, com equipamentos de som frequentemente tão caros quanto o próprio carro, indo ladeira abaixo já que obviamente ninguém na Ocean Drive ou na avenida Collins está prestando atenção, todos sem dúvida absortos em suas preocupações narcisistas. Um trio de viciados trêmulos compartilha um cigarro na soleira de uma porta. Pouco mais adiante, duas pessoas de gênero indeterminado dormem sob uma pilha de roupas sujas.

Já chega desta babaquice: eu viro na direção da Collins e da Ocean Drive, da areia e do mar, desviando rapidamente de um bêbado cambaleante que resmunga algo ininteligível. Sem este pontapé inicial no meu dia, eu estaria perdida. Um dia sem corrida matinal é um dia que você passa aos trancos, em vez de um dia que você ataca.

Eu subo o ritmo um pouco, até dezesseis quilômetros por hora, correndo pela pista asfaltada ao lado da praia até South Pointe, e aumentando ainda mais a velocidade no caminho de volta. Agora já passo por todos voando: meus tênis batem no solo em um ritmo leve, com minha respiração controlada e uniforme. É assim que você se sente quando sabe que está com os deuses. Todos os demais, os mortais trôpegos, não passam de fracassados: tão lentos, tão limitados. Reduzindo aos poucos para o que parece ser doze quilômetros por hora, eu cruzo a Ocean Drive, ignorando os carros sonâmbulos, e desço a rua 9 antes de dobrar na Lenox. Lá na frente, vejo uma multidão de gente na rua, diante do meu condomínio. Tal como outros no bairro, a fachada do nosso prédio é *art déco*, mas a nossa é diferente, por ser pintada em tons de lavanda e pistache, com as listras e escotilhas de um transatlântico formando um desenho geométrico abstrato. Mas por que há uns caras com câmeras, tirando fotos na frente do edifício? Subitamente, fico com medo de que esteja havendo um incêndio, algo assim. Só quando chego mais perto é que percebo, com um pânico crescente: *esta merda é por minha causa!*

Rapidamente desvio pela rua 9, rumando para a entrada dos fundos do meu lar, mas um dos babacas já me avistou e grita, "LUCY! UM MOMENTO, POR FAVOR!"

A manada de paparazzi estoura: gordos resfolegantes com obesidade mórbida e vampirescos magricelas alcoólatras, piscando à luz do sol, subitamente se lançam em uma perseguição improvável. Só que eu não facilito: pegando logo as chaves e abrindo a grade metálica que dá acesso à escada dos fundos, eu me enfio lá dentro e bato a porta, bem na hora em que a matilha rosnante se aglomera toda ali. E vou subindo a escadaria, ignorando a cacofonia deles.

Dentro do apartamento a janela dos fundos está aberta, deixando entrar o fresco ar matinal, doce feito água de riacho, enquanto eu tento normalizar minha respiração. A campainha toca intermitentemente; eu acabo cedendo e atendendo, erguendo o interfone até o ouvido.

– Lucy, aqui é da revista *Live!*. Nós queremos muito falar com você sobre uma exclusiva!

– Negativo! Deem o fora daqui, porra! Parem de tocar meu interfone ou vou chamar a polícia!

Meto o fone com força em sua base na parede. Um instinto sombrio me faz ir até o armário onde guardo minha pistola de ar comprimido, calibre 22. Comprei a arma no verão passado, quando um tarado vivia rondando nosso prédio. Ele conseguiu entrar de alguma forma e molestou uma garota que mora no andar de baixo. Eu não a conhecia, embora obviamente já a tivesse visto na área. Não tenho certeza do que aconteceu, exatamente, porque nada saiu na imprensa, mas você ouve as histórias que os moradores contam. Alguns falam que ela foi currada pelo babaca; já outros, que ele simplesmente amarrou a garota com fita gomada e ejaculou em cima dela. Seja o que for que aconteceu lá, o cara era doente pra caralho.

Minha "pistola" não é uma arma de verdade, só dispara bolotas de chumbo usando a pressão do ar. Eu não curto armas. As cadeias e os necrotérios estão cheios de debiloides que pensavam que seriam levados a sério pelas pessoas caso portassem uma arma de fogo. Só que o tal incidente me assustou, fazendo com que eu reagisse positivamente e criasse um curso de autodefesa para mulheres, muito bem frequentado.

Verifico o celular; a notícia já deve estar nos telejornais, porque há chamadas perdidas, mensagens de texto e de voz transmitindo o apoio de mamãe, papai, minha irmã Jos (um "uau, bom trabalho", com sua voz grave e sem emoção), Grace Carillo do Departamento de Polícia de Miami-Dade (que dava o curso de autodefesa comigo), Jon Pallota, o ausente dono da Bodysculpt (a academia fajuta em que trabalho), Emilio da Miami Mixed Martial Arts (a academia de verdade em que trabalho), amigos como o masterchef Dominic, e um bando de ex-colegas da faculdade, além de clientes do passado e do presente.

Isto me alegra, e eu tomo uma longa chuveirada, com a torneira fria totalmente aberta, mas nunca mais do que morna sobre a minha pele ardente. Quando saio, dou uma espiadela por entre as lâminas da veneziana. A multidão parece ter se dispersado, mas pode haver retardatários ainda à espreita. A campainha soa novamente. Eu atendo, já em um clima propício para arrancar a cabeça de algum filhadaputa!

– SIM!

Desta vez, porém, é a voz de uma mulher, com um tom doce, tranquilo e reconfortante. – Aqui é Thelma Templeton, da programação da VH1. Não sou paparazza, nem trabalho em qualquer canal de notícias. Não quero foto ou entrevista. Posso lhe dar minha palavra de que, se você me deixar entrar, vou subir sozinha. Quero conversar com você sobre um programa que una *fitness* com estilo de vida.

Puta merda, uau! Imediatamente aperto o botão que destranca a porta. Só depois me ocorre que tudo aquilo podia ser papo furado, e que talvez eu tenha sido enganada. Então abro a porta e dou uma espiadela no corredor, pronta para dar um passo atrás e bater a porta, caso algum babaca apareça. Após alguns instantes, ouço o som tranquilizante de saltos femininos na escada, e vejo uma mulher surgir no patamar. Não há sinal de que ela esteja carregando algo como uma câmera. É uma quarentona de terninho, com cabelo louro liso e um rosto botocado. A postura do seu corpo é enervantemente imóvel, embora ela avance na minha direção com as pernas levemente arqueadas. Eu fico parada, e quando se aproxima ela começa a falar subitamente.

– Lucy – diz ela, apertando minha mão, entrando no apartamento atulhado, e sorrindo. – Aqui é tão aconchegante.

A meu convite, Thelma senta na namoradeira, e também aceita minha oferta de chá-verde. Esta coroa malha em academia, porque não há celulite ou gordura localizada visível. Ela começa a esboçar sua proposta. É um programa de tratamento de beleza completo. Eu pego alguma banhuda inchada com autoestima no pé que ainda não namorou neste século, ou que não é comida pelo marido há anos, para fazer com que ela perca peso e ganhe confiança. Depois de tê-la colocado em forma, passo-a para alguma bicha estilista que supervisionará a fase dois, cujos componentes são maquiagem e vestuário.

– Nós temos algumas concepções, mas este é o modelo mais forte e mais simples. Trabalharíamos com você no desenvolvimento da ideia e gravaríamos o piloto. Caso os índices sejam bons, partiríamos direto para um seriado – explica ela, passando a detalhar mais alguns aspectos. Quando acaba, levanta e diz: – Quem representa você?

– Eu, hum... ainda estou decidindo esta questão – minto.

– Não espere demais. Malhe o ferro enquanto está quente – diz ela, quase me advertindo. – Existem pessoas boas com quem nós trabalhamos sempre. Posso passar seus contatos para elas, se quiser. Não há pressão, só é preciso encontrar a melhor pessoa para você, mas eu conheço uma mulher com quem você realmente deveria falar, ela se chama Valerie Mercando. Acho que vocês duas se dariam muito bem, feito unha e carne!

– Ótimo!

Ela me dá seu cartão, e eu lhe passo um daqueles berrantes, com impressão em alto-relevo, que Jon Pallota fez para mim:

LUCY BRENNAN
MALHAÇÃO DA PESADA
Sem Desculpas, Só Resultados – Seja o Máximo que Você Puder Ser!
lucypattybrennan@hardass.com

Ela pega o cartão com uma mão muito bem tratada.

– Uau! Isto é impressionante, você realmente tem aquela persona sem frescuras e radical com que nós andamos sonhando. Alguém para sacudir a América e tirar o país dessa complacência. Alguém com mais gana até do que Jillian Michaels!

– Eu enfrentaria Jillian a qualquer momento, na esteira, na barra ou no ringue – digo, sentindo meu queixo empinar.

– Duvido que isso seja necessário – ri ela. – Mas nunca se sabe!

Acompanho Thelma até a porta, e continuo pelo corredor até a escada da frente. – Nossa, estou tão empolgada por ter um seriado!

– Não vamos nos precipitar. – Thelma vai ajeitando o cabelo contra uma brisa inexistente, enquanto avança até a porta do prédio. Eu pulo na frente, conferindo se a área está livre. Parece estar. A mão de Thelma agarra o puxador da porta, enquanto seus olhos piscam à luz do sol.

– Primeiro o piloto, e depois vemos como ficam os índices... tudo é uma questão de números – diz ela alegremente, pondo no rosto um par de óculos escuros que tira da bolsa. – Tchau, Lucy!

– Tchau.

Ouço minha voz, grave e sem vida, enquanto deixo a porta bater, com uma sensação estranha de ansiedade e entusiasmo ao mesmo tempo. Através da porta de vidro, dou um aceno de despedida para Thelma, e depois subo correndo a escada, voltando ao meu bule de chá-verde.

Eu fui criada em uma família obcecada por números e medidas. Papai, um ex-professor de educação física que tinha uma carreira sem distinção no Departamento de Polícia de Boston, sempre me levava ao estádio Fenway e me bombardeava com as estatísticas de todos os jogadores. Quando um desempenho fraco ou decente confirmava uma hipótese sua baseada naquelas cifras, ele se inclinava para mim e dizia com ar sábio, "Os números nunca mentem" ou "Nunca confie na subjetividade humana... a matemática vem de Deus. Veja as estatísticas, pimentinha, sempre veja as estatísticas".

No meu caso, os números que dominaram minha juventude foram as notas das provas normais (altas = expectativa) e as médias finais (baixas = decepção). Esta discrepância entre as duas me tornou um enigma para minha mãe, que jamais conseguiu me entender. Tal déficit só podia ser explicado em termos de caráter. Ou falta de. Já meu pai estava pouco se lixando para as minhas notas, embora compartilhasse com mamãe o paradigma de falta de caráter. Só que, para ele, isto era explicado pelos meus fracassos esportivos.

Nossa casa ficava em Weymouth, Massachusetts, uma cidade engolida pela Grande Boston, e que faz parte da "Riviera Irlandesa". Minha irmã Jocelyn, dezoito meses mais nova do que eu, era uma garota quieta, acadêmica e nada atlética. Papai tentou com ela, mas até mesmo ele teve de admitir a derrota, então Jocelyn meio que sumiu do seu radar. E então ele passou a me treinar a eliminar qualquer traço de preguiça ou indolência. Fez com que eu começasse a detestar essas características nos outros, e a brigar com unhas e dentes contra elas em mim mesma. Por isso, e somente isso, eu agradeço a ele. Jocelyn, que sempre foi o "docinho", enquanto eu era a "pimentinha", virou o bichinho de estimação da mamãe. É muito difícil dizer quem recebeu as piores cartas neste caso.

Termino meu chá, assolada por um bocejo cansado, e rumo para o meu primeiro compromisso do dia. Tudo já se acalmou, e eu confiro a caixa de correio. Um cartão do Departamento de Polícia de Miami-Dade, dizendo que posso apanhar meu Cadillac no estacionamento deles. Precisaram reter o carro para examinar os danos no capô.

Vou andando até a Bodysculpt, uma das duas academias de South Beach em que trabalho. Marge Falconetti aparece lá. Ela é casada com um grande executivo, tem 1,70 m e 130 kg de banha (não pense em peitos, cintura e bunda, apenas em uma bola de praia). Após uns exercícios de aquecimento, mando Marge ficar erguendo um kettlebell de cinco quilos.

– Extensão completa, Marge... é isso aí – digo para animar a garotona, já entrando no ritmo do dia, combatendo a fadiga e o estranho silêncio insinuante do lugar. Sempre tão diferente de uma academia, e hoje pior do que o normal. Marge realmente tenta, mas fica o tempo todo olhando para mim, e depois para algo atrás de mim, com total admiração. Então, horror dos horrores, sigo seus olhos arregalados até um dos inúmeros televisores posicionados nas paredes. Um canal de notícias local e, na próxima tela, um outro estão repetindo a história da véspera, com uma participação proeminente *minha*. Lester, um dos outros treinadores, solta um brado de viva e lidera um aplauso, enquanto eu reapareço na tela, piscando com cara de bunda-mole.

– Eles estão mostrando isto sem parar, de meia em meia hora. – Ele sorri.

– Você é tão corajosa – diz Marge com um sorriso dolorido. Eu reajo com uma careta, já avisando que não haverá moleza, enquanto estico o pescoço de volta para a tela.

Lá estou eu, chutando e subjugando o fracote do atirador. É um chute frontal bacana pra caralho, até mais para cima do que eu pensara, porque a parte superior do meu pé atingira o sujeito velozmente bem entre as omoplatas. A câmera se aproxima e eu apareço já em cima das costas dele, mas com a calcinha e a bunda, reveladas porque a saia subiu, ocultas por um efeito especial. Então me vejo acertando dois ganchos no corpo dele, coisa que sinceramente não consigo lembrar de ter feito. A passividade dele é assustadora: parece que eu estou sentada sobre um cadáver. Ouço uma voz berrando, "Já passei adiante", enquanto a imagem treme, mas logo depois apareço em plano médio, com o asfalto escurecido pela urina dele. Depois vem uma tomada minha mais profissional, através do vidro da viatura policial.

Meu Deus, este meu caso está parecendo o das gêmeas siamesas de 15 anos do Arkansas. As meninas tiveram uma briga, pois uma delas queria sair para namorar, o que significava que a outra, fisicamente mais fraca, seria literalmente arrastada contra sua vontade, caso discordasse. Fico imaginando como seria nascer ligada a Jocelyn e precisar arrastá-la para as minhas merdas, ou pior ainda, ser levada às dela. Nem pensar.

O país inteiro está fascinado pela suposta questão da moralidade, que na realidade é o sonho erótico de um degenerado. Lendo nas entrelinhas: um das garotas quer foder com seu namorado e a outra está jogando uma merda religiosa em cima disto. As duas garotas dividiram a nação. Peguei um pouco da história com Miles na noite passada, antes de brigarmos por ele ter contraído suas vértebras de viadinho. Sujeitos como ele pensam que o tal namorado da Annabel, uma das gêmeas, é um cretino doente, mas sortudo. Lembro das duas gêmeas no segundo grau, sempre sendo cantadas para participar de surubas a três com uns caras, que depois genuinamente não sabiam por que estavam sendo nojentos com elas. Algum daqueles retardados quereria foder com seus irmãos? Isto se chama, tipo, empatia, mas até essa emoção básica falta no repertório de Miles. No entanto, um rapaz com voz de criança, Stephen Abbot, que faz Justin Bieber parecer o filho bastardo de Iggy Pop com Amy Winehouse, está fazendo beicinho para a tela. "Eu conheço as meninas há tempos, e gosto mesmo da Annabel. Não sou nenhum pervertido por isso. Só queremos pegar um cinema, comprar um refrigerante, e talvez umas balas. Mas algumas pessoas têm a mente suja, e sempre alguém tenta transformar a coisa em algo que num é."

Enquanto Annabel assente, a outra gêmea, Amy, interrompe e diz, "Né só isso, não. Eles se beijam muito, e é nojento!"

Eu desvio o olhar e vejo Marge grunhir ao terminar sua série. Então é hora de levar sua robusta carcaça até a esteira. Coloco a velocidade em cinco quilômetros por hora, suficiente para forçá-la a entrar no ritmo, e depois vou subindo até oito, um trote mais sólido. Enquanto ela, relutantemente, vai aumentando o passo, eu grito: – Vamos lá, Marge!

Jesus H. Lester (1,80 m, 83 kg) está olhando para a televisão e falando com sua cliente, uma professora universitária de trinta e poucos anos, bastante *motivada*, que marcha tranquilamente na esteira vizinha. – Não deve ser fácil para essas garotas, isso é certo.

Foda-se. Eles que debatam as questões filosóficas; eu vou empurrando a gemebunda Marge até dez quilômetros por hora, enquanto começo a refletir sobre outro número: 33. Meu aniversário, na semana passada. A idade em que a maioria dos verdadeiros atletas faz um balanço. É nessa hora que você pode dizer que se trata de um verdadeiro esporte, e não de um jogo: eles estão acabados aos 34 anos? Dizem por aí que a meia-idade começa oficialmente aos 35 anos. Eu *não* tenho condições de entrar nessa. Um lado meu solta vivas quando um bandido ou uma gordona, feito a suarenta Marge, acaba batendo as botas antes da hora. Seja uma bala ou um bacon, pouco me importa como ataque, desde que eleve aos céus as estatísticas em prol daqueles de nós que *tentam* evitar as duas coisas. Marge protesta pateticamente quando eu aumento a velocidade para doze quilômetros por hora.

– Mas...

– Você está indo bem, querida – arrulho.

– Ufa... ufa... ufa...

Só que eu já estou naquela idade em que se espera que uma mulher tenha certas coisas: um marido, talvez um filho ou dois, um lar, e muitas dívidas. As últimas eu até tenho, no montante de 32 mil dólares, devido a empréstimos estudantis e cartões de crédito. Nada de hipoteca; apenas um aluguel de mil paus ao mês por um quarto e sala de bosta em South Beach. Eu olho para a fileira de fotografias de todos nós, os *personal trainers*: eu, Lester, Mona e Jon Pallota, que abriu este lugar aqui. Jon parece bronzeado, em boa forma, com seu cabelo ondulado e sorriso fácil. Sempre vou lembrar dele assim, mas isso foi antes do acidente. A vida pode mudar tão depressa; se você não agarra a escrota, ela passa por você despercebida.

– AI... AI... AI! – Marge está petrificada, com a bunda balançando de um lado para o outro feito a carroceria de um caminhão derrapando em uma rodovia de três pistas.

– Você está quase lá, meu bem, e CINCO... e QUATRO... e TRÊS... e DOIS... e UM! – O aparelho volta à velocidade de seis quilômetros por hora, para o relaxamento, e Marge já agarra as barras, salpicando a esteira com um suor grosso feito esperma. – Muito bem, garotona!

– Ai... ai, meu Deus...

Eu aperto o botão vermelho, que para o aparelho. – OK, agora desça daí, pegue aquele kettlebell novamente e me dê vinte repetições com as duas mãos!

Ah, lá está aquela expressão de você-acaba-de-me-pedir-um-sacrifício-insano.

– Vamos lá!

Enquanto Marge obedece suando, eu penso nos meus outros números significativos. Altura: 1,80 m. Peso: 50 kg. Número de clientes regulares: 11. Número de academias parceiras: 2. Pais: 2 (divorciados). Irmãos: 1, gênero feminino, bancando a porra da santa na Índia, na África, ou em algum buraco de merda parecido. Sim, Jocelyn trabalha em uma organização não governamental, tentando salvar gente pobre e de cor no Terceiro Mundo, possivelmente para compensar a postura de papai, um tanto ainda por revisar, sobre a questão racial.

Marge está de brincadeira ali! – Curve esses joelhos, abaixe essa bunda! MANTENHA ESSES OMBROS PARA TRÁS! NÃO DEIXE OS OMBROS PASSAREM OS JOELHOS! Melhor! É isso aí! Bom!

Quando éramos crianças, nós nos mudamos para Weymouth. Era uma casa grande, com pé-direito alto, e um imenso jardim nos fundos. Jocelyn e eu tínhamos um quarto para cada uma. Só que eu sempre tive a impressão de que mamãe e papai não eram felizes. Enquanto crescia, vi que eles só pareciam demonstrar que estavam unidos por meio de um rancor compartilhado. Papai vivia reclamando do "influxo de Dorchester" em Weymouth (saquei que ele estava falando dos negros, alegando que fora para fugir deles que havíamos nos mudado para lá, embora nossa última vizinhança fosse a mais branca e irlandesa da cidade), enquanto mamãe endossava isso com um meneio de cabeça traumatizado e um comentário sobre "preços de imóveis em queda".

– É isso aí, querida – digo, incentivando Marge. – Abaixe essa bunda mais! Até lá embaixo!

Mas vamos voltar a 33. É uma idade ruim para uma mulher solteira, e péssima para uma *personal trainer*. A coisa (em geral) não é dita, embora a ardilosa Mona, oito anos mais jovem do que eu, loura, 90-60-90, e depois de mim a *personal* "mais velha" da Bodysculpt, ocasionalmente me descreva, cheia de uma enjoativa deferência fingida, como "a mais experiente". Está aí uma vaca que toma ácido com a sua sacarina.

– Tá legal, Marge... agora me faça um movimento em torno do corpo, da esquerda para a direita... bom... bom, mas tente manter o haltere na mesma altura – digo a ela. Isto é um horror para uma gorda forrada de celulite. – Isso, melhorou...

Agora que Jon não aparece mais aqui, a única pessoa com quem eu realmente me dou bem é Lester. Acho muito melhor trabalhar na Miami Mixed Martial Arts, uma academia de verdade na rua 5, administrada por Emilio, um ex-boxeador. Lá os clientes levam a sério sua forma física e suas metas. Parte de uma cadeia empresarial yuppie, com vidraças e assoalhos de pinho, a Bodysculpt mais parece uma porcaria de boate diurna. Eles têm até DJs residentes, como o execrável Toby, que hoje felizmente está ausente, tocando música para "malhar". Em geral isto é uma babaquice ambiente insípida para obesas preguiçosas, dopadas com Prozac e encharcadas de álcool, que pensam que estão na porra de um spa. A maioria das clientes é de mulheres: no meu expediente, as donas de casa gordas malham nervosamente ao lado de modelos magricelas e de profissionais que passam a maior parte do tempo falando no celular enquanto fazem qualquer merda em ritmo lento no aparelho elíptico. Os poucos homens nesta academia parecem, todos, serem tipos que fizeram altos planos para largar a escola ainda no segundo grau, mas quase ao final do jogo acabaram se acovardando. Então resolveram que estudar e depois exercer advocacia seria uma maneira melhor de prejudicar suas comunidades. E provavelmente estavam certos.

Marge termina sua série e eu passo a lhe mostrar como proceder para conseguir erguer do chão um kettlebell maior ainda.

– Quando se abaixar, você retesa os abdominais – digo, já fazendo a demonstração. – Assim você aperta os glúteos e faz pressão bem no centro dos calcanhares.

Um buraco negro boquiaberto e dois olhos chocados me encaram no meio de uma suarenta fornalha vermelha.

– Vá em frente!

Marge chega a fazer cinco repetições, depois começa com aquelas babaquices de bandeira branca.

– Posso parar agora? – implora a desistente.

Eu respiro fundo, com as mãos nos quadris. – Quem desiste, desiste! Quem faz, faz! Marge... mais cinco, garotona! Vamos lá, meu bem, você consegue!

– Não consigo...

– Nem pensar! Vamos lá, mais cinco, e fica por isso mesmo – exijo, enquanto ela se curva, sugando ar. – Dê um jeito aí!

A vaca olha para mim como se eu tivesse acabado de enfiar uma faca nela, mas obedece.

– QUATRO!

Essa gente que adora perder tempo não quer mudar porra nenhuma; só quer se afirmar. Você precisa sacudir essas pessoas. Precisa dar uns tapas nas caras gordas e burras delas, até que comecem a ganir.

– TRÊS!

É preciso dizer que você vai cortar fora do corpo delas toda aquela gordura indolente, e torná-las *humanas* outra vez. E sim... elas vão *odiar* você por isto.

– DOIS!

E eu não fico de sacanagem com essas nojentas; mando logo um papo reto. Falo para elas que *realmente* é como nascer de novo, mas em câmera lenta, e que a pessoa lembra de cada detalhe violento, cada gota de suor, cada bufo, cada sufoco ou cada osso esmagado. Só que no final você sai com um corpo e um espírito aptos para o objetivo da vida neste mundo. Marge se esforça com o peso...

– UM! EEEEEE PODE DESCANSAR!

O haltere pesado escapa da mão dela e bate no piso de borracha. Ela fica curvada, resfolegando com as mãos nos joelhos. Eu não gosto de ver gente deixando os halteres caírem, por isso solto um grito.

– Você arrasou, Marge! Dê essa mão aí! – eu digo, forçando Marge a erguer o corpo parcialmente, com relutância, para espalmar sua mão na minha, antes de voltar a agarrar os joelhos. Ela levanta o olhar, ofegando pesadamente feito uma gazela que escapou das garras do leão *desta vez*, embora pagando o preço de ter parte da bunda arrancada. *Vai sonhando, puta gorda!* Sim, sou detestada agora, mas quando a endorfina bater, ela começará comigo um caso de amor que durará o dia todo. Então sairá ao sol, verá aqueles esbeltos corpos bronzeados de South Beach e pensará: *Eu preciso me esforçar mais.*

Sim, precisa se esforçar pra caralho.

Enquanto nossas clientes, Marge e a tal professora universitária de Lester, terminam e vão para os chuveiros, nós aproveitamos o intervalo para esperar as próximas alunas. Aqui há um escritório, mas que é usado principalmente para pagar os funcionários e administrar o lugar, de modo que preferimos sentar no balcão de sucos, curtindo a luz que entra pelo teto de vidro inclinado. Os melhores treinadores sempre querem se manter visíveis, mesmo que não estejam se exercitando ou treinando alguém.

Lester beberica um café preto, enquanto eu fico com meu chá-verde. Eu gosto de Lester, agora que ele parou de contar umas histórias sobre o gueto de South Bronx que me entediavam pra caralho. Quando chegou, ele ainda tinha aquela arrogância nova-iorquina, aquela presunção cansativa de que lá só acontecem coisas interessantes, modernosas e malucas, mas deu uma relaxada aqui na Flórida. Ele também já aprendeu a usar seletivamente o tal papo de gueto, que é ótimo para as aulas de boxe e autodefesa, mas não tão bom para conversas pessoais com os clientes brancos mais abastados. Mona entra e se junta a nós, largando sua revista sobre William e Kate antes de ir até a máquina de café expresso. Lester se anima ao ver Sarah Palin aparecer na TV, falando da necessidade de termos um controle maior sobre a imigração.

– Controle maior sobre a imigração? Cacete, ela precisa de um controle maior sobre aquela bunda – diz ele, dando uma risadinha.

– Chega de sexismo, Les – digo, sem conseguir evitar um sorriso. Eu não devia encorajar Les, mas não resisto, por saber que isso ofende Mona, que já voltou à sua revista.

– Imaginem viver todo dia como se fosse um sonho – arqueja ela entredentes.

– A bunda da puta da Sarah já foi ladeira abaixo. É só comparar com o rabo dela em 2008. Nem por um caralho a Tina Fey vai deixar isso barato. Bem que a Sarah queria. Foi aquela bunda caída que *realmente* custou a ela a indicação do Partido Republicano em 2012. E até 2016, quantos palmos aquilo ainda vai descer rumo ao inferno? – explica Lester, arregalando os olhos. – Nenhum desses velhotes que nem conseguem bater uma punheta para ela vai se dar ao trabalho de arrastar o esqueleto até a cabine de votação para marcar o nome dela. Agora... se eu pegar a bunda dela por seis meses, cara, deixo dura e lisa feito duas pedras de rio!

Lester vive falando da sua clientela de fantasia, e do que ele poderia fazer por seus integrantes. Justin Bieber seria bombardeado com ferro e esteroides até ficar parecido com Stallone. Roseanne Barr seria derretida impiedosamente até ficar parecida com Lara Flynn Boyle. Só que as observações dele nunca impressionam Mona.

– Isso é tão misógino, Les – guincha ela, erguendo o olhar da revista. Seu tom de voz indica uma desaprovação que um rosto paralisado da linha do cabelo até a mandíbula por toxinas botulínicas simplesmente não consegue exprimir. – Acho que Sarah é uma figura realmente inspiradora.

– Vou rachar a união das irmãs aqui – interrompo. – Porque o Les tem razão. Sarah está condenada a perder dois milhões de votos por ter deixado sua bunda despencar desse jeito. Eu calculo que para uma candidata cada meio quilo ganho represente uma perda total de cem mil votos. Cinco quilos para um lado ou para o outro botam mais do que um punhado de estados indecisos na jogada...

Depois de concluir, eu pego uma maçã na cesta e mordo um bom pedaço.

– É isso aí – diz Les, espalmando sua mão na minha. – A campainha de alerta já está soando para ela e Hillary em 2016.

– Bom, eu gosto do que ela diz – admite Mona com ar emburrado. – Ela é uma mulher muito impressionante.

– Ela realmente maneja bem as pressões da mídia – sorrio, olhando para a tela e vendo os olhos de Mona seguirem meu olhar. Lá estou eu novamente. Cacete, aquele *foi* um chute frontal excepcional, caralho!

Então o rosto de Lester se enruga com um sorriso ainda mais profundo. – Jon vai ficar muito satisfeito que você vire a nossa próxima grande estrela midiática. Isto tirará o foco de cima dele. Talvez ele até dê as caras aqui dentro outra vez!

– Espero que sim – concordo.

Jon é o proprietário da Bodysculpt; desde o seu notório acidente, porém, deixou de ter clientes e raramente vem aqui. Uma pena, pois ele era um dos melhores treinadores em atividade.

Eu tiro da mochila o meu iPhone. Tenho todos os registros e programas dos meus clientes aqui. Adiciono mais 65 calorias devido à tal maçã pequena. Eu me assumi como devoradora de números no dia em que descobri o Lifemap TM.

Mais do que um website, um aplicativo, um registro calórico, um monitor de exercícios, peso e índice de massa corporal, o Lifemap é uma ferramenta indispensável, além de ser todas essas coisas. É melhor do que um gravador que registra toda a comida que você come, de tudo que você enfia no buraco, ou de todos os exercícios que você faz, desde caminhar ao shopping local até correr uma maratona. É um estilo de vida, o artefato que salvará a América e o mundo. Lifemap foi inventado por uma empresa que desenvolve softwares, e é endossado pelo antigo astro da NBA Russell Coombes (três vezes campeão mundial, com 1.136 partidas jogadas durante sua carreira por Chicago, San Antonio e Atlanta. Famoso pelo número de bolas roubadas por jogo: 1,97. Aposentado aos 32 anos de idade...)

... merda.

A razão principal para os meus 33 anos serem significativos é que aqui em Miami Beach, um lugar tão consciente da moda, essa idade estabelece o parâmetro básico da minha clientela. Nenhuma pessoa com um mínimo de sensatez quer ser treinado por alguém com mais idade do que ela. Ninguém quer alguém com uma aparência de merda, e se todos os outros fatores forem normais (coisa que raramente são, mas isso não vem ao caso), quanto mais você envelhece, mais fica com uma aparência de merda. É claro que existem exceções, e logo me vêm à cabeça os *personal trainers* de celebridades, ou *personality trainers*, gente que desafia a tendência dominante neste mundo, como J-Mick, Harper, Warner ou Parish. Normalmente, porém, o que isto significa é que eu só pego umas quarentonas gordas, impossíveis de salvar, mas que almejam ficar parecidas comigo. Enquanto isso, Mona pega as trintonas levemente fora de forma que desejam ficar parecidas com ela, além de um perturbador plantel de vacas magricelas que parecem só estar de folga dos períodos que passam sentadas com as mãos enfiadas na garganta à espera daquele telefonema da Condé Nast tão esperado. Só que isso está prestes a mudar!

Nem todas elas são casos perdidos, no entanto. Annette Cushing, uma gata toda malhada, chega ao balcão de sucos com uma expressão alegre e um andar confiante. É uma das clientes de Mona, mas a ignora, enrugando o nariz mimoso e mantendo os grandes olhos negros em *mim*. – Parabéns, Lucy! Aquilo foi tãoooo corajoso. O que deu em você?

– Não tive tempo de pensar – explico, já vendo Mona ficar boquiaberta. Obviamente, minhas proezas passaram batidas por aquela piranha autocentrada. – Só reagi como fui treinada a fazer.

– Aquele chute, o tal que a câmera pegou...

– Que história é essa? – pergunta Mona. Lester aponta para a TV, que já voltou a exibir as imagens, e Mona solta um guincho vibrante: – AH, MEU DEUS!

Ela se aproxima da TV presa no alto da parede para ouvir melhor.

– É um simples golpe de kickboxing, como um pontapé curto – digo a Annette, esticando a perna para demonstrar.

– Você não falou nada – gane Mona em um tom acusatório babaca, antes de ficar de queixo caído ao ouvir a pergunta que Annette me faz.

– Eu estava pensando... posso treinar alguns desses troços com você?

– Claro – digo, apontando para o nosso fichário de cartões pessoais. – Dê uma ligada para mim. Mas terá de ser lá na Miami Mixed Martial Arts.

Dou uma olhadela para Mona: a vaca teve de engolir essa como se fosse uma fatia de torta de limão com mil calorias!

– Sim, eu estou pronta para sujar as mãos. – Annette sorri, e depois segue com uma atarantada Mona em direção à imaculada sala de Pilates. A puta pagou oito mil (ou melhor, mandou a porra de algum ricaço pagar) para dar a essa treinadora de bosta o credenciamento e os equipamentos necessários.

Dá para ouvir o toque estridente do telefone lá no pequeno escritório. Lester pula da banqueta e vai atender. Seus olhos, e logo depois sua cabeça, aparecem de volta na soleira da porta.

– Telefone pra você, Lucy. Agora todo mundo te quer, sua superstar – diz ele. Quando me aproximo, ele ergue a mão para bater na minha palma outra vez. – Heroína e celebridade da TV! Cara, isto é bom para os negócios!

– E eu não sei disto? – Dou um sorriso, bato na palma dele antes de entrar na sala acanhada e feia, iluminada por uma única janela pequena.

Há bancadas de trabalho embutidas em três das paredes. Eu pego o telefone, parcialmente soterrado sob algumas fichas de clientes na mesa de Lester. Outra TV presa no alto da parede mostra silenciosamente meu rosto boquiaberto de choque e o dedo apontado da gorducha vestida de rosa. Eu atendo o telefone. – Alô, é Lucy Brennan quem fala.

– Oi. – A voz é suave e hesitante. Já ouvi esse tom antes. – Aqui é a Lena, Lena Sorenson. Sou a testemunha que estava na ponte ontem à noite. Filmei tudo com meu celular. Aqueles caras... correndo na ponte... e você desarmou o atirador? A delegacia?

É ela! A garota gorducha! A que me tornou uma estrela!

– Ah, sei... legaaaal...

Eu olho para a tela, mas nós já sumimos, substituídas pela imagem de uma garota com cerca de 10 anos. Segundo a barra no rodapé da tela, ela está desaparecida. Então reaparecem as gêmeas siamesas do Arkansas.

– Consegui o seu número na internet – arqueja a gorducha. – Joguei seu nome no Google e apareceu a página da academia, com você listada como *personal trainer*.

Sei, sua *stalker* fracassada e esquisitona. – Maraviiiilha... como você está?

– Estou bem... bom, talvez não tão bem assim – diz ela em um tom cauteloso e semiconfessional. – Eu meio que ganhei muito peso recentemente, e quero muito recuperar minha forma. Você acha que talvez possa me ajudar?

– É isso que eu faço. Quando você pode vir fazer uma consulta?

– Eu moro meio que na vizinhança, bom, North Miami Beach. Posso passar aí em alguma hora amanhã de manhã?

– Claro – digo, olhando para uma tela menor, em outra parede do escritório, onde já estamos de volta, em um canal diferente. Esta perua vestida de rosa, com uma posta de carne reverberando em torno do pescoço, está quase babando ao me descrever como uma heroína. – Será um prazer encontrar você em circunstâncias mais calmas. Que tal às dez?

– Dez está bom – diz ela sem convicção.

– Tá legal. Amanhã a gente começa – digo a ela. – Às dez em ponto.

— Tá legal — tremula a insípida voz de uma vítima do outro lado da linha.

Eu desligo, junto minhas coisas e vou me despedir de Lester no balcão de sucos. Então saio e vou caminhando até a delegacia de Miami Beach na rua 11 com avenida Washington. Na recepção, reconheço um policial da noite anterior, um cara negro, baixo e gordo, que simplesmente me lança um olhar vagamente reprovador, antes de me pedir para assinar um formulário e depois me entregar as chaves do meu carro. Sigo as instruções dele e desço até o estacionamento, onde encontro o Cadillac DeVille. Examino a área amassada na colisão, sentindo que estou retirando do canil municipal um cão de resgate muito amado, porém perigoso. Entro, dou a partida e o motor pega de primeira. Saio do escuro estacionamento subterrâneo, à luz do sol, pegando minha rua e contornando o quarteirão para me certificar de que não há fotógrafos à espreita. Mas a rua está silenciosa, tirando algumas palmeiras que farfalham na brisa suave, sob a claridade que subitamente diminui, quando umas nuvens tempestuosas chegam do oceano para bloquear o sol. Eles perderam o interesse tão depressa assim? Dentro do apartamento, nem tenho tempo para qualquer e-mail, pois hoje é a grande noite. Michelle Parish está na cidade, falando sobre seu novo plano de exercício e dieta!

*

Quando termino de me aprontar, vestindo uma calça de linho branca e camiseta regata azul, além de prender o cabelo para trás em um *chignon* clássico, pois estou farta dos rabos de cavalo de academia, as nuvens já se afastaram, e é uma bela noite que cai em Miami Beach. O tempo continua quente e úmido, enquanto o sol se põe e os insetos esvoaçam sonhadoramente. Eu cruzo confiantemente esse ar tropical e sexy de volta ao meu carro, contente ao ver que a área está livre. O velho som estereofônico do Cadillac está quebrado, mas eu tenho meus CDs e boto para tocar um de hip hop cubano que comprei por cinco paus de um contrabandista na Washington. Nunca faço isto, mas aquele garoto tinha os olhos mais lindos. Musicalmente foi um risco, mas neste caso funcionou, e um ritmo forte de samba preenche o ar, enquanto um vocal espanhol manda muito bem ao se imiscuir na batida. Bem que eu queria entender que merda eles estavam cantando.

Pego a ponte MacArthur sobre a baía de Biscayne e vou até Coral Gables, estacionando a um quarteirão da livraria e caminhando até lá. Odeio Miami propriamente dita; sou cria de South Beach, mas Coral Gables é um dos poucos pontos no continente que consigo tolerar, e isto se deve em grande parte a este lugar aqui. A Books & Boooks é uma loja classuda com um grande pátio café, onde um dos cantos geralmente é ocupado por músicos superlegais. Já até peguei dois caras e uma gatinha ali, em ocasiões separadas.

Fico sentada, registrando minhas calorias diárias e os dados dos meus exercícios no aplicativo Lifemap TM do telefone, enquanto a clientela se acumula ao meu redor. Uma mulher de óculos e cabelo escuro frisado sobe ao pódio, e consigo ver Michelle Parish, um pouco mais baixa do que eu imaginava, sentada atrás dela, toda animada e entusiástica, exatamente como é em *Perca Essa Pança!*

A outra mulher tem um rosto afilado que se move de forma alerta e rápida, feito o de um pássaro. Ela se prepara para apresentar Michelle; para meu espanto, porém, faz uma grande expressão de reconhecimento quando subitamente seu olhar cruza com o meu.

– Eu só gostaria de dizer que temos uma heroína local na plateia de hoje à noite – diz ela, apontando diretamente para mim. – A mulher corajosa que desarmou o atirador na ponte Julia Tuttle!

A fim de não me encolher na cadeira, eu olho em torno com um sorriso forçado. Há uma pausa durante uma fração de segundo, antes que as cerca de cem pessoas do lugar inteiro prorrompam em palmas, lideradas por Michelle, que já está de pé, aplaudindo ferozmente. Ah. Meu. Deus. Não. Saia da cidade!

Fico examinando os rostos cheios de expectativa e sinto vontade de simplesmente sair rastejando dali. *Foda-se. Assuma. Tome posse.* Então sinto minha espinha endurecer, enquanto balanço a cabeça com um sorriso despretensioso; falso, sim, mas estou fazendo um esforço. E por que não, caralho? Eu fui à luta. Salvei dois homens inocentes da porra de um psicótico. *Simplesmente assuma.* Eu aguentei a porra do rojão! Fui à luta!

Os aplausos vão morrendo e a apresentação continua. Então Michelle levanta e vende o seu peixe. Com cerca de 1,60 m, 50 kg, ela é um pequeno dínamo, falando sobre algo chamado Páginas Matinais.

– Não sei se alguém aqui já ouviu falar em Julia Cameron, famosa por seu livro *O caminho do artista* e suas Páginas Matinais – diz Michelle, espiando por cima dos óculos e parecendo uma gostosinha que não sabe que é gostosa, enquanto uma floresta de mãos se levanta. – Ótimo. Eu juro que recomendo. É uma coisa tão fácil de fazer. Você precisa escrever... à mão, de preferência... três páginas, cerca de 750 palavras, toda manhã. Fluxo de consciência, escrito sem censura; qualquer coisa que passar pela sua cabeça. Não existe maneira certa ou errada de fazer isto, que liberta seus pensamentos durante o resto do dia. Eu acrescentaria uma ressalva: não faça isto com um petisco na mão!

Algumas risadas e depois a coisa fica séria: Michelle vai demolindo de forma genial a dieta de baixo carboidrato de South Beach. É *isto* que eu vim ouvir aqui, e não sobre essas merdas de escrever ou de arte.

– Uma dieta sem um programa de exercícios é como um programa de exercícios sem uma dieta... só mais um modismo inútil – diz Michelle, concentrada feito um assassino frio, com seus olhos vívidos me queimando. Fico curtindo o jeito com que sua cabeça se move para o lado sobre aquele pescoço surpreendentemente longo, e a força que seus peitinhos empinados fazem contra a blusa justa. – As pessoas não ficam obesas por comerem coisas erradas ou terem um estilo de vida sedentário. Ficam obesas por fazerem as duas coisas. O ataque à obesidade precisa ser holístico. A dieta da moda morreu!

É a deixa para grandes vivas por parte dos espectadores, muitos dos quais fazem parte da comunidade de *personal trainers*. Eu reconheço uma puta carente que trabalha na Crunch, e um viado lá da Equinox. Mas só *uma* pessoa vai bater um papo rápido com Michelle depois disto aqui. Vou direto para ela, e até os filhos da puta mais competitivos da fraternidade de treinadores *abrem a porra do caminho* para deixar esta heroína ser a primeira a ficar frente a frente com Michelle. Além do bate-papo, sou recompensada com o cartão profissional e o e-mail pessoal dela!

– Mande um e-mail para mim, Lucy, nós precisamos conversar.

Ela sorri e depois se vira fatigadamente, dando de ombros à guisa de desculpas, para encarar a multidão ansiosa.

Vou dirigindo de volta para casa em um estado de quase arrebatamento. Aperto o controle remoto para abrir os portões. Estaciono no pátio de trás e subo para o meu apartamento. A lâmpada da escada dos fundos no segundo andar precisa ser trocada. Está escuro e não consigo enxergar nada. Então ouço um barulho, uma explosão musical, e algumas vozes lá em cima. Sinto meu corpo se tensionar, mas são apenas os garotos do apartamento embaixo do meu que estão saindo. O jovem DJ que mora lá me cumprimenta com um gesto de cabeça, enquanto seu *entourage* passa. Eu entro no apartamento e vou direto para o computador.

4
CONTATO 1

Para: lucypattybrennan@hardass.com
De: thelmajtempleton@vh1.com
Assunto: Piloto de TV

Lucy

Foi ótimo conhecer você no seu apartamento hoje de manhã!

Assim que você decidir a questão da sua representação, por favor me avise, já que eu gostaria de pôr o projeto do piloto para andar o mais depressa possível. Enquanto isto, já anexo aqui um documento esboçando algumas das nossas ideias para o programa, que poderemos ampliar durante nossa reunião, que agendei para amanhã à tarde. Isto ainda é conveniente para você? Enfatizo que a esta altura são apenas ideias, nada gravado em pedra, e que obviamente a sua própria contribuição será preciosa. Depois que examinamos as fotografias e o vídeo novamente, todos os meus colegas aqui da produção concordaram: temos nas nossas mãos uma potencial estrela televisiva altamente fotogênica. Mal podemos esperar para começar a trabalhar com você!

Por favor não se preocupe muito com os repórteres ou os paparazzi diante da sua porta. O pessoal dos noticiários, que Deus os proteja, tem um certo déficit de atenção. Logo eles serão atraídos a algum hotel na Ocean Drive, assim que ouvirem dizer que um dos competidores do *American Idol* se embebedou no bar ou voltou ao quarto acompanhado por alguém. Mais uma vez: estar bem representada com um agente de relações públicas só ajudará você a lidar com essas invasões. Como eu disse, já tomei a liberdade de repassar seu contato a Valerie Mercando.

Um abraço,

Thelma

Caralho, valeu!

Para: lucypattybrennan@hardass.com
De: valeriemercando@mercandoprinc.com
Assunto: Representação

Querida Lucy

Meu nome é Valerie Mercando, e eu administro uma agência de relações públicas aqui em Miami, representando uma clientela variada composta por modelos, fotógrafos, artistas, atores e estrelas de reality shows. Peguei seu contato com Thelma Templeton, que você conheceu recentemente, pelo que eu soube.

Aqui na Mercando RP, nós entendemos que o cliente é a estrela. Com mais de 40 anos de experiência combinada, Valerie e Juanita Mercando já conquistaram uma reputação inovadora como a principal butique de relações públicas centrada no cliente do sul da Flórida. Caso decida tornar-se nossa cliente, posso assegurar que você será muito bem tratada. Nós sentimos que o seu heroísmo já cativou a imaginação e o coração da comunidade do sul da Flórida, bem como de outras regiões.

Adoraríamos poder trabalhar de perto com você, seus editores e seus diretores de TV, para garantir que a marca Lucy Brennan seja representada com tanta força quanto merece.

Como ponto de partida, temos algumas ideias bastante sólidas sobre uma repaginada do seu website.

Posso ser contatada no telefone 305-664-6666.

Por favor, me avise se isto lhe interessa.

Um abraço,

Valerie Mercando
CEO
Mercando Public Relations Inc

Caralho, valeu! Eu telefono direto para Valerie Mercando. Ela não está de sacanagem. Digo que não posso vê-la amanhã, porque tenho cinco clientes pela manhã, e uma reunião na produtora/emissora à tarde. Então ela sugere que nos encontremos mais cedo para tomar café da manhã.

Valeu. Sucesso, aqui vou eu! Estou inspirada, por isso parto logo para cima de Michelle!

**Para: michelleparish@parishioners.com
De: lucypattybrennan@hardass.com
Assunto: Oi, você!**

Oi, Michelle

Não só foi uma grande honra conhecer você hoje à noite, como ouvir uma das pessoas mais importantes na minha área endossar tudo que venho tentando ensinar nos últimos quinze anos... bom, isso me deixou muito animada! Que sensação de valorização! Portanto, deixando a timidez de lado, resolvi aceitar seu convite para entrar em contato direto com você.

Quero começar dizendo que você é a *numero uno*, o topo da escala, exatamente onde eu quero estar. Não vou jogar em cima de você chatices do tipo "eu sou a sua maior fã"... pelo que vi hoje à noite, você já deve estar cheia disso até a goela. Só quero dizer que você é uma figura maciçamente inspiradora na minha vida.

Como você sabe, Michelle, eu também sou uma *personal trainer,* uma guerreira zelosa contra a praga da obesidade que anda soterrando nossa nação sob banha. E como você também já percebeu, recentemente eu virei uma espécie de celebridade na mídia, desde que desarmei aquele atirador na ponte Julia Tuttle. Recebi muita atenção como resultado deste incidente, e já há um canal a cabo ansioso para fechar negócio comigo. Fiquei pensando se seria possível saber sua opinião sobre os benefícios e potenciais armadilhas do estrelato na TV!

Sem querer entrar em assuntos pessoais demais, eu sou uma mulher bissexual com uma vida sexual ativa, e sei que este simples fato já me torna alvo de interesse para uma mídia e um público vorazes. Socorro! Se um dia você vier a South Beach, entre em contato comigo!

Votos de sucesso contínuo para você,

Lucy Brennan

Para: questions@jillianmichaels.com
De: lucypattybrennan@hardass.com
Assunto: Sei que a chance é mínima, mas...

... na remota possibilidade de você responder seus e-mails pessoalmente, eu gostaria de começar dizendo que você é a *numero uno*, o topo da escala, exatamente onde eu quero estar. Não vou jogar em cima de você chatices do tipo "eu sou a sua maior fã", desconfio que você já está farta disso. Só quero dizer que você é uma figura maciçamente inspiradora na minha vida.

Jillian, eu também sou uma *personal trainer*, uma guerreira zelosa contra a praga da obesidade que anda soterrando nossa nação sob banha. Eu mesma virei recentemente uma espécie de celebridade na mídia, por ter desarmado um atirador na ponte Julia Tuttle, bem aqui em Miami Beach. Recebi muita atenção da mídia como resultado deste incidente, e já há um canal a cabo ansioso para fechar negócio comigo. Fiquei pensando se seria possível saber sua opinião sobre os benefícios e potenciais armadilhas do estrelato na tevê!

Sem querer me abrir em demasia, eu sou uma mulher bissexual com uma vida sexual ativa, e sei que este simples fato já me torna alvo de interesse para uma mídia e um público vorazes. Socorro! Se um dia você vier a South Beach, entre em contato comigo!

Votos de sucesso contínuo para você,

Lucy Brennan

5
TRAJES DE BANHA

Levanto às 7:07, junto com o sol, como faço toda manhã nesta época do ano. É como se fosse a porcaria de um botão. Não consigo dormir depois que o sol se levanta; mesmo que eu esteja em um quarto escuro, com as persianas cerradas, meu corpo *sabe*. Então visto logo uma roupa para malhar, alongo o corpo e saio trotando pelas calçadas de South Beach. Avisto uma dupla de corredores lá na frente, um cara e uma garota, mas facilmente alcanço os dois patetas e deixo suas bundas moles para trás. Invado o Flamingo Park, e lá dentro paro nas barras a fim de fazer quatro séries de quinze flexões. Volto ao meu apartamento na Lenox, tomo uma chuveirada e então vou de Cadillac até Soho Beach House para encontrar Valerie Mercando. Vamos tomar o café da manhã juntas no pátio dos fundos. Eu chego cedo, pois queria ver o lugar antes, e fico altamente impressionada. Aqui será o novo pedaço de Lucy Brennan!

Valerie Mercando entra, protegendo os olhos da claridade matinal: é mais velha do que eu imaginara, devido à leve agudeza de sua voz no telefone. Está usando um conjunto azul-claro, e irradia uma tranquilidade que diz "Eu sei ser sacana, mas no momento só quero tratar de um negócio sério", meio como se fosse uma Oprah latina.

Ela é o meu tipo de *puuuutaaaa*, disso eu tenho certeza.

Por recomendação minha, ela pede o mesmo café da manhã que eu, e insiste em pagar os dois. Então vamos para uma mesa lá fora. Valerie recoloca os óculos escuros, e conta que Thelma já lhe enviou todos os detalhes sobre o programa.

– Conceitualmente, acho que a coisa parece sólida, mas isso é você quem decide. Em termos financeiros, acho que eles fizeram uma proposta um pouco baixa...

– Preciso confessar que ainda não vi oferta alguma.

– Você não abriu os anexos?

– Ainda não – admito, já me sentindo meio panaca por ter negligenciado a coisa. – Você precisa entender que tudo isto está acontecendo depressa demais para mim.

– É, deve ser bem sufocante. Mas neste estágio eu só quero dizer duas coisas cruciais: uma, não assine coisa alguma...

– Estou ouvindo.

– E duas... você quer que eu vá à sua reunião hoje à tarde? Terei prazer em fazer isso, e agir provisoriamente em seu benefício. Não há obrigação alguma de me contratar formalmente, e caso você acabe escolhendo outra agente, será uma satisfação colocar a pessoa a par do andamento. Obviamente, porém, nós adoraríamos trabalhar com você.

– Escute, eu já me convenci. Você gosta de ser franca, de iniciativa direta, e eu também. Na minha opinião, já até fez por merecer os seus 10% – digo a ela, sentindo um baque interior por usar a expressão "iniciativa direta", tirada de um dos livros de administração de mamãe e Lieb.

Apertamos as mãos e falamos sem parar por mais de uma hora. O tom de Valerie se torna menos profissional, e mais aberto.

– As equipes de cinegrafistas vivem seguindo os policiais. Pode se preparar para sofrer esse tipo de assédio por cerca de duas semanas – diz ela, quando falo dos putos da mídia. – Depois, será como se nada houvesse acontecido, a menos que alguma outra peripécia devolva a coisa ao noticiário.

– A sensação é de que tudo já meio que terminou.

– Não se preocupe. Você tem uma coisa real para vender. Hoje em dia o heroísmo é uma qualidade rara, que a gente não vê muito por aí. Até tentamos elogiar os nossos militares, mas então o Pentágono praticamente admite que também é um canteiro fértil de estupradores e psicóticos. Já um indivíduo, quando faz algo assim, realmente cativa a imaginação.

– Concordo.

Então ela dá uma pequena risada.

– Tem gente que diz que nós da TV somos muito responsáveis por isso, principalmente no caso dos reality shows. Vou ser franca com você

– diz Valerie, antes de abaixar a voz. – Eu entrei neste jogo querendo fazer coisas de qualidade, mas simplesmente não existe demanda para isso. As pessoas andam tão assustadas, tão entorpecidas e manipuláveis, que quando se sentem desafiadas simplesmente apertam o controle remoto e passam para um mundo de parasitas inúteis como Paris Hilton ou Kim Kardashian, que têm dinheiro. Querem se imaginar naquele círculo, ou simplesmente assistir quando elas se fodem.

– Sem dúvida – digo, balançando a cabeça. Que diabo, gostei desta mulher: ela não tem papas na língua.

– E assim, estamos mais do que prontos para um herói ou heroína de *verdade*. Portanto, você vai receber muita atenção – diz ela, dando uma olhadela matreira para o meu corpo. – Embora eu ache que isto não será problema!

Fico pensando, por um segundo ou dois, se esta safada está dando em cima de mim, mas logo afasto a ideia.

– Uma das consequências de se ter uma boa aparência é que a turma fora de forma tende a deixar você em paz – explico. – Só que aqui é South Beach, e você nunca está muito longe de um babaca petulante, ou de um panaca absorto em si mesmo.

– Bom, nunca esqueça que o povo é obcecado por celebridades. Se de repente você perceber que está no radar de alguma pessoa psicótica, ligue para mim – oferece ela. Por algum motivo, a gorducha da ponte Julia Tuttle, com sua franja e sua papada grotesca, surge na minha mente.

Lena Sorenson.

Valerie abre um sorriso, mas que parece levemente desconfortável. Ela é uma agente até a ponta dos dedos.

– Tudo certo – diz ela, levantando. – Encontro com você na emissora hoje à tarde.

– Mal posso esperar.

Vou com ela até lá fora, onde os manobristas buscam nossos carros. Apertamos as mãos novamente para fechar o negócio.

Do sublime ao ridículo: quando chego na Bodysculpt, Marge Falconetti já está me esperando, exibindo uma expressão perdida no rosto.

Com a maior parte da clientela, e a minha é formada quase que exclusivamente por mulheres, você tenta descobrir a chave. Pode ser por sexo: querer ser vista como atraente, para conseguir uma boa foda? Pode ser pelos filhos: permanecer viva, em forma e ativa, virando assim um modelo positivo para eles e vê-los crescer, depois conhecer os netos? Pode ser por medo da Ceifadeira: será que o médico disse, perca a porra das banhas, ou algo parecido? Com tudo isso você ainda precisa forçá-las a fazer progresso, mas ao menos tem uma espécie de apoio. Com Marge Falconetti, porém, a questão é simplesmente manter sua bosta de estilo de vida. Eu só preciso manter essa vaca ardilosa longe do diabetes tipo 2, evitando que uma crise médica vire o barco. O fato de estar comigo durante uma hora três vezes por semana permite que Marge continue vendo suas novelas sentada no sofá, jogando batatas chips dentro da boca. Ela não quer mudar, só quer que eu dê validade a tudo que já faz. A 75 dólares por sessão, eu me sinto perfeitamente preparada para oferecer esse tipo de controle de danos, fazendo os gestos apropriados e tentando impedir que aquela bunda molenga sofra uma expansão descontrolada. Só que há algumas ilusões que precisam ser combatidas. Afinal, eu sou a porra de uma profissional.

– Perder peso não ajudará você a combater o diabetes tipo 2, Marge. Se você está pré-diabética, precisa fazer a dieta que o médico mandou.

– Eu sei, mas...

Os cantos da boca de Marge se viram para baixo.

– Você tem o Vincent – digo, lembrando do amado cachorrinho dela. – Você daria chocolate para ele comer?

– Não, é claro que não.

– Por quê?

– Porque ele morreria!

– Sim, mas está fazendo isto com você mesma. O que acha que isto provoca em você?

Ela lança um olhar vago para mim. Como conseguem não enxergar as coisas? Por que eu desperdiço meu tempo com essas vacas que acham que amor a três só pode ser feito com Ben & Jerry?

– Você não vai escapar do diabetes se exercitando três vezes por semana – digo a ela, já pensando no seu marido gorducho. – Fale com o Tony sobre isto. Você sabe que ele está acima do peso. Só pode estar incitando você constantemente a cozinhar e comer coisas erradas.

– Nós somos italianos...

– Você precisa se livrar dessa mentalidade. Não pode ser escrava de uma herança cultural ultrapassada. Eu tenho raízes irlandesas, mas você não me vê sempre entupida de guisado de carne, pão irlandês e cerveja Guinness. Nós somos *americanos*, pelamor!

Marge fica me encarando de volta, com os olhos ardendo de mágoa.

– Esses tipos de dinâmica influenciam muito se as pessoas mudam ou não. É o que eu sempre digo: se você quer mudar, precisa decidir fazer isso por *você*.

Então ouço a bosta de sempre acerca de ser esposa e mãe. Aquela velha fraqueza que eu desprezo: a dependência total de um marido, e a simultânea criação da filharada para ser a próxima geração de balofos, já matando todos enquanto declama constantemente seu amor por eles.

Outro grande problema nas minhas tentativas de mudar Marge é que eu não gostei dela assim que pus os olhos naquela cara. Não foi toda aquela carne trêmula embrulhada em Lycra preta feito breu, nem aquela maquiagem ridícula. Não. A gota d'água foi aquele boné dos Yankees, pateticamente empoleirado na cabeça dela. Sim, eu sou uma migrante, e agora já passei mais da metade da minha vida aqui, mas faz parte do meu DNA de Boston ter desprezo por eles. Principalmente uma piranha que nunca pôs os pés no sul do Bronx. Ainda bem que sou demasiadamente profissional para revelar a ela meus verdadeiros sentimentos.

Então levo Marge a passar uma hora fazendo uma série de exercícios com kettlebells, concentrando nos quadríceps que queimam gordura. Como ela odeia ver aqueles pesos! Mas vai fazendo várias flexões de quadril, de perna, e de joelho, além de corridas de quarenta metros para manter acelerado o ritmo cardíaco. Fico olhando para ela feito um abutre que esquadrinha a rodovia em busca de animais atropelados, enquanto vou digitando os números dela no Lifemap. Quando terminamos, ela vai cambaleando para o chuveiro, gosmenta feito uma lesma alcoólatra.

Então a porta giratória da gordura roda outra vez, e já tenho outro bloco de banha para ser esculpido, e talvez devolvido à forma humana. A tal da Lena Sorenson entra rebolando. Conseguiu achar uma calça de ioga, cinza e disforme, que é grande demais até para ela. Em certos aspectos, isto é até uma bênção: geralmente o problema das calças de ioga é ficarem apertadas demais nas mulheres, além de puxadas para cima, o que quase dá para se ver a xota delas. Por alguma razão mulheres como Marge, com aquela malha de Lycra, pensam que se elas se arrocharem em um tamanho menor, isso realmente *fará* com que fiquem desse tamanho. Estes trajes de Lena ainda por cima emitem sinais de alerta, porque as calças de ioga vêm se tornando a roupa de ginástica preferida de mulheres que estão desconfortáveis com seus corpos, mas não encaram os exercícios com seriedade. As tais calças até escondem uma boa parte da bunda de Lena, mas seu nível de retardo mental é proclamado por uma velha e apertada camiseta do Eurythmics, que exibe sua pança de forma absolutamente nauseante.

O mais importante é que são 10:07. *Notei a porra do atraso, sua fracassada.* Sorenson tem no rosto aquela expressão confusa de vaca no abatedouro. O olhar temeroso lançado para os aparelhos de exercícios, como se estivessem ali para arrancar fisicamente dos ossos dela a carne corpulenta. E isto é *exatamente* o que eles estão ali para fazer. Eu recebo Lena com um sorriso frio. Você acaba virando uma perita no tempo que qualquer gorda destas vai durar aqui dentro. Esta panaca não vai aguentar mais do que duas semanas.

Enquanto estendo a fita métrica e sigo para a balança, Sorenson, com seus 1,57 m e 90 kg, vai tagarelando nervosamente. – Eu realmente venho sentindo, já há algum tempo, que preciso começar a malhar... olhe, espero que você não se incomode que eu tenha deixado o pessoal da TV usar aquele vídeo do meu telefone. Eu agi sem pensar. Devia ter perguntado a você antes.

Eu me incomodar? Ela me transformou na porra de uma estrela!

– Foi muito invasivo – digo a ela, evitando mostrar gratidão para não abrir mão do poder. – Os paparazzi estavam bem diante da minha porta.

– Eu sinto muito...

– Bom, essas coisas acontecem... não vamos nos prender a elas. – Eu sorrio. – Está pronta?

– Mais do que estou não consigo – retruca Sorenson, sem graça.

Dou a ela uma série leve de exercícios com pesos e alongamentos, que ela executa razoavelmente bem, mantendo uma postura decente nos agachamentos. Enquanto termina, vou deixando que ela prossiga naquele papo de fracassada.

– Mas você sabe o que dizem, que a vida é o que acontece enquanto estamos fazendo outros planos...

Evidentemente, Lena é o tipo de garota capaz de falar e falar sem dizer coisa alguma, e eu ainda não consegui sacar direito o lance dela. Possivelmente parou de se esforçar depois de um casamento e um filho. Após um longo torpor à base de Prozac, acordou trocando fraldas, com um marido que nem toca nela, simplesmente vive viajando a trabalho ou jogando golfe. Só então ela percebeu que virara uma jamanta disforme. *Como isto aconteceu? Por que estou gorda?* No meu ramo, você aprende a respeitar os clichês e os estereótipos, que quase nunca enganam. Só que não há uma aliança naquele dedo gorducho. Chega de especulação. Logo vou descobrir o que move Lena. Primeiro, há gordura a ser derretida, e é hora de conferir o que essa fracassada pode fazer em campo.

Não sou uma grande fã das esteiras. Prefiro usar rotinas com pesos livres de alta intensidade para criar musculatura e força interior, simultaneamente aumentando o ritmo cardíaco e queimando a gordura. Mas a esteira é útil para reforçar o sistema cardiovascular e dar um pouco de resistência às baleias de sofá. Lena sobe no aparelho, e eu dou a partida a cinco quilômetros por hora, um ritmo suave. Ela continua tagarelando, agora querendo falar sobre *o incidente*, mas lamento, dona Sorenson, se você tem fôlego para papear, tem fôlego para correr! Eu vou aumentando o ritmo até a vaca *calar a porra da boca e suar*. É uma sessão mais pesada do que a inicial que normalmente eu dou para gente do tamanho e do peso dela, mas por algum motivo realmente pouco me importo se ela vai voltar ou não, coisa que raramente sinto em relação a clientes. Afinal, esse é o meu ganha-pão.

Marge e uma das clientes de Lester saem do vestiário, rumando para o balcão de sucos. Pego Marge abrindo um sorriso satisfeito para a minha garota nova. Alguém quase tão banhudo quanto ela – ao menos na comunidade jovem, branca e rica – é uma raridade em Miami Beach. No entanto, tenho a leve impressão de que Lena pode ser diferente. Sim, paira sobre ela um ar gosmento de depressão, e há em seu jeito uma certa autopiedade de vítima que me emputece pra caralho. Mas pressinto que ela realmente quer melhorar; mesmo sob o medo, brilha no seu olhar uma centelha desafiadora.

Após Lena ir embora, com certa relutância, olhando para mim como se eu tivesse alguma revelação dramática a fazer, além de dizer "mesmo horário na sexta", queimo 400 calorias na esteira. Depois pego o carro e vou para casa. Não há babacas da imprensa bisbilhotando, por enquanto tudo está bem.

Faço um almoço de brocólis e espinafre no vapor, mais um shake de proteína com manteiga de amendoim e banana (460 calorias). Meu telefone vibra dentro do bolso do short, e o visor mostra que é meu pai.

– Oi! Minha bebezinha! Quem sai aos seus não degenera!

– Hum, obrigada.

– Meu coração quase saiu pela boca quando ouvi falar. Eu disse a mim mesmo: em que diabos ela estava pensando ao enfrentar um homem armado soltando tiros por ali? Então pensei, ela é da família Brennan: é feita assim. Era isso mesmo que tinha de acontecer.

Eu adoro meu pai, embora ele tenha me mandado morar aqui com mamãe, quando eu queria ficar em Boston. Claro, adorar alguém não significa que você não consegue ver que esse alguém pode ser um verdadeiro babaca. Ele já escreveu uma série de cinco romances sobre detetives e procedimentos policiais, todos estrelados por Matt Flynn, um tira do Departamento de Polícia de Boston que virou detetive particular. Cada um vendeu mais do que o anterior, e o último acaba de entrar na lista de best-sellers do *New York Times*. Ele agora está fazendo uma matéria babaca para o *Globe*, sobre "a Boston de Flynn". Como ex-professor de ginástica, meu pai é muito obsessivo. Não sei por que ele se preocupa excessivamente com suas credenciais policiais, ou com a falta delas. Você só precisa almoçar com um tira banhudo uma vez para sacar todos aqueles procedimentos de merda; o resto simplesmente atesta o seu poder de imaginação literária.

As orelhas dos livros de papai alegam que ele passou oito anos como detetive da divisão de homicídios em Boston. Isto deve ser motivo de riso em alguns bares irlandeses da cidade. Ele serviu no Departamento de Polícia, uniformizado, durante apenas três anos, até ser expulso por "comportamento racista", após um incidente em um galpão em Dorchester. Grande realização essa: nem Josef Mengele conseguiria ser exonerado da nobre polícia bostoniana por causa disso. A verdadeira razão é que papai assumiu a culpa para proteger seu superior no departamento. E ele usou a grana da propina muito bem: escreveu um romance policial, que nem era tão ruim. Depois dessa estreia, floresceu como o preferido dos suburbanos: eles dormem melhor sabendo que Matt Flynn, o protagonista bostoniano de papai, está lá fora protegendo suas vidas, amarrando tudo com uma ótima resolução. Sim, metaforicamente ele até se tornou a fotografia retocada que ilustra as orelhas dos seus livros: parece uma versão mais robusta, tipo um segurança de boate, do dr. Drew Pinsky. Eu desconfio de botox, mas isto ele nega fervorosamente.

– Obrigada, papai. É assustador, quando penso no que aconteceu, mas eu simplesmente reagi.

– E como! Fico tão feliz por ter encorajado você a fazer kickboxing e taekwondo. Você salvou a vida de dois homens, e provavelmente a sua própria.

Sei que o ganha-pão de papai é a hipérbole policial, mas a verdade nessa afirmação me faz estremecer. Embora eu não fosse o alvo, ninguém sabe como um babaca armado pode reagir depois de tirar sangue de alguém.

– Também fico feliz.

– E vou lhe dizer outra coisa... vou deixar você rica, princesa! Agora tenho contatos em Hollywood. Andei falando com agentes e produtores sobre adaptações de Matt Flynn para o cinema e a TV.

O que dizer a isto?

– Bom... hum... talvez você tenha chegado atrasado. Uma produtora de TV já entrou em contato comigo sobre um piloto. Na realidade, preciso ir a uma reunião daqui a pouco. Já tenho uma agência de talentos local trabalhando para mim.

– Esta é a minha garota! O jeito Brennan de fazer e acontecer! Mas cuidado com esse pessoal, neném. Deixe um pouco da nossa velha astúcia irlandesa bem guardada no vestiário. Sabe o que um bestinha de um agente hollywoodiano me falou outro dia?

– Não...

– Ele disse, "Vejo Matt Flynn como um projeto futuro para os Damons, Afflecks, ou Wahlbergs da vida. Feito um ovo a ser chocado para esses caras quando a imagem de rato de academia comece a ficar difícil, a meia-idade se instale de vez e daí eles finalmente poderão fazer papéis de grisalhos e experientes".

– Entendi.

– Não. Pense bem, bebê. O que eu disse a ele foi: "Mas esses caras são *atores*, caralho. Quando estiverem prontos para fazer detetives da divisão de homicídios de Boston, calejados aos 55 anos, eles já terão 70, e eu estarei dentro de uma urna acima da lareira de alguém!

– Papai, isto aqui já está ficando meio mórbido, como tantas das suas conversas.

– Bom, o relógio não para. Arrume um neto para mim, meu bem... ature os tais nove meses só para o seu velho pai. Algo que consiga me dar orgulho. Que diabo, eu pago para que o garoto frequente as melhores escolas. Você nunca precisará ver a criança.

Ah, meu Deus, achei que eu terminaria ao menos um telefonema sem que este velho assunto ressurgisse.

– Sabe de uma coisa? Você já se perguntou por que eu fico mais sapata sempre que você me pressiona? Tipo, desde que eu tinha 6 anos?

– Jesus, meu bem, não faça isto com o seu velho pai. E em todo caso, as lésbicas também andam curtindo a maternidade, é a última onda – contesta papai, que sabe que eu sou bi. Ele não gosta, mas ao menos reconhece o fato. Já mamãe quase engasga quando eu menciono o assunto. Se pudesse, ela me mandaria fazer eletroconvulsoterapia radical. – Por que a maternidade deve ser negada a qualquer mulher devido à sua orientação sexual?

Já estou prestes a retrucar que poderia achar cem homens para me emprenhar, mas o que me perturba é que apenas o rosto de Miles me vem à cabeça.

– É devido a uma decisão minha, de não querer meu corpo arruinado. Devido a coisas como gostar de dormir, de ter seios duros, manter paredes...

– Não diga "paredes vaginais apertadas", pelamordedeus. Lembre que eu sou seu pai! Não tenho o dom da abstração quando se trata de você!

– Desculpe, papai.

– Pense bem nisto, Chuchu. Tique-taque. Tique-taque. É assim que as coisas são. – Ele suspira, e depois entoa doloridamente. – A condição humana... a porra da maligna, filha da puta e escrota condição humana...

Deixo que se instaure um breve silêncio, que ele logo preenche.

– Agora preciso ir. Mas passarei por Miami no mês que vem, na parte sulista da minha turnê. Vamos comer alguma coisa juntos, um belo filé sangrento para mim e uma saudável comida de coelho para você. Enquanto isto, vou lhe mandar o link da página de um projeto de inseminação. Pense nisso.

– Meu Deus... papai... como você mesmo diz, esse *é* o seu pai!

– Trata-se de prerrogativa paterna, meu bem, e tenho esperança de que você logo descubra isso, assim que sucumbir ao instinto maternal. Preciso ir, meu anjo. Amo você!

– Amo você – digo a ele, com *eu acho* reverberando na minha cabeça assim que a ligação termina. Esse homem é surreal.

Minha contagem calórica está baixa hoje, por isso como um pouco de tofu e cuscuz (umas 450 calorias), antes de fazer uma série de flexões de braço com halteres. Depois de dar uma suada decente, tomo uma chuveirada, antes de me sentar na frente da TV. Tento não deixar que isto me perturbe, mas é uma droga não ter TV a cabo, principalmente pelos canais de esportes. Os noticiários da TV aberta me incomodam, mesmo sem ter coisa alguma sobre mim ou as gêmeas. Só falam na tal garota desaparecida, Carla Riaz. Ela parece tão frágil e angelical naquela foto. Espero que esteja bem. Existem uns filhos da puta malignos por aí.

Vou de carro até North Miami Beach. Os estúdios de TV ficam em um prédio de concreto com três andares. Passo pelas portas automáticas, e imediatamente começo a suar sob o jato frio do ar-condicionado, enquanto meu corpo se recalibra. Já me sentindo nojenta, sou conduzida por um porteiro até uma área de recepção asséptica. Valerie já está esperando ali, com a própria testa ostentando gotículas reconfortantes. Pedimos café preto e trocamos amabilidades brandas. Logo surge a produtora, uma loura de trinta e tantos anos, com aquele inevitável meio sorriso androide fruto de botox, sobrancelhas muito finas e um crachá preso ao paletó que combina com a calça. Brincos de argolas pairam junto ao seu rosto maquiado feito satélites sobre um planeta deserto, e um colar vai descaindo até tocar o silicone empinado embaixo. Ela se apresenta como Waleena Hinkle. Ao nos conduzir pelas portas internas, vejo-a lançar uma olhadela temerosa para a jovem recepcionista, uma carne mais fresca que logo a substituirá no sanduíche corporativo. Seguimos Waleena, ouvindo o fluxo de inanidades que jorra de sua boca, passando por um corredor até uma sala de reunião.

Ficamos sentadas ali, com mais papo sobre a meteorologia. A conversa já está se tornando insuportável, até que Thelma para de exibir seu poder e concorda em se juntar a nós. Pelos livros de administração do tempo de Lieb, sei o seguinte: se alguém chega atrasado a uma reunião, ou 1) é um babaca incompetente (62%), ou 2) vive tentando exibir seu poder (31%), e raramente, se é que alguma vez, 3) está apagando o fogo em alguma emergência (7%), como Thelma tenta pateticamente alegar agora. Babaquice da porra. Eu saco logo o lance dela.

Após um breve papo sobre o massacre que eu sofri por parte de jornalistas, cinegrafistas de noticiários e fotógrafos (e que felizmente agora acabou), Waleena meio que se anima e começa a fazer uma apresentação em vídeo, explicando para mim o conceito do programa (eu ainda não abri os anexos do e-mail). Parece que eles avançaram em relação à proposta de um simples remake do corpo.

— Nós achamos que o seu perfil e a locação em Miami nos permitem ser um pouco mais aventureiras – solta Waleena de repente. – O programa agora se chama, provisoriamente, *Entre em forma ou caia fora*. Acontecerá em um barco, um navio de cruzeiro, que zarpará de Miami e navegará pelo Caribe durante toda a série. Só que este barco luxuoso também terá duas academias, e será uma câmara de tortura flutuante. Enquanto formos percorrendo as ilhas, iremos desovando diversos fracassados em portos diferentes... Nassau, Kingston, Port of Spain etc., até voltarmos a Miami. Essencialmente, é uma versão de *O grande perdedor* no mar, e nossa esperança é acrescentar uma pitada de *O barco do amor*. Vamos ter uma cerimônia de caminhada na prancha ao fim de cada programa, e a prancha também será uma balança que mergulhará o participante mais gordo em uma área segura do mar.

Dou uma gargalhada, incapaz de me conter. A falta de expressão no rosto delas é tanta, que fica impossível saber se isso é causado pelas máscaras de botox ou se elas realmente consideram inadequado o meu regozijo. Decido testar a água mais um pouco.

— Seria ótimo se pudéssemos ter uns tubarões nessa tal área segura do mar, para devorar logo toda a banha.

Outro silêncio, enquanto as máscaras parecem congelar mais alguns graus.

— Nós queríamos mesmo introduzir um elemento punitivo – assente Waleena. – Teremos vários temas ameaçadores, náuticos e piratas, durante toda a temporada.

— O que mais nos deixa animadas é a "hora do butim" – acrescenta Thelma. Ela torce os lábios inchados de colágeno para Waleena, que pega a deixa.

— Sim, nesse momento nós abrimos uma série de arcas do tesouro que teremos montadas nas paredes, todas exibindo a bunda seminua de cada participante agendado para a eliminação. Um júri de convidados precisa adivinhar, primeiro, a quem pertence aquela bunda, e segundo, qual foi a perda de peso da pessoa naquela semana, só com base no tamanho da tal bunda.

— Não fode – declaro.

– Você não gostou? – diz Waleena, virando depressa para Thelma, e depois de volta para mim.

– Não, merda! Eu adorei! Eles precisam mesmo saber que suas bundas parecem nojentas – digo. Olho em torno da mesa e continuo em tom grave. – Só espero que vocês saibam que eu não estava falando sério sobre os tubarões.

Fico aguardando a reação.

– É claro... – diz Valerie.

– Nós percebemos isto – concorda Thelma.

– Porque seria cruel pra cacete sujeitar os pobres animais às toxinas daqueles corpos alimentados com pura gordura!

Elas se entreolham. Valerie sorri, enquanto Thelma dá uma risada, com um som arfante, grave e mecânico.

– Isso é engraçado! Você é terrível, Lucy!

Passamos o restante da tarde examinando vídeos caseiros inscritos para um programa com tema similar elaborado no ano passado, mas que nunca decolou.

– Não conseguimos encontrar aqui na região uma instrutora de academia suficientemente carismática – informa Thelma, quase ronronando de satisfação.

Literalmente, *milhares* de fracassados gordos enviaram clipes, implorando para participar do programa. Poucos, se é que algum deles, demonstram sinais de que desejam verdadeiramente mudar algo em si mesmos.

Então falo para Valerie, Thelma e Waleena das duas academias em que eu trabalho, mencionando Jon Pallota, o dono da Bodysculpt. Explico que Jon estava nadando na praia de Delray e perdeu uma grande parte de sua genitália ao ser atacado por uma barracuda envenenada e atordoada à espreita nas águas rasas. Eles ainda tentaram salvar o que podiam depois de afastar o peixe, só que mais da metade do pau de Jon precisou ser amputada, e um dos seus testículos se perdeu.

Claro, todo mundo lembra do incidente, que então vira a deixa para uma rodada de piadas familiares. Histórias sobre a mutilação genital de homens jovens e poderosos fazem sucesso entre executivas de meia-idade que já comeram o pão que o diabo amassou na mão dessa laia durante sua incansável ascensão profissional. Eu olho para as três bruxas botocadas em volta da mesa e penso, com um calafrio, que muito provavelmente também estarei assim daqui a dez anos. E esse é o melhor dos cenários para mim. Ainda me sinto desleal, já que Jon e eu... bom, tentamos, mas não conseguimos fazer aquela porra funcionar. Ele vem há três anos processando a empresa acusada de ter lançado no mar os dejetos químicos detectados em altas doses no corpo do peixe. A empresa já tinha sido multada por vazamentos ilegais, mas alega que tais dejetos não poderiam ter envenenado a barracuda a ponto de fazê-la partir para a parte rasa e atacar um banhista.

– A barracuda atacou alguma outra pessoa? – pergunta Waleena. – Tipo, antes do seu amigo?

– Acho que não.

– Então vai ser difícil. Não vejo qualquer base para um indivíduo processar a empresa neste caso, a menos que ele consiga encontrar outras pessoas que tenham sido atacadas por peixes envenenados, e que todas entrem com uma ação coletiva.

– Essa parece ser a avaliação que ele recebeu – digo a ela.

Compreensivelmente, Jon anda deprimido desde então, passando muito mais tempo nos bares de South Beach do que na Bodysculpt. Enquanto vou narrando a Valerie, Thelma e Waleena os detalhes da história, porém, percebo que elas estão pensando que *seria ótimo colocar tudo isto no programa*.

E Thelma chega até a dizer: – Você acha que Jon seria...

– Não. Sem chance – interrompo. – Ele odeia a mídia. Até pode nos deixar filmar dentro da academia, mas é só.

Juro que vejo a cara botocada dela derreter sob meu olhar.

– Claro, Lucy – ronrona ela. – Você sabe o que é melhor!

Apesar deste percalço, eu saio da reunião bem entusiasmada, até curtindo voltar para casa de carro, coisa que é quase impossível acontecer com tantos doidões atrás dos volantes nos automóveis de Miami. Essa combinação devastadora de latino-americanos, velhos brancos e jovens de férias o ano todo não é uma mistura que encoraje o motorista complacente.

Estaciono diante do meu prédio, que continua sem fotógrafos por perto (o que é bom e preocupante ao mesmo tempo), e volto ao meu apartamento. Miles telefona, com o mesmo papo babaca de heroína, só que agora todo conciliatório, depois dos berros que trocamos no nosso último encontro. Ele é um bombeiro que eu ensinei a lutar kickboxing em um torneio contra a polícia. Um cara supergalinha e eu achei que não íamos nos ver novamente, até que ele me encontrou no hookup.com, um site de namoros/fodas que eu costumava frequentar. Todos nós cometemos erros. Ele me fala que continua de licença por causa de seu famoso problema lombar. Não tinha isto quando nos conhecemos, e a merda só vem piorando.

– Tenho um exame com a junta médica do serviço, e depois uma reunião com o departamento de pessoal e a seguradora. Você quer vir aqui hoje à noite? Ou eu posso passar aí?

– Vou sair – minto.

– Com quem?

– Isto é assunto meu.

– Alguma porra de sapatona, né?

– Qual parte de "assunto meu" você não entendeu? Não me ligue outra vez. Estou farta de trepar por caridade – digo a ele, antes de desligar o telefone. Esse babaca é mais do que surreal.

Eu nem ia sair hoje à noite, mas agora vou, merda. Além disto, tenho muito a celebrar, graças à abelhuda da Sorenson e ao seu iPhone! Entro no meu closet para vestir uma saia curta e justa de brim preto. Depois coloco meias de náilon e uma cinta-liga com detalhes roxos. Um sutiã de renda preta empina meus peitos para a cara do mundo, e eu coloco por cima uma blusa de seda cinza transparente, com mangas compridas. Um par de botas de couro até os joelhos, com fivelas prateadas ferozes, complementa o visual. Ainda não, já que tudo gira em volta de acessórios, e ponho uma corrente prateada com um pingente em forma de coração acima do meu decote, a fim de atrair olhares para ali. Um conjunto de pontiagudas pulseiras prateadas dá ao meu look um ar desafiador, com uma insinuação bacana de sadomasô. Mudando de ideia na última hora, resolvo vestir uma calcinha simples de algodão preto. É do tipo que pode facilmente ser afastada por um pau, um vibrador, um dedo ou uma língua. Um pouco de rímel, batom roxo feito a cinta-liga, e alguns toques estratégicos de Givenchy, *"très irrésistible"*, e já estou saindo porta afora, rumo à boate na rua Washington.

Da Lennox até a rua 10, é uma caminhada fácil no ar noturno quente e parado. Por duas vezes, ouço buzinadas de carros cheios de pentelhos latinos sorridentes, que cospem inanidades em espanhol por cima da música alta. Esta caminhada de seis quarteirões é a pior parte da pegação. Eu só queria poder me teletransportar para a porra da boate. Nem sei por quanto tempo ainda conseguirei manter essa aparência: agradeço aos céus que em Miami a gente envelheça mais devagar do que no resto do mundo; pelo menos, aqueles de nós que lembram de usar protetor solar e não precisam trabalhar ao ar livre.

O mostrador de LCD no relógio atrás do bar me diz que faltam apenas poucos minutos para a meia-noite quando eu chego à Uranus. Nas noites dos dias de semana, em geral você precisa aturar música eletrônica ruim, bem comercial; evidentemente, porém, hoje há um DJ novo, e eu sou agradavelmente surpreendida por ritmos latinos que borbulham feito espuma. A boate Uranus tem um corredor apertado, com um bar e uma minúscula cabine de DJ do outro lado, aparentando ser uma espelunca a cinco dólares de consumação mínima, até você perceber que mais além o lugar dá para uma pista de dança maior, que se estende até um pátio de concreto todo destruído. A boate parece um vaso de gargalo estreito, e muita gente diz que eles deveriam reformar tudo, deslocando o bar e a cabine para as laterais da pista de dança, sanando assim o perigo em potencial do gargalo na porta. Meu amigo, o chef Dominic, sempre revira os olhos quando eu sugiro isto.

– Mas esse é o charme do lugar, meu bem. Lutar para passar naquele corredor apertado até uma espécie de paraíso!

Enquanto vou serpenteando rumo ao bar pela multidão que papeia, não vejo sinal de Dominic ou qualquer outro rosto, mas duas sapatonas androides ficam me filmando, só virando o rosto quando encaro o olhar delas. É muuuuito patético ver uma gata tentando bancar o macho e a outra a fêmea, mas na realidade estas duas vagabas parecem indistinguíveis. Dá para sentir o *cheiro* de casamento nelas, mas acho que todo mundo precisa começar por algum lugar. Então passo por um negro só de camisa, sem paletó, com uma musculatura maravilhosamente definida, que me diz só com o movimento dos lábios, "Gostosa".

Dou uma olhadela em mim mesma na coluna espelhada, sem interromper o passo, e sinto que estou arrasando.

O bar nos fundos está cheio de turistas. Em sua maioria, parecem encharcados e barrigudos demais para se dar bem na pista de dança com as beldades locais, por isso se divertem falando alto e se embebedando ainda mais. Dois caras oscilantes, de olhar pesado e sotaque alemão, perguntam o que eu quero beber. Eu declino, acenando para Gregory atrás do bar, e ele me dá uma água gasosa. Raramente bebo álcool, e *nunca* toco em drogas.

Pego a água e vou em frente. Uma puta magra feito um varapau, movida à base de café e cigarros, com imensos peitos siliconados forçando seu top, praticamente se oferece para mim com um sorriso desesperado. Bloqueio a piranha da minha visão imediatamente. *Pense outra vez, bafo de cinzeiro!* Como se isso já não fosse suficientemente ruim, ela tem uma baranga a reboque. A baranga tem um olhar assustado e anoréxico, mas mantém uma bunda ainda carnuda, com coxas curtas e troncudas que se recusam a diminuir mesmo em face do regime de fome dela.

Então eu viro e fico cara a cara com um grandalhão de ombros fortes, que abre um sorrisão para mim. Como não quero ir para casa com ninguém, antes que possamos pensar direito já estamos cruzando a pista de dança nos fundos, saindo e dando a volta no pátio, até o beco junto ao muro. Sinto o fedor do lixo jogado ali depois de outros encontros, enquanto ouço latas e recipientes de plástico estalando sob nossos pés.

– Vamos logo com isso – digo.

Ele vai falar algo, mas eu calo sua boca com um beijo. Não quero ouvir coisa alguma de sua boca, e vou guiando o sujeito até uma posição entre a parede dos fundos da boate e uma árvore grande. Vamos meio que nos enfiando ali, em um espaço que eu sei, devido a experiências prévias, ser perfeito para foder. As vibrações do sistema de som atravessam a parede, reverberando nos ossos das minhas costas. O playboy encosta sua carne dura na minha coxa, falando merda em espanhol. Não preciso disso, porque já estou mais molhada do que as cataratas do Niágara, então estendo a mão e esfrego a virilha dele.

– Pode me dar logo esse pedaço de carne – ordeno com voz de puta no seu ouvido.

Fico feliz ao ver uma pequena centelha de excitação, ou talvez até de medo, no seu olho, enquanto ele se recosta no tronco da árvore e abre a barriguilha. Vou enlaçando os braços em torno do seu pescoço e apertando as coxas em torno dos seus quadris feito uma jiboia, forçando o corpo dele de encontro à árvore. Ele afasta para o lado a minha calcinha e eu acolho seu pau duro. Então ele consegue algum ponto de apoio e começa a meter com força na minha boceta, praticamente me tirando o fôlego a cada movimento. Fico quicando feito uma cabra ensandecida, empinando a bunda para o alto a fim de receber ainda mais deste filho da puta, empurrando seu corpo de volta para a árvore, mas ele vai me fodendo de encontro à porra da parede. Enquanto isto, o ritmo de 4x4 pulsa dentro de mim junto com os movimentos dele.

– Vamos lá, goza logo garoto, estou mandando. Preciso de mais, *goza*, porra!

Vejo outra centelha de angústia nos seus olhos e ele começa a estocar com mais força ainda, bombeando feito a porra do baixo elétrico. Às vezes eles só precisam de um pouco de incentivo. As névoas vermelhas já estão baixando, e eu quase me viro do avesso em êxtase naquele beco imundo. Ele já está esgotado, dá para ver pelos olhos tumulares e a respiração rasa (sem dúvida foi um homem quem descreveu o orgasmo como uma pequena morte), mas eu continuo corcoveando a caminho do paraíso, e ele vai *segurar a porra da onda* até eu acabar. Eles *sempre* podem dar mais do que pensam. Mete essa porra em mim com força, seu viadinho com um pau, eu não vou dar mole para você, ME FODE ME FODE. Não vou dar mole para você, FODE SIM FODE IIISSO...

Enquanto o sujeito murcha e sai de mim, eu desmonto do corpo dele, apoiada em pernas bambas. Com algo além de uma mera insinuação de desespero, ele coaxa que seu nome é Enrique e que quer me pagar uma bebida. Para mim, porém, ele é igual a um equipamento de ginástica, e nós estamos em um cenário pós-exercício. Já recebi minha dose de pica, e a dele já está chorando feito a *quesadilla* que sobrou da noite de ontem. De modo que eu simplesmente sorrio.

– Obrigada, é muita gentileza sua, mas sabe de uma coisa? Eu preciso ir. Talvez em outra ocasião – digo, feliz por ver seu semblante desabar melancolicamente e a tristeza surgir naqueles olhos castanhos. Não faz sentido ficar em uma espelunca como aquela depois que você já obteve o que veio buscar. Eu volto para casa e verifico meus e-mails.

6
CONTATO 2

Para: lucypattybrennan@hardass.com
De: julie@jillianmichaels.com
Assunto: Sei que a chance é mínima, mas...

Querida Lucy

Em nome de Jillian Michaels, gostaria de agradecer o envio da sua mensagem. Infelizmente, devido ao volume de correspondência que recebemos, é impossível para Jillian responder perguntas pessoais, tal como a sua.

Obrigada por seu interesse.

Melhores votos,

Julie Truscott

Para: lucypattybrennan@hardass.com
De: michelleparish@lifeparishioners.com
Assunto: Tão bom ter notícias suas!

Querida Lucy

Ótimo ter notícias suas tão depressa!

Foi adorável conhecer você na minha apresentação em Miami, pena que não tivemos muito tempo para conversar, já que essas turnês tendem a ser sempre a jato! O seu heroísmo é realmente inspirador para muita gente!

Fico muito feliz ao ver a ressonância dos meus comentários sobre livros de dieta. Quero deixar claro que eu não estava desprezando as dietas de baixa caloria, nem mesmo as de baixo carboidrato. Obviamente, elas têm o seu lugar, mas apenas como parte de um programa integrado e balanceado. Não tenho nenhuma tolerância para com os vendedores de "soluções rápidas". A esse respeito, você deve mesmo insistir que suas clientes façam as Páginas Matinais. Isto realmente produz resultados revolucionários.

Obrigada por suas palavras generosas. Sim, pode ser bastante intimidador se ver jogada no olho da mídia, como posso atestar pela minha própria experiência em *Perca Essa Pança!*. Descobri que quando lidamos com certas pessoas realmente não podemos mostrar todas as nossas cartas de uma vez. Mas em geral dá para ver exatamente de onde elas vêm. Você é uma garota esperta, então tenho certeza de que conseguirá descobrir como se faz!

Mais uma vez parabéns pelo seu sucesso!

Um abraço,

Michelle Parish

7
VILÃ

Praticamente todos nós viemos de outras cidades para Miami Beach. Os naturais desta cidade são raros. Os caras você percebe logo; eles desfilam orgulhosamente com os bonés de beisebol e as camisas de futebol da sua cidade natal. Só não espere vê-los de volta a Cleveland ou Pittsburgh no futuro próximo. As gatas? Bom, eu não me furto a usar meu boné dos Red Sox de vez em quando; ao menos dá para saber de onde eu sou. Já se você vir um babaca com um boné da PORRA DOS YANKEEES, é mais provável que ele seja inglês, francês, ou alguma merda assim.

Lena Sorenson, 1,57 m, 92 kg. Deveria ter somente 54. Isto significa que ela anda por aí carregando 38 quilos de gordura. Gordura que está na sua barriga, na sua bunda, nas suas coxas e, acima de tudo, naquela faixa feia em torno do rosto e do queixo. Como se ela houvesse enfiado a cabeça em um pneu cor-de-rosa.

Preciso admitir que me surpreende ela ter voltado. Bem-vinda à Banha Beach, *vaca banhuda*. Se ao menos estivéssemos na academia do meu amigo Emilio, a Miami Mixed Martial Arts. Eu partiria para cima dela feito um sargentão, falando para esta vaca corpulenta tudo que ela precisava ouvir: coma menos, coma melhor, e levante daí essa sua bundinha gorda. Mas acho que nem morta ela iria à academia de Emilio; os mexicanos nasceram para suar sozinhos no pedaço deles, e não lado a lado com você em uma academia. Embora Lena tenha o clássico senso estético da baranga gorda, de baixa autoestima, eu desconfio que ela venha de um meio abastado. Só que nós estamos na Bodysculpt; se eu falar o que penso e uma cliente reclamar, serei afastada, apesar de todo o relacionamento que tenho com Jon. Portanto, dou apenas um sorriso torto.

– Bom, teremos um pouco de trabalho para fazer você entrar em forma novamente, *sra.* Sorenson – digo alegremente, querendo ver como ela reage a esta minha suposição de seu estado civil, mas Lena mantém o olhar vidrado. – A boa notícia é que você já deu o maior passo, quando passou por aquela porta ali.

É *isto* que uma bunda-mole quer ouvir. Todas elas querem acreditar que será moleza daqui pra frente. Que literalmente tudo pode ser feito enquanto elas dormem. Que os céus proíbam que elas deixem de ficar sentadas diante da TV, levantando apenas para assaltar a geladeira a fim de enfiar merda naquelas bocas sorrateiras e banhudas. Elas não querem sair da cama antes de dez ou onze horas. Qualquer programa de dieta e exercícios seria uma violação dessas liberdades americanas básicas... nem pensar! E me desculpe, Michelle Parish, sua visionária de bundinha gostosa, do que elas *menos* precisam é de procrastinação, de ficar sentadas naquelas bundas banhudas escrevendo a porra dessas Páginas Matinais.

– Não é senhora, é senhori... Lena... por favor, me chame de Lena.

– Tudo bem – digo, sorrindo. *Quando você VIRAR Lena, ENTÃO eu chamo você de Lena, piranha.* – Vamos só botar você nesta esteira, sra. Sorenson... desculpe, Lena.

Sorrio, enquanto ela sobe no aparelho, e coloco a velocidade a oito quilômetros por hora.

– Um ritmo agradável e regular... pronto... que tal isso? – pergunto, enquanto o aparelho rapidamente chega à velocidade programada. Logo Sorenson está correndo, suando feito um tarado de pátio de escola à espreita do alvo.

– Eu... eu...

– Demais? Claro que não!

Então eu me deparo com o rosto da gorda lamurienta, a desistente que vive se desculpando, sempre com pena de si mesma, vítima contumaz.

– Está... mesmo... rápido...

Odeio essas expressões idiotas mais do que qualquer coisa. A da baleia burra e inchada, com olhos onde você busca uma luz; a da criança assustada, que procura alívio nos doces da mamãe; a da panaca belicosa, que deseja se matar e nem sabe por que está aqui. Pouco importa qual destes arquétipos surge diante de mim. Eu só quero socar cada vagabunda que desperdiça meu tempo, mantendo no rosto a porcaria de um desses insultos à humanidade.

Enquanto suas coxas carnudas tremelicam dentro da calça de ioga, o rosto de Sorenson incha e se avermelha.

– Eu gosto de dar às minhas clientes uma meta, Lena. E que seja mais específica do que apenas perder peso. Meia maratona, dez quilos, cinco quilos, na verdade pouco importa.

– Eu... eu não conseguiria... simplesmente não... conse...

As pernas pesadas de Lena chacoalham na esteira de borracha, que acelera.

– Não quero ouvir essa palavra, *essas* palavras: não conseguiria, não consigo, não devo! Você precisa se levantar. Precisa avançar!

Lena se encolhe sob o impacto violento das minhas palavras, mas não para. Sua expressão de pavor me diz que ela não está se sentindo exatamente abençoada, mas continua *correndo*. Faço seu corpo queimar assim durante quarenta e cinco minutos inteiros, trazendo-a para um trote razoável, depois uma caminhada, e de volta a um trote novamente. Ao final, ela está reluzindo feito uma brasa vermelha. Suada e exausta ao descer da esteira, Lena se vê incapaz, pela primeira vez na vida, de abrir a boca gorda para receber qualquer coisa além do doce ar que força para dentro dos pulmões débeis.

– Você foi bem hoje – digo, fazendo sinal para que ela me siga até o escritório. Ela vem cambaleando atrás de mim, ainda arquejando. – Mas lembre que o exercício é apenas um dos componentes disto. Vou lhe dar um plano de dieta...

Pego um formulário da pilha na minha mesa e enfio a folha na pata gorducha de Lena. Quando ela olha para o formulário, vejo seu rosto murchar. Então agarro um cartão na prateleira.

– Por favor, me ligue se começar a sentir desejo de comer merda no fim de semana... e pode confiar em mim, você sentirá.

O rosto de Lena me diz que ela já está sentindo esse desejo.

– Você é realmente... profissional e dedicada – diz ela, engolindo em seco, com uma centelha de medo nos olhos.

– Estou levando a sério a sua perda de peso, Lena, e você também precisa fazer o mesmo. Não é fácil, principalmente no começo. Portanto, pode me ligar se sentir que vai sair dos trilhos. Estamos lutando contra um vício, hábitos alimentares de bosta, bem como uma rotina de exercício ruim – explico, pensando nas sábias palavras de Michelle. – Estamos examinando o quadro inteiro. Você não ganhou em um só dia este peso todo, que também não irá embora em um só dia.

– Eu sei... faz sentido.

– Que bom. É importante estarmos na mesma página quanto a isto. Portanto, me fale de você. Qual é a sua profissão?

Lena fala de modo hesitante. – Eu sou... uma espécie de artista...

Espécie de artista. Todo mundo em South Beach que não é *uma espécie* de modelo, ou *uma espécie* de fotógrafo, é *uma espécie* de artista. Garçonete, pelo que percebo. Ou talvez parasita de um fundo fiduciário, brincando de arte.

– Maneiro... de onde você é?

– Minnesota. Uma cidade chamada Potters Prairie, em Otter County.

Você está de brincadeira comigo, caralho?

– OK... aposto que é um lugar bem bonito.

– Sim – diz Lena, e começa a falar sobre Potters Prairie, antes de voltar à porra do incidente na ponte, que parece ter marcado esta piranha gorda mais do que me marcou. – Mal dá para acreditar na força que você demonstrou lá na ponte Julia Tuttle. Eu preciso de um pouco dessa força e determinação.

– Sim, mas você não é uma vampira e eu não sou um banco de sangue – rebato. Há muito tempo já percebi que posso tranquilamente ter um ou outro rompante de desdém, já que minhas clientes, em comum com a maioria dos gordos, possuem uma considerável capacidade de ignorar tudo que seja desconfortável. – Força e foco interior existem dentro de todos nós. Meu trabalho é ajudar a fazer isto aflorar e se desenvolver. Para tornar você capaz de encontrar aquele seu lado explosivo que, por algum motivo, está sendo abafado...

Então olho para o relógio na parede, subitamente ansiosa para escapar desta sanguessuga social.

– Agora preciso ir.

Sorenson fica oscilando sobre os pés, evidentemente querendo que eu fique ali mais tempo.

– Ah, sim. Você, hum, não me contou de onde é.

Sem chance, sua gorda; alguns de nós têm vidas.

– Boston é a minha origem. Agora, se você me dá licença, eu preciso ir – digo, já jogando minhas coisas dentro da bolsa. – E você realmente deveria tomar uma chuveirada agora, antes que seu corpo comece a esfriar embaixo do ar-condicionado.

E rumo para a saída, só virando para trás rapidamente a fim de admoestar a gorducha entristecida.

– Lembre... cuidado com o que come!

Lá fora, há uma brisa oceânica doce e refrescante. Trotando rapidamente, eu cruzo o Flamingo Park, querendo me distanciar ao máximo daquela predadora social. Então, no alto da rua Lenox, vejo um merdinha encardido com uma câmera pendurada no pescoço, parado diante do meu prédio. Que porra esse mala está fazendo aqui? O show já terminou faz tempo! Mas sempre aparece algum fracassado solitário tentando trabalhar um ângulo qualquer, um psicótico intrometido da porra...

Retardando o passo, eu me aproximo silenciosamente por trás do sujeito e bato no seu ombro. O nojento se vira.

– Lucy – grita ele, já estendendo a mão para a câmera.

Eu a arranco da mão do viadinho. A alça passa por cima da sua cabeça, e eu jogo a câmera no pavimento. Devido ao impacto, um pequeno pedaço preto se solta.

– VÁ SE FODER, SEU BABACA!

– A porra da minha câmc...

O sujeito olha para mim horrorizado e corre para recolher o artefato danificado. Enquanto ele embala a câmera nos braços, como quem acolhe uma criança vitimada por um atropelamento, eu aproveito a chance para passar pela porta da frente, com uma torrente de insultos uivando atrás de mim.

Dentro do apartamento, vou direto para o chuveiro. Toquei no ombro daquele paparazzo escroto, e pude sentir o rastro encardido de sua pata, toda coberta de nicotina e salpicada de porra, naquela câmera de merda. Já estou me secando quando recebo um telefonema.

– Lucy, é Lena Sorenson.

Puta merda. Mas já, cara? Evidentemente, foi um erro dar meu número para a balofinha escrota.

– Sim!? – exclamo rispidamente.

– Acho que você devia ligar a TV... Canal 6.

Obedeço à Princesa Porquinha de Potters Prairie (fala sério, quem pode vir de um lugar com este *nome*?) e coloco a TV em ação. O televisor deprimido finalmente se liga. Dentro do meu quarto eu tenho um aparelho portátil menor, de mais qualidade, mas a tela é pequena demais. Uma âncora, cujo rosto parece quase tão rígido quanto seu cabelo laqueado e suas ombreiras, está narrando outra vez a história de Sean McCandless, o tal atirador bundão que eu desarmei. Entre as imagens à minha frente e os comentários ofegantes de Lena Sorenson no meu ouvido, uma trama perturbadora coalesce. Meu sangue vai esfriando progressivamente, enquanto o ar-condicionado sopra do teto em cima da minha pele úmida. Acontece que McCandless, quando ainda era criança e morava em lares adotivos, foi molestado por uma quadrilha de pedófilos. Aqueles dois que ele estava perseguindo eram criminosos sexuais que viviam em uma colônia de gente sem-teto embaixo da ponte Julia Tuttle. Eu sinto um calafrio e depois começo a tremer, segurando a toalha junto ao corpo. Salvei um monstro, possivelmente até dois, e mandei para a cadeia um pobre garoto que só queria se vingar por algum padre pervertido ter estraçalhado sua bundinha de bebê.

A coisa ainda piora. Enquanto os comentários tagarelas de Sorenson diminuem, duas cabeças falantes surgem na tela. São de candidatos às eleições congressuais que se avizinham. Ben Thorpe e Joel Quist são dois péssimos arquétipos dos democratas e dos republicanos. Thorpe é um babaca intelectualoide, bem-intencionado, mas ineficaz, falastrão e oportunista. Já Quist é um fascista, intolerante e hipócrita, que vive brandindo a Bíblia ou soltando tiradas populistas. É difícil dizer qual dos dois eu detesto mais. Eles estão debatendo o controle de armas, com Thorpe defendendo a minha bravura. Então Quist, concordando, diz, "Só que eu gostaria de perguntar àquela jovem... sabendo o que sabe agora, ela faria a mesma coisa?"

– Ah, meu Deus...

Eu me ouço dizendo isso em voz alta. *Que porra... eu não sabia que eles eram pedófilos... o cara estava disparando a porra de uma arma!*

"Bom, essa é uma ideia interessante", arrulha a Dona Botox, parecendo tão firmemente entrincheirada no canto de Quist que só pode estar sendo fodida por ele. "O que Lucy Brennan, a suposta heroína da ponte Julia Tuttle, estaria pensando *neste exato momento*?"

Sobre o quê? Que diferença... puta merda...

Então percebo que a voz suave de Sorenson continua zunindo no meu ouvido, embora eu não consiga discernir o que ela está dizendo. Estou *furiosa pra caralho* por ter sido arrastada para toda esta babaquice. Só vou respondendo automaticamente, com "hum" e "é". Não posso conversar com esta piranha *manipuladora*. Preciso pensar, então largo o telefone. Fico vendo outras atrações, como as gêmeas siamesas novamente. Depois levanto e seco o corpo direito, antes de vestir uma camiseta e um short.

Poucos minutos depois o interfone toca. Eu já estou prestes a dar um esporro nesse próximo escroto a me assediar, e que provavelmente é o babaca daquele fotógrafo, mas... é Lena Sorenson! Sua voz soa metálica e arranhada devido ao aparelho.

– Pulei dentro do carro e vim pra cá assim que pude!

Eu nem lembro de ter concordado com sua vinda para cá, mas nada resta a fazer além de acionar o porteiro eletrônico para ela.

Abro a porta da frente e ouço Lena subindo a escada lentamente. Ainda menor do que eu recordo, ela chega ao corredor e vem rebolando na minha direção. Eu recuo para o interior do apartamento, deixando a porta entreaberta. Ela bate na madeira com os nós dos dedos ao entrar, olhando em torno do espaço diminuto com um ar levemente depreciativo.

– Você vai ficar sob cerco durante um período. Venha para a minha casa, jantar alguma coisa. Eu me sinto tão responsável por ter dado a eles aquele vídeo que fiz...

Ela tem razão. Aquele escroto com a câmera que eu quebrei não era um retardatário, era a porra da vanguarda. Preciso sair daqui, e não consigo pensar em qualquer porra de razão para não aceitar. Calço um par de tênis, e então descemos. Ao sair, ouço cliques de insetos explodindo em torno de mim feito um tiroteio, além de gritos.

– LUCY! LUCY!

Estão todos de volta! E o furgão do noticiário de TV, sei lá qual é a porra do canal, já está aqui! Sorenson realmente causou um alvoroço grande, e aqueles políticos babacas trouxeram tudo de volta! Minha vontade é correr de volta para o apartamento, mas alguns escrotos se esgueiraram por trás, para se posicionar entre nós e a portaria.

– Esperem um instantinho – protesta debilmente Lena, parecendo uma professora primária sob estresse.

Eu vejo aquele merdinha azedo da câmera quebrada disparando um tiro de Kalashnikov com um artefato substituto que tem uma teleobjetiva afixada. Pelo menos um desses babacas já aprendeu a não se aproximar demais.

– Ignore todos eles, Lucy – diz Lena com os olhos arregalados de medo, agarrando minha mão e abrindo caminho até o carro.

Já os demais não são tão tímidos. O viado de um repórter bronzeado e musculoso enfia o microfone na minha cara e pergunta se, agora que já conheço a história de McCandless, Ryan Balbosa e Timothy Winter, os dois pedófilos, eu faria a mesma coisa novamente?

Sei que deveria calar a porra da minha boca, simplesmente seguindo a assustada e furtiva Sorenson até o carro. Em vez disto, furiosa pela intrusão deste babaca metido, eu bato pé e abro a boca.

– Claro que eu faria. Sejam quais forem as circunstâncias, ninguém tem o direito de sair por aí baleando gente!

– Mas você já fez artes marciais de alto nível competitivo, e dava aulas de autodefesa para mulheres – cicia a bicha *sincera*. – Está dizendo que mulheres têm direito à autodefesa, mas homens vítimas de violência sexual, como McCandless, não têm?

Um trovão silencioso ribomba nos meus ouvidos. Fico atordoada. Nem consigo pensar em uma réplica. Enquanto ouço o tom urgente de

Lena Sorenson ao fundo, fico parada com um ar temeroso e penitente, o rosto cheio de fraqueza e dúvida. E é essa imagem que é transmitida para todos os lares americanos. Então sinto a mão de Sorenson apertar mais ainda meu braço, enquanto ela me leva para o carro.

– Por favor, nos deixem em paz – diz ela com suavidade, mas também bastante firmeza.

Eu entro no carro, mas o tal babaca escroto continua apontando a câmera para mim, fotografando através da janela do carona, cheio de alegria na fuça gorda.

– Cacete! – digo, desviando o rosto.

Sorenson liga o motor e parte, dispersando os fotógrafos que se espalham, parecendo um bando de pombos por alguns metros, até voltarem ao seu frenesi alimentar. Ela pega a Alston e acelera rumo norte.

– Tudo bem, Lucy... esta história não tem mais muito o que render – gorgoreja ela. Depois seu tom cai tristemente. – Se ao menos eu não tivesse dado a eles a porcaria do vídeo!

Uma mensagem de texto chega no meu telefone. Valerie.

Eu vi o noticiário. Suma de vista. A chapa vai esquentar.

Puta que pariu... genial, queridinha!

Sinto meus dentes chacoalhando, enquanto passamos a toda pelo Museu do Holocausto, e eu olho para trás a fim de ver se estamos sendo seguidas. É difícil dizer, porque o tráfego é grande em ambos os sentidos. Então dou vazão à raiva, a fim de me controlar.

– A gente se arrisca, salva o rabo de um filho da puta qualquer, mas é tratada como a porra de uma criminosa! Que espécie de país é este, caralho? É a América? É isto que nos tornamos? Isto é a porra de circo de horrores!

Sorenson deixa que eu me alivie, tocando com gentileza meu ombro enquanto segue dirigindo.

– Desculpe – digo, já me sentindo melhor. – Eu só precisava botar isso pra fora.

– Eu sei. Não se preocupe. Deve ser muito estressante.

Vamos no carro até a casa dela na rua 46. Eu tento telefonar para Valerie, mas a ligação cai direto no correio de voz da garotona. Então mando uma mensagem de texto para ela.

Você não se enganou. Ligue para mim.

Chez Sorenson é um agradável casarão afastado, em estilo colonial espanhol, com uma piscina pequena demais para natação séria. Se bem que eu não conseguia visualizar a barcaça da Lena atracando naquele porto ali. Ladrilhos de terracota serpenteiam pela casa toda, e todas as paredes são caiadas com uma emulsão de galeria. Isto realça inúmeros quadros, além de móveis elegantes, porém funcionais.

Ela tem uma estante de CDs e a maioria deles é legal, mas há dois álbuns de Tracy Chapman na coleção. Quando uma piranha tem um álbum de Chapman, aquela porra com "Fast Car", você já enxerga um sinal vermelho. Quando ela tem dois álbuns de Chapman, você sai correndo, caralho! Tarde demais para isto agora: eu me jogo em uma poltrona de couro e me sinto afundando em suas entranhas, enquanto lanço o olhar pela sala. Meu primeiro pensamento é: não é de surpreender que Sorenson passe tanto tempo no Starbucks; em termos de decoração, é uma casa longe de casa. A melhor coisa, além de um telão com 70 polegadas do caralho, é a imensa lareira de pedra, com dois baldes metálicos, um cheio de carvão, o outro de lenha, e um grupo de acessórios de ferro que inclui um machado, presumivelmente para fingir que ela é que corta os troncos já cortados. Piranha fingida. Lena faz um pouco de café (que eu nunca bebo), contando que tem um anexo na parte externa que funciona como seu ateliê de uma-espécie-de-artista. Embora eu expresse um interesse beirando o fascínio, ela não se oferece para me mostrar o ateliê.

A cozinha, entretanto, é uma câmara de autoabuso de primeira; os armários e a enorme Sub-Zero estão cheios do que eu chamo de anticomida: biscoitos, barras de chocolate, comida congelada, sorvete, batatas chips, e mais refrigerante do que você já viu na vida. Sorenson vem cozinhando um banquete de açúcar, sal, gordura e carboidratos. Mas ninguém, exceto ela, anda comendo isso.

– Coisas de confeitaria. São minha única fraqueza – diz ela, enfiando a cara em um donut com recheio de morango (450 calorias, fácil).

Eu recuso sua oferta de fazer o mesmo, indo até a sala e ligando o telão grande. A piranha tem todos os canais conhecidos pelo homem, o pacote inteiro da Direct TV. Vou zapeando pelos noticiários e vejo que minhas imagens já estão aparecendo. Pareço fraca e burra, com o cabelo severamente puxado para trás e amarrado. Meu coração afunda quinze centímetros dentro da caixa torácica, quando surge o rosto presunçoso e debochado de Quist. "O gato parece ter comido a língua dessa jovem em relação ao direito de autodefesa. Acho que ela pode ter descoberto que a questão não é tão fácil quanto parece, e que americanos comuns talvez tenham realmente o direito de buscar recursos contra quem visa fazer o trabalho do demônio."

– Babaca! – grito na direção daquele velho escroto e de rosto todo encarquilhado ali na tela.

Sorenson pega a deixa, e apertando um botão decreta a morte negra da TV.

– Isto tudo vai passar – diz ela, em um tom que pretende ser reconfortante, mas que me deixa bolada.

Eu levanto depressa, assustando Lena, e ando em torno, olhando para toda aquela arte pendurada nas paredes. Então volto rapidamente à cozinha. Lena segue atrás e me vê pegar um donut na bancada.

– Hummm – digo, examinando o donut.

– Sim, esses são da minha mãe – explica Sorenson. – E são deliciosos! Ela me manda uma caixa toda primeira semana do mês, religiosamente. Eu sabia que você ia querer...

Eu me viro e jogo o donut no lixo. O rosto de Lena Sorenson arde como se eu tivesse dado um tapa em suas bochechas gordas.

– Você não pode...

– É imperativo que você controle a ingestão de calorias. Sua dieta é crucial. Se continuar comendo a mesma quantidade e o mesmo tipo dessa suposta comida que deixou seu corpo desse jeito, você no máximo ficará como já está – explico, pegando a caixa e jogando dentro da lata de lixo.

Sorenson se contorce, recuando e agarrando a bancada da cozinha, como se estivesse prestes a desmaiar.

– Muito bem! Inventário do seu estilo de vida! – exclamo, obrigando uma atordoada e trêmula Sorenson a abrir os armários e sistematicamente jogar fora toda aquela bosta. Seu rosto está em chamas. – Isto é uma merda! É assim que você está se matando! Você *lê* estes rótulos?

– Siiim – diz ela com um miado agudo, seguido de um gemido desanimado. – Eu leio tudo. Às vezes. A maior parte do tempo.

Sinto minhas sobrancelhas finas e depiladas se inclinarem severamente diante desta poia patética.

– Quer dizer... ora, é só um docinho. Todos nós precisamos de doces às vezes – protesta ela.

– Doces? Doces! O que diz isto aqui? – Eu martelo o dedo no pacote de macarons e depois o enfio na cara dela.

– Duzentas e vinte calorias...

– Duzentas e vinte calorias *por unidade*. Quantas unidades há neste pacote?

Vejo o ar sendo expulso dos pulmões de Lena, tão claramente quanto se eu tivesse acabado de dar um gancho de esquerda no seu fígado.

– Eles são tão pequenos, não tem nada aí...

– Quantas unidades?

– Quatro...

– E quanto deste pacote você come de uma só sentada?

Sorenson não consegue falar. É como se sua voz tivesse acabado de abandonar o corpo.

– A porra do pacote todo, aposto. Esta merda tem quase *900 calorias*, Lena, dois terços do que uma mulher do seu tamanho deveria comer *num dia inteiro*!

Mais protestos débeis. – Mas... mas... se você só comesse um quarto disso, o tamanho da unidade seria um nada!

– Exatamente! Então o que isto está dizendo a você?

– Eu... eu não sei...

– Ora, pare com isso – rebato, fixando meu olhar mais implacável sobre ela. – Já vi vezes demais esse olhar de fracassada que não compreende as coisas.

Então balanço a cabeça e faço minha voz ficar mais aguda, fingindo um tom sarcástico.

– Não pode ser! Isto não é justo – digo, sentindo meu rosto mudar feito o de um palhaço. – A grande pergunta que não quer calar neste país:

como eu virei uma grande jamanta bovina só por ficar sentada no sofá comendo toneladas de bosta? Como *isso* aconteceu?

Ela fica olhando para mim, absolutamente tomada de fúria. Está pensando: "Quem é essa pessoa? Esta é a minha casa! Não vou dar dinheiro a *ela* para ser insultada e agredida!" Eu me convenço de que a bolota está prestes a me mandar embora, então adoto um tom mais gentil.

– Isto aqui está dizendo a você que esta suposta *comida* não passa de *uma pilha de merda*. E isso já antes que eu comece a detalhar os ingredientes... o xarope de milho, os aditivos, os conservantes, os emulsificadores, os açúcares, e a porra dos sais. Confie em mim, Lena – digo, jogando o pacote no lixo com o resto. Lena Sorenson faz um ar de que aquilo é o seu recém-nascido que eu acabo de arrancar dos seus braços, enquanto eu continuo. – Isto aqui é o inimigo. Esta é a merda que faz você odiar o espelho, a loja de roupas e a balança do banheiro. Esta é a merda que está arruinando a sua vida, e que vai matar você, caralho!

Enfiei a faca nesta puta gorda através de toda a banha e consegui atingir seu eu interior com minhas palavras. Vejo suas feridas psíquicas sangrando na minha frente. E a pior coisa nisso, do seu próprio ponto de vista, é que ela sabe que tenho *cem por cento* de razão; que só estou falando tudo isto para o seu próprio bem.

– Eu sei – começa ela em tom débil. – Sei que você tem razão no que diz...

Eu ergo a mão. As gordas precisam descobrir sua voz. Mas *não* a voz da desistente-vítima. Elas não devem ter permissão para falar, a menos que falem feito adultas.

– Não me venha com a porra desse "mas" – digo, balançando a cabeça com desdém. Elas sempre vêm com a porra do "mas", aquela ressalva que faz tudo ficar bem, que torna tudo aceitável. – Vou lhe dizer uma coisa, minha irmã... o único "mas" que eu aceito ouvir é "mas eu vou deixar de ser bundona".

– Você não pode falar assim comigo...

– Posso, sim, e vou falar, porque quero ajudar você a melhorar – digo, com as mãos nos quadris e o queixo projetado à frente. Então assumo um tom mais grave e tapo um dos ouvidos. – Sei que você não quer ouvir o que eu vou dizer agora, Lena, porque *não querer ouvir* simplesmente faz parte da doença. Você sente seus ouvidos se fechando fisicamente. Há uma melodia, um mantra trivial tocando na sua cabeça para abafar as minhas palavras, que estão atingindo o seu peito feito flechas. Estou certa?

– Eu... eu...

– Bom, minha irmã: bem-vinda ao mundo *real*. Você *vai* ouvir as minhas palavras. Você *vai* conscientizar-se dessas palavras. Talvez não hoje, talvez nem sequer amanhã, mas eu vou derrubar as suas defesas e você *vai* escutar o que estou dizendo. Porque eu vou tirar você da porra dessa sua zona de conforto!

Sorenson está tremendo fisicamente, afastando o corpo de mim, quase incapaz de me encarar. Eu ponho uma das mãos no seu ombro. Então ela de repente vira a cabeça e olha fixamente para mim, afastando o cabelo dos olhos. Eu abro um grande sorriso afetuoso.

– Agora me mostre o resto do lugar!

Vamos até o jardim nos fundos. Eu continuo interessada no ateliê dela, que fica na frente de uma piscina pequena.

– É ali que eu trabalho – explica ela. – Mas não faço muita coisa há algum tempo.

– Podemos dar uma olhadela lá dentro?

– Não, está uma bagunça – diz ela. – Não gosto de mostrar às pessoas o lugar onde eu trabalho.

– Tá legal. Talvez depois, quando você se sentir mais confortável. – Eu ergo as mãos, como se estivesse me rendendo. Olho para o ateliê, e então de volta para ela. – Porque este lugar é importante. É onde você precisa estar, aqui... e não ali.

Aponto para a cozinha.

Sorenson balança a cabeça na luz esmaecente. Uma brisa faz as folhas pontudas da grande palmeira chacoalharem de encontro à janela, marcando o silêncio. Pois embora Lena esteja se rasgando toda ao admitir, ela sabe que cada porra dessas palavras é verdadeira.

Ela me oferece uma carona até minha casa, mas eu insisto em pegar um táxi. – Posso pegar um na Collins.

– Não é incômodo algum.

– Não, obrigada. Você já fez o bastante.

– Mas isto é nada, aquela noite na ponte, você nem sabe o quanto já me deu.

– Meu bem, eu nem comecei ainda.

Jogo minha bolsa em cima do ombro e saio noite adentro.

É claro, assim que chego lá fora eu me esgueiro de volta até o jardim da casa. Fico agachada embaixo da janela, olhando para ela através das venezianas. Sorenson está diante do computador. Ela está olhando fixamente para o que parece ser uma série de imagens de bichinhos fofos, e aparentemente está chorando. Lágrimas de uma gorda fracassada. Bom, ela que fique borbulhando aí, mas se eu vir essa piranha tirar aquelas merdas do lixo e meter tudo na boca, juro por Deus que arrombo a porta e enfio meus dedos na sua garganta até o veneno sair novamente...

Puta merda... meu celular vibra suavemente. Com um clique, silencio o aparelho. Sorenson não ouve nada. Alguns e-mails chegaram, e um deles é dela! Eu saio me esgueirando do jardim para vê-lo.

8
CONTATO 3

Para: kimsangyung@gmail.com; lucypattybrennan@hardass.com
De: lenadiannesorenson@thebluegallery.com
Assunto: Já viram coisa mais fofa?

Kim e Lucy

Isto é para alegrar vocês duas!

Já viram coisa mais fofa?

bjs
Lena

Esta piranha neurótica, mas digna de pena, já me linkou com um site chamado Cute Overload. O site é cheio de cachorrinhos, gatinhos, ursinhos, hamsters e coelhinhos. A julgar pelas postagens já feitas, todo mundo ali é uma supermãe retardada, ou em vias de ser uma supermãe retardada.

9
BICHINHOS FOFINHOS

Acordo piscando na luz cor de manga que banha o quarto. O relógio digital marca 9:12 e logo me deixa alerta. *Que porra é essa, eu não cheguei a...*

Tenho uma cliente às 10:30!

...fechar a porta da frente...

Calor e massa ao meu lado; a consciência de que tem alguém na minha cama troveja tempestuosamente no meu peito. Meu primeiro pensamento apavorado: Lena Sorenson! Não, claro que não. Viro devagar e olho para a gata que dorme ao meu lado; aquela *femme* que realmente aprecia o sabor de uma boceta e gosta de uma boa foda. Fui à caça de uma xota ontem à noite, mas detesto quebrar minhas próprias regras e trazer uma gata de volta para casa. Ela já tem até uma das pernas sobre as minhas. Quando me afasto rudemente, ela acorda piscando e lança para mim um olhar grogue. Sem maquiagem, parece tão jovem: uma universitária no primeiro ou segundo ano.

Pegar vagabas que ainda estão experimentando a coisa não é o meu *modus operandi* predileto, mas qual é... não dá para criticar uma gata que acolheu tão bem o pedaço de plástico que você estava ávida para meter nela.

– Bom-dia – diz ela, bocejando e se espreguiçando.

– Para você também – digo, forçando um sorriso. Depois me sinto desconfortável. Não sou boa nisto.

Ela sai da cama; alta, magra e gostosa. Eu gosto desse cabelo louro platinado curtinho, mas esta gata *jamais* poderia ser uma machona de verdade, sem no mínimo mais cinco anos e 100 mil calorias. Ela veste as roupas.

— Preciso ir. Aula — diz. Depois sorri para mim. — Nem acredito que transei com a Gata Vigilante da Ponte!

— É — digo. Como responder a isto?

— A gente se vê.

Ela sai. Fico esperando até ouvir a porta do apartamento abrir e fechar. Só depois levanto depressa. Na área da cozinha, ela pegou um pouco de suco de laranja na geladeira e bebeu direto no gargalo, sem recolocar a garrafa no lugar. Que porra mais nojenta; estas piranhas novinhas não têm modos.

Estou puta comigo mesma por ter dormido demais, quer dizer, que vacilo da porra, então corro para o chuveiro e depois me visto depressa. Ainda tenho tempo para verificar rapidamente os meus e-mails. Puta que pariu, até me encolho quando vejo o que Lena Sorenson me mandou ontem à noite. E ela pelo menos tem uma amiga, embora eu não faça ideia de quem seja esta tal de Kim.

Foda-se ela. Tenho correspondências mais importantes para começar a tratar.

Para: michellepasrish@lifeparishioners.com
De: lucypattybrennan@hardass.com
Assunto: Tão bom ter notícias suas!

Michelle,

Mal dá para começar a dizer como fiquei empolgada ao receber sua resposta. Minha vida ficou uma confusão danada depois do incidente. Eu tenho uma empresária! E tem uma mulher da VH1 TV que está me contratando para fazer um programa de "makeover" para suburbanas gordas fora de forma. Parece muito com as coisas que já faço agora, só que haverá uma câmera e estaremos na porra de um navio de cruzeiro! Sei de tudo. O problema é que eles escalaram como meu parceiro um sujeito para cuidar de cabelo, cosméticos e vestuário. Meus alarmes meio que dispararam. Não quero que eles impulsionem a carreira de alguma bichinha desempregada, filho de um executivo da TV, à custa do meu ato heroico, ok? LOL!

Só que nem tudo é bom. Um fascista que é candidato aqui, chamado Quist, já me colocou no seu radar. Acontece que o tal atirador foi molestado por pedófilos quando garoto, e então se meteu embaixo da ponte onde aqueles tarados moram para dar uns tiros neles. Boa sorte para ele, mas tipo, como eu poderia saber disto? Tudo está virando uma loucura, mas não de um jeito bom.

Por favor, me oriente!

Ah, e quanto à representação, você já ouviu falar de Valerie Mercando? Como ela é?

Ah, FINALMENTE, e você não vai acreditar... uma das minhas clientes agora é uma "artista" autodidata, a tal que testemunhou o incidente na ponte. Ela descobriu como me achar. Esquisito, ou não?

Tudo de bom,

bjs
Lucy

Quando aperto o botão de enviar, percebo que minhas unhas, clicando no teclado, estão compridas demais. Vou examinando a caixa de entrada, sempre voltando à tal página esquisita de Lena Sorenson, com imagens de animais. Então acho que realmente preciso ir, mas para meu deleite recebo uma resposta imediatamente!

Para: lucypattybrennan@hardass.com
De: michelleparish@lifeparishioners.com
Assunto: Tão bom ter notícias suas!

Lucy,

Ótimo ter notícias suas novamente, e fico feliz que as coisas estejam indo tão bem. O VH1 é um canal incrível, e eles lá vão lhe dar um belo perfil. Claro que é importante ter os colaboradores certos, mas esta é uma oportunidade de ouro! Arranque deles tudo que puder! MAS deixe a negociação a cargo da sua representante.

O que nos traz à questão da representação. Sim, Valerie Mercando é muito boa. Ela conseguirá cuidar de todas as negociações com o VH1.

Clientes são clientes, e não acho importante saber de onde vêm, desde que haja respeito mútuo e os limites adequados sejam observados.

Sim, ouvi falar que alguns políticos estavam tentando usar o seu caso para se promover. Não se preocupe, isso logo passará, mas tenho certeza de que a sua relações-públicas lhe dirá o mesmo.

Muito bem! Estou vibrando com você!

Tudo de bom,

Michelle

P.S.: Você experimentou fazer as Páginas Matinais?

Eu fico tão entusiasmada, que logo contato Valerie.

Para: valeriemercando@mercandoprinc.com
cc: thelmajtempleton@vh1.com
De: lucypattybrennan@hardass.com
Assunto: Vamos fechar!

Querida Valerie,

Depois de receber sólidos conselhos de minha amiga e confidente, Michelle Parish, estou escrevendo para confirmar formalmente que você é realmente a melhor pessoa para me representar. Copio Thelma Templeton do VH1 neste e-mail.

Vamos em frente para arrebentar!

Tudo de bom,

bjs
Lucy

Na área da minha cozinha, que é quase do tamanho de um selo postal, misturo e entorno um shake de proteína. Já sob a luz do sol lá fora, estou pronta para arrebentar a fuça de qualquer babaca que invada o meu espaço, mas os paparazzi parecem ter sumido novamente. Cruzo a pé o Flamingo Park, rumo à academia. Dois caras de vinte e poucos anos estão correndo ali. Um deles para e sobe na barra junto às quadras de basquete. Ali ele faz sete flexões de braço, lutando na oitava e fracassando na nona. Eu subo na barra logo depois.

– Veja como se faz – digo, fazendo logo uma dúzia, e terminando a décima segunda com o mesmo vigor com que iniciei a primeira. Depois troco a empunhadura e faço mais doze flexões, competindo só com o relógio.

– Caraca – diz o tal cara.

– Tudo é uma questão de respiração – digo a ele. – Se você tem as mãos viradas para frente, precisa deixar as duas mais afastadas do que os ombros. Se tem as mãos viradas para si mesmo, com a empunhadura por baixo, a distância entre elas tem de ser só a largura dos ombros.

Estilo Exterminador do Futuro 2! Sarah Connor, porra! E Joan Jett, porra!

Quando chego à academia, vejo Marge lá, já se alongando sob o olho torto de Toby, a bicha recepcionista. Ele se descreve como DJ, porque ocasionalmente, quando o lugar está vazio, tem permissão para tocar seus afetados CDs de antimúsica e antivida. Quando a academia se enche de donas de casa suburbanas, porém, Toby precisa dar a vez a trilhas de Coldplay e Maroon 5. Eu mesma já cheguei a aceitar esses dois verdadeiros induzidores de pulsos cortados como um alívio abençoado às merdas tépidas de Toby. Juro que a simples visão desse viado pretensioso e amargo já me tira do sério. Quando estou ao alcance dos seus ouvidos, instintivamente caricaturo com minhas vogais o sotaque irlandês de Boston. Todo musculoso, e sempre vestido no estilo pseudo-homo típico de South Beach, ele felizmente não percebe, ao engolir seus esteroides e fazer suas 150 flexões de tríceps, que um rápido soco meu arrebentaria seu nariz de bichona e o levaria a passar anos em terapia, vertendo baldes de lágrimas afrescalhadas.

– Você apareceu no noticiário novamente – anuncia ele. Depois gira a cabeça e aponta para o televisor preso à parede. – Ah, olhe lá.

Joel Quist está na tela. Sua campanha se baseia em todas as políticas de ódio-e-medo que se possa imaginar, e em falar merda sobre qualquer alternativa a elas.

Terrorismo: matar americanos inocentes
Controle de armas: matar americanos inocentes que não podem se proteger
Impostos mais altos para os super-ricos, em vez de socorro financeiro emergencial: matar americanos inocentes
Parar de matar árabes: matar americanos inocentes
Aborto: matar americanos inocentes (antes que nasçam)
Casamento gay: sodomizar e depois matar americanos inocentes

Eu estou no radar dele, e isto é muito ruim. Ah, merda: agora minha enorme boca oval aparece, aberta e estupidificada, diante da câmera, feito a boca de Marge quando ela se depara com uma esteira. Faço um sinal para que ela pegue os halteres pesados, mas não consigo manter meus olhos longe da tela. Eu só precisava ter dito, "É claro que homens vítimas de violência sexual têm o direito de se defender. Isto é apropriado, quando tais vítimas são atacadas. Só que o sr. McCandless não estava sendo atacado. Ele estava perseguindo dois homens desarmados, e atirando neles. Se ele foi vítima de um crime anterior, nós temos um sistema judicial que existe para lidar com tais crimes". Mas esse barco, a nau da razão, já zarpou há um porrilhão de tempo.

Thorpe aparece para frisar exatamente esse aspecto, mas pontificando do seu jeito desconexo, professoral e semibabaca. Dá para ver que ele é odiado por todos. Thorpe é escorregadio e afetado. É um *advogado*, caralho.

Seja homem, seu puto!

– Marge, pegue aquele kettlebell de oito quilos e me dê quatro séries de flexão com agachamento, doze repetições por série!

Quist interrompe Thorpe, que protesta, mas é desprezado pelo âncora, que desta vez é um homem, embora ainda pareça querer meter na boca apertada e arrogante a salsicha gotejante desse puto velho quase incontinente. "Bom, eu sou sempre a favor do emprego da lei, como se sabe pelo meu histórico de votação em tais questões, principalmente quando comparado com Thorpe, que prefere paparicar os elementos criminosos da nossa sociedade..."

Enquanto Marge vai fazendo a série, digo: – Levante os pesos mais alto e abaixe mais a bunda! Gire e agache! Gire e agache!

Eles cortam para Thorpe, mas dando apenas uma tomada da sua reação com expressão magoada e um pedido abafado já fora do quadro. Depois voltam ao âncora, que faz Thorpe se calar gesticulando com as costas da mão. "Por favor, deixe o sr. Quist terminar."

"Mas às vezes os nossos políticos e burocratas de Washington abandonam o povo", diz Quist, empinando o peito como um galo. "Vou fazer uma pergunta a vocês. Quanto tempo o jovem Sean McCandless passou abandonado? Lucy Brennan, embora sem querer, apareceu para ajudar esses dois pervertidos doentios, como todos parecem fazer. Mas quem apareceu para ajudar o pequeno Sean McCandless? Quem foi ajudar aquele garoto?"

Deixo meu olhar girar até Marge, que está arquejando ao erguer os pesos.

– Booooommmmm...

De volta à tela: ultrajado e angustiado, Thorpe fica torcendo as mãos, em um apelo de bebê chorão para o âncora severo, alegando que não foi ouvido de forma justa. O anfitrião então lhe passa uma bela reprimenda, fazendo com que ele pareça ainda mais babaca. Depois eles cortam, felizmente, para a história das gêmeas siamesas.

– Podia ser pior – diz Toby, meneando a cabeça para a tela e cheio de prazer pela desgraça alheia.

Um plano só da cabeça de Annabel, junto com um tatibitate sobre aspirações e seu amor por Stephen, seguido de um close de dedos entrelaçados, quando se revela que ela está segurando a mão dele. A imagem vai recuando até vermos Amy olhando na direção oposta à de Stephen, para longe da irmã. Em vez de fechar nos dois pombinhos, os escrotos responsáveis por este show de aberrações mantêm Amy no plano. Com seu nariz adunco se projetando da cabeleira, ela parece uma ave de rapina pousada no ombro de Annabel. Meu celular vibra, e é Valerie.

– Ei... você! – grito com entusiasmo, para mostrar ao maluco do Toby que não fiquei perturbada. Depois viro para Marge. – Esteira, vinte minutos, começando com um trote a seis quilômetros por hora...

Então vou até a porta da frente em busca de um pouco de privacidade.

– Oi, Lucy. Acabei de ver o noticiário...

– Pois é, mas isto vai passar logo – digo, gesticulando diante de Marge, que empacou ali arquejando, para que ela suba na porra da esteira e comece a correr. Depois saio à luz do sol e olho para o céu azul.

– Isso tudo deixou o VH1 nervoso. Você *não* pode mais falar com a imprensa ou a TV.

– Tá legal...

– Desculpe se pareço um pouco tensa. Uma cantora cliente nossa foi pega com pó em um lugar na Ocean Drive. O promoter dela na Gleeson é um cristão renascido babaca que tem no contrato uma cláusula esquisita contra drogas e está ameaçando cancelar o show de amanhã. Eu preciso ir... ah, outra coisa, o pessoal da Total Gym me mandou, grátis, uma estação de ginástica para você. Acrescentaram um bilhete, um daqueles "sem compromisso, mas se você gostar do produto e se sentir inclinada a recomendá-lo, nós ficaríamos gratos", de modo que isso é uma decisão sua. Vou mandar para você.

– Isto é genial!

– Sim, é tudo de bom. Mas não fale com a imprensa, para eles tudo é combustível, então deixe a coisa arder até acabar.

– Beleza – digo, em tom cautelosamente afirmativo, pensando... é tudo que eu quero na minha vida: um equipamento de bosta recomendado por Chuck Norris e que quebrará assim que eu tiver gasto metade da minha vida para montá-lo, depois de comer praticamente todo o espaço naquela caixa de sapatos que é o meu apartamento.

A linha fica muda e eu entro novamente na academia. Aumento o ritmo de Marge, que está se arrastando, para oito quilômetros por hora, com um leve aclive, até o ponto de exaustão.

– Quase lá! É disto que eu preciso! A guerreira Marge! E cinco... e quatro... e três... e dois... e um! – digo, enquanto o aparelho desacelera. – Bom trabalho.

Ela olha para mim feito uma criança que caiu de bunda no chão e não sabe se ri ou chora. *Frite a celulite dessa vaca. Alise a gordura enrugada dessa piranha.*

– Respire, Marge... inspire pelo nariz, expire pela boca.

Jesus, eu ainda preciso mandar que elas façam isto! Que porra *isso* significa? Mas Marge termina sua sessão e vai cambaleando agradecidamente até o vestiário tomar uma chuveirada. Nas telas, Quist e Thorpe já sumiram, substituídos pela mãe das gêmeas siamesas, que fala das meninas, e é seguida por uma voz nauseante e ofegante em off. "... como qualquer mãe, Joyce vê com temor o futuro de suas meninas. No caso de Amy e Annabel, porém, o futuro de uma, tal como seu passado e presente, está inextricavelmente ligado ao da outra."

Fico contemplando a bizarrice desse quadro, quando Lena Sorenson aparece com uma nova roupa berrante para malhar, *cor-de-rosa*. É o tipo do traje que só um retardado ou uma criança de 10 anos usaria.

– Tudo beeem? – entoa ela. – Estou empolgada, louca para começar!

– Que bom. – Eu sorrio com os dentes cerrados, já indo para os aparelhos, seguida por ela.

Como posso retalhar as banhas desta gorducha irritante? Ponho Lena na esteira, fazendo com que ela siga a série. Vou aumentando a carga, dando mais a ela, chegando a oito quilômetros por hora, e forçando seu corpo a martelar a pista emborrachada. *Dance, sua hamsterzinha gorda, dance!*

– Vamos lá, Sorenson, vamos lá! – grito, fazendo cabeças girarem na minha direção. Minha voz troveja acima da baboseira ambiente de Toby. Aumento a velocidade da esteira e vejo o brilho aumentar no rosto de Sorenson. – Estamos empolgadas e loucas para começar!

Toda vez que a gorducha recupera o fôlego para fazer o que faz de melhor, até mais do que comer, ou seja, falar, eu puxo um pouco mais por ela, ou mudo a atividade. Ela precisa entender o recado: isto aqui *não* é um clube social.

Mas Sorenson me surpreende com seus *cojones*. Ela aceita tudo que eu jogo em cima dela. Mesmo depois da sessão, ainda fica ali, sem fôlego, tentando atrair minha atenção, quando eu estou claramente com a cabeça em outro lugar.

– Isto... é... tão... bommmm... eu não me sinto tão bem assim... há séculos...

O clima se torna tão opressivo que até fico feliz por ir encontrar *minha mãe* na hora do almoço. *Qualquer coisa* que signifique escapar da minha própria gêmea siamesa. Annabel, já sei o que você sofre. Sorenson praticamente se convida para ir junto, e então tem a audácia de olhar para mim feito uma enteada molestada quando eu lhe digo que tenho coisas a discutir com a *minha mãe*. Meu Deus. Fico até com medo de que esta piranha carente vá me assediando até o tal lugar na Ocean Drive onde, estupidamente, combinamos nos encontrar! Então saio da academia e vou em direção ao Atlântico.

Se no meu ramo os números são importantes, então minha mãe, Jackie Pride (58 anos, 1,73 m, 59 kg), embora trabalhe com imóveis, provavelmente está ainda mais sujeita aos caprichos deles. O mercado despencou; ela vendeu doze apartamentos em Miami no ano retrasado, três no ano passado, e até agora nenhum este ano. Há dois anos ela dirige um Lincoln grande; seu antecessor foi o que ela comprou para substituir o Cadillac que eu herdei. Era uma época em que o pessoal das imobiliárias imitava os advogados, e ninguém ria. Agora que ela dirige um Toyota e está encarando o fim de outro relacionamento duradouro... zero é uma estatística perturbadora.

Mamãe já está sentada, com o computador ligadão no estilo Lena Sorenson (ha!), enquanto conversa no celular. Ergue o olhar quando eu me aproximo.

– Oi, Chuchu – diz, meneando a cabeça para mim à guisa de desculpas, e arqueando as finas sobrancelhas marcadas com lápis enquanto fecha o Mac da Apple. Ela está usando um top branco, com uma saia xadrez e um par de sapatos, ambos pretos e brancos. Tem óculos pousados sobre o forte nariz saxão (nada parecido com o meu narizinho irlandês, herdado de papai), e um par de óculos escuros empinado na testa para manter no lugar a longa cabeleira ainda castanha. Termina o telefonema, recosta o corpo na cadeira de plástico, que desliza alguns centímetros sobre a calçada, e geme – Ah, meu Deus...

Mamãe parece estar bem; o único estrago perceptível provocado pela idade fica perto do queixo, onde a carne em torno do pescoço formou uma papada. Ela fica falando sobre "trabalho feito", mas também sobre estar "ocupada demais até para uma cirurgia ocular a laser".

Uma jovem gata loura que eu reconheço (acho que é uma das clientes de Mona na Bodysculpt) passa cheia de si, usando um biquíni amarelo e uma camiseta no mesmo tom, com a inscrição MISS ARROGANTE em grandes letras azuis. South Beach continua sendo um refúgio ensolarado para pavões grotescos e narcisistas desesperados. O telefone de mamãe toca novamente.

– Lieb – implora ela. – Vou atender essa, querida, depois desligo esta porcaria, prometo.

– Beleza – digo, pegando o cardápio.

– Lieb, amorzinho... sim. Entendi... entendi. Vá entretendo o pessoal. O Gulfstream Park ou coisa assim, você conhece a rotina... certo. Basta fazer com que eles continuem acreditando que é um investimento sólido feito rocha, coisa que, para todos os fins e propósitos, realmente é... sim, eu amo você. Agora preciso ir, meu bem, a Lucy está aqui. *Ciao*. – Suas sobrancelhas se arqueiam ainda mais e ela silencia o iPhone. – Homens.

Quanto mais durões, mais parecem precisar que alguém lhes segure a mão. É tão esquisito. Ora, ele pode levar aqueles babacas a um bar, ou uma boate de strip. Eu não ligo. Deus, as pessoas estão simplesmente perdendo a coragem! Aquele investimento é sólido!

Ela balança a cabeça.

– Tenho certeza que é.

– Mas estou falando sem parar... vamos pedir uma comida – diz ela. Depois me olha bem nos olhos, seguindo a linha da minha visão. – Você estava conferindo a minha papada! Ah, que criança cruel!

– Não – minto. – Estava só pensando que você parece muito bem!

Mamãe solta um longo suspiro murcho. Quando ela fala, seus olhos, alternadamente mortiços e intensos, sempre parecem estar fitando algo além de mim, como se fossem os desencantos que jazem adiante.

– Estou pensando em como conseguir trabalhar. É só uma questão de tempo. Isto, e dinheiro – diz ela, num tom amargo, enquanto o garçom nos serve água gelada.

– As coisas ainda estão ruins no seu ramo?

– Nem vamos falar nisso – diz ela, enquanto uma modelo fracassada e botocada se aproxima para recitar roboticamente uma lista de pratos especiais do dia.

Não, mamãe assume uma expressão positiva enquanto fazemos nossos pedidos, depois começa a vomitar em cima de mim um livro de auto-ajuda que andou devorando (sua versão pessoal dos tais bolos de Lena Sorenson). – O mercado de imóveis... está uma merda aqui no sul da Flórida. Eu preciso daquilo que Debra Wilson... você já leu o livro dela?

– Não. Você já ouviu falar nas Páginas Matinais? Têm fama de serem ótimas.

– A Marianne Robson, da Coldwell Banker, diz que são essenciais. Preciso tentar fazer isso, assim que eu conseguir ter algum tempo para mim mesma.

– E o negócio dessa tal Debra Wilson?

– Bom, eu preciso do que ela chama de "projeto pessoal inspirador". – Um sorriso doce enruga o rosto de mamãe. – É claro que meu projeto mais maravilhoso é criar minhas duas bebezinhas... – Eu penso, *por favor me poupe*, mas então o rosto de minha mãe se enruga de tristeza, e ela continua. – Só que agora elas já cresceram... acho que você não deve ter notícias recentes de Jocelyn, tem?

– Ainda em Darfur com a mesma ONG, foi a última coisa que eu soube – digo, tentando conferir, talvez um pouco ostensivamente demais, um surfista musculoso que passa por nós.

– Ainda fazendo boas ações – entoa mamãe melancolicamente. – Juro que aquela garota envergonha todos nós.

Tenho vontade de dizer que se ela tivesse deixado minha irmã em paz sempre que ela tentava fazer merda enquanto crescia, provavelmente hoje Jocelyn não estaria bancando a Madre Teresa de Calcutá nos piores buracos do mundo. Só que mamãe já voltou ao seu próprio drama.

– Então eu falei para o Lieb que realmente preciso de outra coisa na minha vida.

– Mas você tem os imóveis – digo, incapaz de resistir. Mamãe nunca quer falar de outra coisa quando o mercado imobiliário está bombando. Agora que está morto, é praticamente *tudo* que eu quero discutir com ela. Se você não é posta nesta Terra para sutilmente fazer da vida da sua mãe um inferno de sofrimento, então qual é o sentido da porra da existência humana?

– Além do trabalho, quero dizer – diz ela, enquanto a candidata a esposa robótica traz nossas saladas de tofu, que parecem umas merdas: a alface tão murcha quanto o pau de Miles, e o tofu defumado tem gosto de uma meia de ginástica velha e suada. Mamãe faz uma careta ao dar a primeira mordida. Depois me lança um olhar penetrante.

– Como está o seu pai? Tenho vergonha de admitir, mas frequentemente ponho o nome dele no Google.

– Bom, é natural essa sua curiosidade. Mas se você faz isso regularmente, deve saber mais do que eu.

– Ora essa! Você sempre foi a preferida dele, a que era esportiva.

– Mamãe, *ele* sempre foi o preferido dele mesmo.

– Eu ainda não consigo acreditar nisso, mas... não é que é verdade! – Ela balança a cabeça, sem que a cabeleira laqueada se mova um só centímetro. – É quase como se fazer sucesso com aqueles livros fosse o último grande ato do seu pai para me ferir.

– Qual é! Ele sempre falou em ser escritor!

– Todo mundo *fala* em ser escritor, meu anjo. Se todo romance concebido em um bar chegasse a ser publicado, não sobraria uma única árvore de pé neste mundo verdejante de Deus. Não, assim que ele me largou...

– Minha lembrança é de que *você* o largou. Pelo Lieb.

Mamãe bufa e revira os olhos. Depois explica em tom de grande esforço, como se eu ainda fosse criança.

– *Fisicamente*, eu larguei o seu pai, sim, mas apenas porque ele não teve coragem para ir embora primeiro. Só que foi ele quem armou a separação. Então, depois de ser sustentado durante anos, ao longo de toda aquela merda do inquérito do departamento de polícia, o vagabundo levantou o bundão irlandês e começou a *escrever*.

– A gente *senta* na bunda para escrever.

– Exatamente, e é por isso que essa é a ocupação perfeita para ele – diz ela. Depois os cantos de sua boca viram para baixo, diante de um pensamento lúgubre que se insinua. – Provavelmente existe a reboque aí uma mulher mais jovem, alguma gostosona burra...

– Várias, aposto – reconheço, erguendo uma garfada de tofu à boca, na esperança de que o gosto seja melhor do que o da última, mas ficando imediatamente desapontada. Enquanto isto, mamãe está de queixo caído, olhando para mim. Então continuo. – Bom, é a condição humana. *Como a gente envelhece?* Você age com controle e dignidade, até a vida se tornar uma chatice colossal. Caso você se deixe levar pelo prazer, fica parecendo triste e patética. Portanto, pode escolher preto ou vermelho, porque ninguém vai sair deste cassino cheio de fichas, neném.

– Meu Deus... Lucy, cuidado! Você se parece tanto com ele.

– Bom, eu estava citando Matt Flynn – digo, vendo minha mãe vasculhar o arquivo de clientes que tem na sua cabeça, antes de assumir uma expressão vaga. Então explico. – O policial de Boston que é o protagonista dele.

Mamãe faz um muxoxo e outra garfada de espinafre sobe à sua boca. Coitada, só pensa em grana, e foi justamente o cara que ela achava que jamais chegaria lá quem se deu bem, assim que ela lhe deu um pé na bunda. Isto deve ser duplamente difícil de engolir agora, quando as coisas estão uma merda para ela. Mamãe vive e respira a porra do seu trabalho no ramo imobiliário. É uma mulher que pode fazer *qualquer coisa*, dentro de certos parâmetros estabelecidos por ela (e eu preciso aceitar sua palavra quanto a isto) para fechar um negócio. Ela é capaz de sair da cama de madrugada para fazer compras no supermercado para um cliente. Presta serviços de qualquer tipo para eles. Sim, e quanto ao limite disto, prefiro nem especular. Seu companheiro de longa data, Lieb, parece quase largado ao mar, perdido nos botecos de South Beach mais ou menos como meu pai, que outrora vivia mergulhado no labirinto de espeluncas em Boston.

Mamãe optou por molho de gengibre no seu tofu, e enche uma garfada com uma mistura ridiculamente gosmenta. Depois faz uma careta e devolve tudo ao prato.

— Eca, um molho de gengibre que é só farinha. Nojento! Ocean Drive... sempre uma refeição errada!

Seguimos batalhando contra nossas respectivas gosmas em silêncio estoico. Eu abro logo o Lifemap, tentando calcular as calorias inúteis nesta guarnição tóxica. Quando vou falar algo, mamãe faz um gesto silenciador, apontando para o celular que está erguendo para o ouvido.

— Desculpe, Chuchu, mas preciso atender essa... Lonnie! Sim, tudo está bem aqui! Hum, hum, sim, algumas pessoas realmente estão sentindo o aperto, mas nós temos tido muita, muita sorte. O mercado de luxo continua... bom, eu estaria recorrendo a um jargão de corretores de bosta se dissesse... em alta... mas certamente está resistindo bem. E o imóvel que você escolheu é excelente. Hum, hum, já disse que talvez você tenha Dwyane Wade como vizinho? Um passarinho me contou que ele acaba de examinar uma propriedade do outro lado, aquela em estilo colonial espanhol, sabe? Só que nem chega aos pés da sua, tenho certeza de que você concordará...

Fico vendo sua gesticulação... uma vendedora nata. Até que ponto conheço minha mãe? A separação de papai e mamãe foi tão difícil de entender quanto todo o relacionamento deles. Eu sempre achei que mamãe, sempre muito faceira na presença de homens, tinha sido infiel primeiro. Não fora uma grande surpresa, na minha adolescência, sua partida com Lieb, um vendedor da Datafax. Um dos últimos grandes serviços de Lieb fora vender o sistema executivo de gestão do tempo a gerentes sêniores e de nível médio da seguradora de Boston onde mamãe trabalhava, e subsequentemente treinar todos os gerentes a usar o sistema.

Só que as técnicas de venda de Lieb eram boas; ele não apenas se vendeu a ela, como incluiu no pacote a explosão imobiliária da Flórida. "O setor imobiliário é a próxima bola da vez. Eu só perdi o boom do ponto.com porque hesitei", trombeteava ele. "Nunca mais. Vou pular neste bonde."

Assim como mamãe.

Quando os dois se juntaram, Lieb confidenciou a minha mãe que o Datafax era um grande sistema, mas que logo seria substituído pelos softwares dos PCs e da Apple. Não demoraria muito e as pessoas se acostumariam a manter seus diários em computadores de mesa, laptops e celulares. O cordão psicológico que as unia a um sistema de papel se esgarçaria e o Datafax viraria um produto de nicho, com alguns valorizados fregueses idosos, mas não o tipo de acessório essencial para empresários yuppies como era na época. Portanto, o ramo imobiliário seria o futuro dourado dele, e dela também.

Depois da separação, Jocelyn e eu continuamos em Weymouth com papai. A razão que mamãe deu, para não nos juntarmos a ela em Miami, foi evitar interromper nossos estudos. Não que eu estudasse muito, pois só queria saber de treinar e lutar. Tinha 15 anos e odiava o mundo. No verão anterior já brigara com mamãe e papai, principalmente papai, depois de um incidente devastador no Abigail Adams Park, que meus familiares interpretaram errado e que me afastou deles. Fiquei bastante surpresa quando ele apoiou minha decisão de largar o atletismo e me dedicar às artes marciais. Já mamãe ficou horrorizada.

– Mas por quê, Chuchu?

Jocelyn não se manifestou (como sempre), além de me fitar com seu costumeiro olhar de desdém intelectual.

– Eu quero lutar – eu disse, vendo um orgulho silencioso brilhar nos olhos de meu pai.

E foi o que fiz. Comecei a ter aulas de taekwondo em um centro esportivo local e depois passei para o boxe tailandês. Foi uma grande liberação para mim; pude dar vazão a toda minha energia e agressividade reprimidas. Desde o começo ficou evidente que muito poucas outras garotas conseguiriam me sacanear. Eu olhava qualquer oponente nos olhos e via todas desmoronarem. Adorava os aspectos sem censura da disciplina, e batia nas minhas rivais com a porra toda... cotovelos, joelhos, chutes e punhos. Era capaz de me revirar e me retesar feito uma diaba. Era a Garota Dourada da Associação de Boxe Tailandês local, treinando com uma concentração demente, e lutando ferozmente.

Fui bem nos eventos da categoria júnior, primeiro a nível estadual, e depois nacional. Tive êxito em três clássicos de muay thai na categoria do meu peso. Meu melhor título foi o primeiro, quando derrubei a campeã reinante, uma piranha asiática que me agarrou feito um padre tarado, mas não conseguiu resistir à minha velocidade, nem às joelhadas que fiquei dando na sua xota. Vi que ela estava chorando, tal como tantas outras que enfrentei, mas o tempo todo continuei olhando além das lágrimas, tentando encaixar outro alvo na minha mira.

Ganhei mais cinturões. Estudei diferentes disciplinas de luta, principalmente caratê e jiu-jítsu. Lutei para me livrar de toda a minha fúria, enquanto Jocelyn se afundava nos livros. Quando provocada, ela se referia à separação como "uma porcaria", mas sem convicção. Sua forma de distanciamento pessoal era a leitura, e mentalmente ela já deixara aquele lar antes de todo mundo... se é que algum dia estivera realmente presente ali.

Enquanto isto, papai me levava a todos os meus eventos. Percorria quilômetros de carro comigo, pagava os hotéis, voltava de manhã cedo e, enquanto eu ia para a escola ou a cama, seguia sem reclamar para o trabalho. Na época ele já voltara a dar aula de educação física em uma escola secundária. Ficamos íntimos, embora o incidente no parque, sobre o qual nunca conversamos, sempre pairasse acima de nós. Frequentemente, porém, penso que ele se deixou absorver por esse começo da minha carreira para não enfrentar o fim de seu casamento. Nas poucas ocasiões em que chegou a falar sobre a partida de mamãe, ele me pareceu magoado e perplexo, feito um menininho.

Eu sempre pensara que papai tinha o latido, e mamãe, a mordida. Dois verões depois disso, descobri o contrário. Fui convocada a ir a Miami, por instigação de papai, para fazer umas babaquices na faculdade comunitária a fim de conseguir entrar no programa de esporte e ciência da universidade. Já Jocelyn foi ficar com a irmã de papai, tia Emer, em Nova York, e lá fez um curso preparatório para poder se matricular em Princeton. Depois de rumar para o sul, eu me mudei para a casa de mamãe e Lieb. No início foi dureza. Eu sentia falta de papai. Ainda estava aprendendo a dirigir, enquanto tentava me ligar a alguma academia no cenário de artes marciais local. Diante da indiferença que mamãe nutria pelas minhas atividades neste campo, aprendi a valorizar o apoio que papai dava a elas. Certa tarde, mamãe e eu estávamos sentadas no jardim da antiga casa alugada por ela em South Beach, e que dava vista para Miami por cima da baía de Biscayne. Não estávamos bebendo qualquer coisa mais forte do que limonada caseira, mas de repente ela me encarou de frente e disse, "Ele queria você aqui, mas você sabia disso, não é? Sabe que ele dorme com prostitutas?"

Eu desviei os olhos e lancei o olhar para a baía. Fiquei vendo a luz do sol quicar nas águas lisas e azuis, quase negras. Mamãe pareceu nem perceber o meu desconforto, e simplesmente continuou a denegrir papai. Eu bloqueei sua voz, porque não conseguia mais aguentar aquela amargura contra o meu pai. Ela não sabia como era importante para mim vê-lo de uma certa forma. Se eu não conseguisse fazer isto, seria tudo em vão. Depois de algum tempo, ela resolveu parar. "Não vou falar mais sobre este assunto, Lucy, mas você não sabe da missa a metade, e provavelmente é até melhor assim."

Era impossível conseguir uma bolsa de estudo em artes marciais, por isso eu voltara, relutantemente, ao atletismo, com o propósito de obter uma bolsa esportiva geral, com ênfase no curso de treinadora, na Universidade de Miami. Algum tempo mais tarde, já no meu primeiro ano, resolvi voltar a Boston e fazer uma visita de surpresa a papai. Havia muito tempo ele se mudara de Weymouth para um bom apartamento em um prédio antigo no centro da cidade. Já começara a fazer sucesso como escritor, estava vivendo um pouco e parecia muito menos tenso. Até poderia ter mantido a porra da tensão; depois de abrir a porta com um floreio, ele olhou para mim e ficou sem graça. Logo percebi a razão, quando uma gata jovem, nervosinha e amalucada apareceu imediatamente atrás dele. Papai alegou que ela estava ajudando a fazer pesquisas para o romance que ele planejava escrever. Papo furado. Portanto, naquele instante eu, que acreditava que minha mãe simplesmente nos abandonara, passei a aceitar que meu pai tinha uma caralhada de culpa no caso.

– Maravilha, Lonnie... simplesmente maravilhoso... tá legal, vou manter contato... tchau.

Minha mãe desliga, enquanto um viado musculoso e bronzeado passa patinando pela rua. Mamãe fala algo malicioso sobre os patins, dizendo que eles são os "conversíveis dos garçons". Eu decido que o almoço foi convite meu, e faço sinal pedindo a conta, calando mamãe com um aceno quando ela protesta.

– Obrigada, Lucy – diz ela sem graça. Mamãe pode ser uma esnobe que só pensa em grana, mas não é pão-dura. – Escute, Chuchu... eu preciso de um favorzinho.

– É só falar – digo sem pensar, e na mesma hora me arrependendo.

Só que não há como voltar atrás, e nós vamos pegar o seu carro, que ela deixou no estacionamento das lojas. Na avenida Collins, mamãe subitamente se agarra ao meu braço. Vamos passando por turistas, fregueses, comensais e bebedores, antes de cruzar para o calçadão da Lincoln, um trecho feio que só tem lojas vagabundas de material elétrico e bagagens, entre a Collins e a Washington. Ali, mendigos e doentes mentais competem para atrair a atenção dos visitantes de olhos esbugalhados e câmeras na mão que se desviaram da trilha rotineira. Um cara se aproxima de nós.

– Eu não como há dois dias.

– Muito bem. Continue assim, mas faça também exercícios – digo, dando a ele meu cartão.

– Ele precisava de dinheiro *para comer* – comenta mamãe.

– Ah... eu meio que achei que ele estava bem-vestido demais para ser mendigo... ando tão míope – contemporizo, já levando mamãe rua abaixo, enquanto o vagabundo estuda o meu cartão e rosna algo incompreensível. Felizmente, logo cruzamos a Washington e voltamos à parte melhor de South Beach.

Pegamos o carro e partimos pela Alton, com mamãe me levando a cruzar a grande divisa que é a baía de Biscayne, de Miami Beach para Miami propriamente dita. Que grande porra é este novo portal para as Américas, além da porcaria de uma ilusão? É uma cidade fantasma, com essas pilhas de apartamentos vazios. Ninguém quer vir para cá.

Mamãe fareja o meu desprezo, e insiste. – O movimento aqui está aumentando muito.

Eu reviro os olhos em dúvida. As calçadas estão desertas o suficiente para fazer a maioria dos bairros médios de Los Angeles parecer Manhattan na hora do rush.

Vamos percorrendo Bayside, até o tal prédio de quarenta andares onde Ben Lieberman comprou uma cota grande, enterrando todas as economias deles, e que mamãe está administrando. Praticamente vazio, sem uma única aquisição. A estrutura, que o bofe dela tirou das mãos de uns colombianos suspeitos (devem existir exemplares de outro tipo em Miami, mas eu ainda não encontrei) quando a coisa parecia ser uma boa ideia, tem quatro apartamentos em cada um dos quarenta andares. Apenas dois estão atualmente alugados (ambos com desconto), no sétimo e no décimo segundo andar: um para uma mulher que recebe clientes vindos dos escritório próximos para fazer sexo ali na hora do almoço, e outro para um jornalista de entretenimento local com o intuito de que ele escreva algo ficcional em sua coluna sobre um vibrante cenário emergente na vizinhança. Basicamente, o aluguel dos dois serve para pagar os serviços e a manutenção do prédio, embora não pareça haver muito a mostrar quanto a isso.

– *Vai* acontecer – diz mamãe com um arquejo otimista, erguendo o olhar amalucado para a cobertura no topo desta pilha de tocas de coelho. – Quer dizer, Bayside fica a dois quarteirões daqui, do outro lado da rua, e a arena da American Airlines está praticamente na soleira da nossa porta.

– Pois é, claro.

– A Lime abriu uma filial ao lado daquele Starbucks novo na Flagler – guincha ela. – Tem o novo estádio de beisebol dos Marlins, e uma praça nova planejada para o museu...

– Aqui no sul da Flórida o negócio é praia, mamãe... ninguém precisa de um centro vibrante. A cidade não vai gastar um centavo municipal em porcaria...

– Nós temos os impostos mais baixos...

– E isto foi escolha nossa – admito. – Mas o custo desta escolha é uma cidade-fantasma sob o sol.

A mão de mamãe se tensiona tanto no volante que fica branca.

– Você vai me ajudar, Chuchu? – implora ela, largando o carro junto à calçada deserta, sem se dar ao trabalho de usar o estacionamento nos fundos do prédio. Depois abre com uma chave a porta de vidro da portaria. – Você só precisa vir aqui uma vez por semana, conferir se as coisas estão bem, recolher a correspondência nas caixas lá embaixo e deixar tudo no escritório. É só durante um mês, benzinho, quer dizer, seis semanas...

– Como você e Lieb vão passar seis semanas inteiras fazendo um cruzeiro, se mal conseguem conversar atualmente?

A voz de minha mãe fica tão estridente que quase falha.

– É um grande risco, e tanto Lieb quanto eu temos consciência disto. – Ela respira fundo e baixa o tom várias oitavas. – Acho que realmente é a nossa última chance... pode ser o fim, ou talvez uma nova aurora.

Seus olhos ficam enevoados.

– Seja como for, devemos esta tentativa a nós mesmos – continua ela. Depois assume um tom desafiador. – E além disto... precisamos explorar possibilidades imobiliárias no Caribe.

– Ah, mamãe.

Dou um abraço nela, fazendo uma careta ao sentir o forte cheiro de molho de alho no seu hálito. O meu deve estar igual. Preciso comprar Listerine na drogaria.

– Neném, neném, meu Chuchu querido. – Ela me dá um tapinha nas costas, enquanto um *boing* anuncia a presença iminente do elevador, felizmente interrompendo o nosso abraço. Depois que entramos, sentimos nossas pernas formigarem, devido à aceleração impressionante até o quadragésimo andar.

Todos os apartamentos têm dois quartos e uma vista maravilhosa de Miami, segmentada em quadras e ruas, até a baía. Só que o estilo deste apartamento, que mamãe chama de "neoloft", é uma porcaria total. Eu posso até morder minha língua, mas uma cozinha separada, acessada por um corredor, é simplesmente horrível. Se é "loft", a coisa deveria ser em plano aberto, fluindo até a sala espaçosa, utilizando a luz dos janelões que vão do chão até o teto em dois lados. Os únicos elementos de um "loft" ali são os tijolos aparentes, mas falsos, em uma das paredes, e a grossa viga de aço que corre ao longo do teto. A viga é sustentada por três colunas, uma em cada ponta, e uma no meio da sala. A única coisa maneira nisso é que você poderia pendurar uma bolsa pesada ali. Há também uma grande lareira de pedra, e um assoalho polido de madeira escura. Mamãe explica que esse estilo industrial "neoloft" foi projetado para agradar os migrantes do norte. Tenho certeza de que na época isto aparentava ser uma boa ideia, e que o arquiteto e o incorporador se divertiram muito cheirando todo aquele pó juntos, mas aqui nos trópicos a coisa parece apenas uma confusão incongruente. Não haverá a menor correria para comprar ou alugar estes imóveis.

Mamãe se agita, esfregando com a manga alguma marca na janela, ao estilo do rei Canuto. Eu fico olhando para Miami Beach e a civilização. É lá que terei o meu novo cafofo, quando entrar o dinheiro do negócio na TV, em um daqueles prédios incríveis em South Pointe. Puta que pariu! Sucumbindo às chamas do entusiasmo, ligo para Valerie, meneando a cabeça rapidamente para mamãe à guisa de desculpas, mas não há necessidade... ela aproveita a chance para pegar logo seu iPhone.

Valerie atende após três toques.

– Lucy, que bom você ter ligado – diz ela, em um tom que faz algo dentro de mim azedar, e eu me tensiono para o que virá. – A Thelma e a Waleena, do VH1... não há outra maneira de colocar isto... nos tiraram da jogada. A pressão do Quist deixou o canal nervoso. Elas estão tentando arrumar outra pessoa para o programa. Agora eu bem que queria ter assinado logo a porra daqueles contratos, mas nunca imaginei isto... estou fazendo tudo que posso para que elas reconsiderem... Lucy? Você está aí?

– Sim – digo a ela secamente. Escrotas botocadas! Com vaginas duras feito as portas de borracha da porra de um abatedouro. Eu forço minha fúria a se acalmar. – Veja o que você pode fazer e mantenha contato.

– Claro. Lembre-se, elas não são as únicas a ter um programa na cidade!

– Obrigada – digo, desligando o telefone.

O nariz de corretora imobiliária de mamãe consegue farejar qualquer desastre na Flórida a mais de um quilômetro de distância.

– Está tudo bem, Chuchu?

Não. Ao contrário, tudo está uma merda do caralho, mas eu não vou contar isto a ela.

– Sabe... estou pensando que isto aqui daria um ótimo lugar para malhar! – entoo.

– Há uma academia bem aqui neste andar. – Mamãe aponta para a parede. – Tem algum equipamento de cárdio, e acho que ninguém se importaria se os aparelhos fossem usados por você.

– Bom, não tem ninguém aqui para se importar – digo a ela, vendo sua expressão murchar novamente, enquanto vamos até a porta ao lado ver a academia. O espaço ali é em plano aberto (como deveriam ser os apartamentos), contendo duas esteiras imaculadas, que estão criminosamente inertes. Ambas ainda parcialmente envoltas em folhas de polietileno, com as embalagens jogadas por perto. Há também um conjunto de pesos sobre um suporte. Minha cabeça começa a zumbir diante das possibilidades.

– Há planos de se adquirir depois um conjunto completo de aparelhos de ginástica – diz mamãe, balançando a cabeça

– Depois que umas poucas unidades forem alugadas e renderem alguma coisa, suponho.

– Sim.

Mamãe faz uma careta como se eu houvesse acabado de lhe dar um soco no rim. Então me entrega a chave e depois me leva de volta a South Beach.

Dentro do meu apartamento apertado, eu me alongo e passo uma hora levantando halteres. Depois me afundo no sofá de dois lugares que praticamente toma todo este espaço de bosta. O babaca lá de baixo está ouvindo as marteladas de um som techno de merda, o que me obriga a ligar a TV e abafar o barulho com o infomercial de uma home gym modernosa, como a tal que supostamente vão me enviar, e que de qualquer maneira é feita apenas para acumular poeira em closets de bundas-moles.

Fico pensando naquele espaço ótimo que mamãe tem. Algumas pessoas têm tudo, mas nada apreciam. Já sinto meu apartamento e meu carro novos desaparecendo a distância. Olho lá para fora. Nada de paparazzi, tirando aquele maluco da câmera que eu quebrei. Foi um erro tornar a coisa pessoal; agora aquele cagão fodido nunca largará o osso. Sinto uma fúria constante ardendo dentro de mim. Ligo para Thelma, do canal de TV, mas a ligação cai na caixa postal.

– Eu sei por que você está me evitando. Bom, já lidei com gente babaca e fajuta antes. Babaca, fajuta e medrosa. Mas que nunca conseguiu barrar meu caminho. E também não vai conseguir desta vez. Mostre que tem culhão, porra!

Puta merda... eu não deveria ter feito isso! Então me atrapalho toda para desligar e na mesma hora recebo uma chamada de Sorenson. Ela me conta que já começou a voltar ao trabalho e que adoraria se eu fosse lá dar uma olhadela nas coisas que fez.

– Ando com taaanta energia desde que comecei esse programa, Lucy. Sei que nos conhecemos em circunstâncias terríveis, mas sabe... às vezes eu sinto que foi o destino que nos uniu!

– Tá legal, estou a caminho.

Ouço minha voz dizer isto. Jesus... quando sua melhor oferta é uma anã esquisita, pode ter certeza de que sua vida social está indo ladeira abaixo.

– Tudo bem – cantarola ela. – Estou esperando!

Mal sabe a gorda que eu não estou a fim de ser sacaneada. Vou inventariar o conteúdo da sua geladeira e dos seus armários. Se não estiverem como devem estar, aquela bunda escandinava conhecerá o significado da palavra "dor".

Ouvindo o motor do Cadillac sibilar o tempo todo, quando eu chego na casa de Sorenson já não estou nem um pouco a fim de papo furado. Recuso sua oferta de café e mando que ela faça um pouco de chá-verde, estendendo-lhe uma caixa de saquinhos que comprei mais cedo. Ela obedece com relutância, perguntando como foi meu dia. Então eu lhe conto toda a babaquice da TV.

– Mídia babaca. Eles não têm culhão, nem entusiasmo, a não ser para vibrar com um fascista de pau pequeno e Bíblia em punho!

– Odeio essa gente – diz Lena. Subitamente, ela cruza a sala correndo e pega em cima da mesa de jantar uma grande peça de material de cortina preto, que começa a tentar pendurar na vara acima da janela, tentando transformar a Flórida em Illinois ou Minnesota.

– Não quero que eles metam aquelas lentes compridas aqui dentro... sei que não paro de falar nisso, mas lamento muito por aquele vídeo. É coisa de artista. Nós precisamos registrar, precisamos expor... mas eu me sinto tão mal...

– Relaxe – digo a ela bruscamente, já exasperada por aquelas desculpas constantes. – Olhe, eu realmente gostaria de ver em que você anda trabalhando.

O rosto de Sorenson se contrai de sofrimento. Ela deixa a cortina cair.

– Não me sinto bem mostrando às pessoas... quer dizer...

– Então por que você ligou e me pediu para vir aqui, se não quer me mostrar? Que espécie de brincadeira você está armando pra cima de mim?

– Eu quero – diz ela, corando. – É só que...

– Só o quê?

– Eu fico nervosa!

– Eu não sou a porra de uma crítica de arte, Lena – digo a ela, já pousando a caneca de chá no assoalho polido de madeira e me erguendo da cadeira. – De mim, as únicas críticas que você pode vir a receber serão sempre centradas no seu estilo de vida. Eu não tenho a qualificação ou a inclinação para criticar o seu *trabalho*. Portanto, ou você me mostra agora o que ia mostrar, ou para de desperdiçar a porra do meu tempo. Qual vai ser?

– Tá legal – geme ela, e vai me levando relutantemente ao jardim. Enquanto abre as portas do ateliê, diz: – Você precisa prometer não tocar em nada.

– Por que eu tocaria em alguma coisa, Lena? Essa merda é sua.

– Desculpe... acho que tenho dificuldade para confiar em alguém.

– Deve ter mesmo – concordo.

Isto não alegra Lena, mas nós entramos e ela acende umas luzes no teto que despertam, expondo o espaço. Então ela vai até a parede e abre uma série de grossas persianas escuras. A luz do sol entra e ela desliga as luzes.

Eu estava esperando uma oficina de artesanato, mas o lugar parece uma oficina de homem. A primeira coisa que me impressiona é um cheiro vagamente sulfuroso que arde no meu nariz, e eu me pego esfregando os olhos lacrimejantes. O espaço tem duas grandes bancadas cheias de ferramentas elétricas, como serras, brocas e umas merdas que nunca vi antes. Há pilhas de latas de tinta e frascos de substâncias químicas, origem óbvia do tal aroma pungente (e que Sorenson parece ignorar). Ela nota o meu desconforto e liga um exaustor poderoso. Fico olhando para um dispositivo enorme, semelhante a uma caixa de aço.

– Isto é um forno?

– Não. – Ela aponta para uma geringonça menor em um canto. – O forno é aquilo ali. Isto aqui é o meu incinerador.

– OK.

Eu balanço a cabeça, impressionada, já olhando para a porra de uns moldes imensos, que parecem feitos para os ossos de animais pré-históricos. Fico com a sensação de que Sorenson está escondendo o jogo e que não é apenas a bobinha que aparenta ser. Há algumas esculturas grandes, com ossos feitos de uma resina semelhante a fibra de vidro. Sobre prateleiras grossas repousam jarras de vidro e frascos plásticos cheios de ossos de animais. É como um cenário do Holocausto; dá para imaginar que o laboratório do dr. Josef Mengele seria como isto aqui. Todos aqueles monstrinhos humanos sendo construídos a partir de ossos limpos de ratos e aves... esta piranha é uma psicótica da porra! Será que ela é a mesma pessoa que fica vendo bichinhos em sites fofinhos?

– Aqui é onde eu... meio que trabalho – diz ela, como quem pede desculpas.

E há algumas pinturas comuns de Miami, cheias de cores vivas refletindo a luz, mas nada que não se veja em qualquer galeria. O que realmente atrai a minha atenção é uma estrutura alta, que parece uma figura, coberta por um lençol.

– O que tem ali embaixo?

– Ah, é só uma obra em progresso. Não gosto de mostrá-las nesse estágio.

– Está certo – digo a ela, ainda examinando as esculturas de ossos menores nas bancadas e prateleiras.

Os cantos da boca de Sorenson viram para baixo e ela me diz: – Eu arranco a carne dos ossos de animais e pássaros. Depois limpo tudo.

Eu devo estar fazendo uma expressão horrorizada, porque ela é impelida a explicar: – Não mato ou machuco nenhum deles. Todas são criaturas que pereceram naturalmente.

– OK – digo, curvando o corpo e olhando para um grupo de pequenas figuras que parecem homens-lagartos.

– Todos os pelos e outros restos, couro, tecidos e órgãos vão para o incinerador – diz ela, tamborilando com os dedos na grande fornalha de ferro. – Eu guardo só os ossos e vou reestruturando esqueletos novos com partes das diferentes espécies, modificando tudo, dando às criaturas, digamos, talvez pernas mais longas. Às vezes remonto ossos falsos, mas anatomicamente corretos, com os meus moldes. Mas sempre prefiro recorrer aos ossos de outro animal, se possível.

– Uau. E onde você arruma os animais? Tipo, você não entra em uma loja de animais de estimação e pede meia dúzia de ratos mortos? – digo, já começando a pensar no cachorro de Miles, o pobre Chico. Seus ossos parecem ser um pouco maiores do que muitos que Lena tem aqui.

– Não, é claro que não. – Ela ri. Depois dá de ombros e diz: – Bom... sim, de certa forma. Depois que eles já morreram, é claro. Eu passo lá e apanho os mortos. A Parrot World é um bom lugar para mim. E também vou aos zoológicos. Obviamente, pago por tudo.

– Mas por que ossos de animais?

– Dá autenticidade à composição. Eu gosto de pensar que uma parte do espírito destas pobres criaturas minúsculas fica nas minhas figuras – diz ela, apontando para os pequenos homens e mulheres mutantes nas prateleiras. Depois diz em tom nostálgico. – Estou pensando... você também é uma espécie de escultora. E acho que eu sou a sua obra em progresso.

Por alguma razão, aquilo me pareceu uma coisa sinistra.

– Pelo menos fico feliz por conseguir colocar alguma coisa em progresso – digo, subitamente ferida outra vez pela fraqueza daquelas babacas da TV.

– Eu acredito em você, Lucy – responde Sorenson, como se estivesse lendo a minha mente, e eu fico mais comovida do que deveria. – Aquele sujeito estava louco. Teria simplesmente continuado a atirar.

– Sim, teria, Lena – concordo, balançando a cabeça, já envergonhada pelo poder que cedi a ela, e assim compelida a encarar o seu olhar. – Você diz que acredita em mim?

– Sim – diz ela, desconcertada. – Claro que acredito. Acho que já falei...

– Você *realmente* acredita em mim?

– Sim – repete ela, já toda animada, afastando a franja dos olhos. – Sim, acredito!

Fico olhando direto para a sua alma de fracassada. O que vejo ali? Uma pobre coitada, fraca e oprimida.

– Então vai parar de sacanagem e vai me ajudar a fazer você melhorar?

Lena fica tão chocada que prende a respiração, e por reflexo leva a mão ao peito.

– O que você quer dizer com isso? Eu *estou* melhorando – guincha ela. – Eu... acho que estou...

– Não. Você é uma mentirosa.

– O quê?

– Venha comigo!

Eu saio da oficina, cruzo o jardim e entro na casa. Sorenson vem atrás de mim, frenética.

– Espere, Lucy... aonde você vai?

Ignorando Lena, eu invado a cozinha e abro os armários. Sabia! Ela fez um estoque das merdas outra vez. Tiro uma caixa de cereal e abro a tampa.

– Açúcar. Nada mais, nada menos. – Jogo a caixa na lata de lixo e aponto para o banheiro. – A balança, Lena. Aquela balança no banheiro pode ser a sua melhor amiga, ou sua pior inimiga!

Então volto para o corredor. Algumas fotos de família sobre uma estante de livros. Pais, amigos, algumas figuras com cara de estudante, mas nenhuma de namorados ou amantes. Quase dá para ver, porém, o espaço que elas ocuparam recentemente. Há algumas de Sorenson, esguia e até bem gostosa, se você eliminasse aquela franja preta, junto com a expressão tensa e preocupada do rosto. Sou tomada por uma urgência súbita, uma inspiração que quase me choca pela intensidade violenta.

– Quero que você tire toda a roupa. Até a de baixo.

– O quê? – Ela olha para mim. Primeiro dá um sorriso nervoso, que se transforma em horror quando vê que eu não estou brincando. – Não! Para que você quer que eu faça isso?

– Aquela coisa boa lá fora – digo, apontando para a oficina. Depois aponto para a cozinha. – E esta porra vergonhosa aqui dentro... como eu reconcilio as duas, Lena? Porque não pode ser a mesma pessoa que está produzindo toda aquela merda *doentia* na oficina e a que está vegetando aqui dentro. Aquela pessoa lá da oficina tem culhões, porra! Eu já vi o seu material de exposição, mas agora quero ver o que *você* anda expondo para o mundo todo dia. E quero que *você* veja também! Toda a roupa! Tire tudo!

– Não! Eu não quero!

– Você disse que acreditava em mim. Você me filma e exibe as imagens para o mundo, mas nem isto aqui quer fazer? Você mentiu, como vem mentindo sobre tudo!

– Eu... eu não... não posso – arqueja ela, e puta que pariu, a malucoide começa a ter uma convulsão, lutando para respirar.

Eu começo a ficar preocupada e tento acalmá-la. – Você está bem?

– NÃO ESTOU! NÃO ESTOU BEM! – grita de dor Sorenson.

Eu baixo a voz e aliso o seu braço.

– Não. E é por isto mesmo que precisa fazer o que falei. Você não devia estar reagindo assim.

– Eu sei. – Ela vira para mim com o meneio de cabeça mais patético e derrotado que já vi, e o rosto contraído de dor. – É só que o Jerry, ele me fazia...

Eu congelo: que porra é essa?

– Tá legal, desculpe. Esqueça.

Então ela gira parcialmente o corpo, mas começa a tirar a blusa. Um sutiã solta a carne trêmula, branca e arrepiada. Uma pança e dois pneus pendem de forma repugnante sobre a calça de malha.

– Você precisa tirar *toda* a roupa, Lena – digo, quase sussurrando.

Ela faz bico por um segundo, mas depois dá de ombros. É ridículo, mas ela já está parecendo uma piranha rebelde ao se deparar com as atenções de um tarado psicótico. Eu me sinto enjoada. Acho que algo vai sair do meu estômago, mas consigo me controlar. Meus olhos ficam marejados, enquanto Sorenson baixa a calça de malha e livra as pernas. Deus, ela me repugna. Mal consigo olhar para ela, e meu corpo fica tenso quando agarro seu pulso carnudo e vou até o banheiro, posicionando Lena sobre a balança.

– A balança... como eu odeio subir na porra desta balança – diz ela. A raiva dá estrutura e caráter ao seu rosto.

Fico olhando para os seus olhos, que cintilam cheios de ódio, enquanto penso no Abigail Adams Park, com o cheiro de grama recém-aparada nas minhas narinas. Uma coisa nada tem a ver com outra. Eu prendo a respiração. Deixe essa merda para trás. *Assuma o controle!*

– O que está marcando aí?

Ela soluça. – Noven... noven...

– Noventa e um quilos! – digo, arrastando Sorenson, traumatizada e lacrimosa até o espelho de corpo inteiro. Então agarro na estante uma velha fotografia emoldurada, que enfio na cara dela. – Quem é esta aqui?

– Eu?

– Eu, quem?

– Lena... Lena Sorenson.

Eu aponto para a bola banhuda no espelho. – E quem, em nome da porra do inferno, é essa aí?

– Eeee... uuu... Leee... na...

– Lena, quem?

– Lena Sorenson!

– ESSA AÍ *NÃO* É LENA SORENSON! – digo, apontando para a ruína banhuda no espelho.

– Não...

Sorenson leva a mão até o olho. Ela está tremendo. Já eu estou me sentindo mais forte, tirando energia daquela missão virtuosa.

– Essa aí é um monstro gordo, demente, repulsivo e suado que engoliu Lena Sorenson! A Lena Sorenson está aí dentro – digo, cutucando sua pança mole e repugnante, enquanto encaro seus olhos assustados no espelho. Sussurro no seu ouvido: – Nós precisamos libertar Lena Sorenson. Você e eu.

– Libertar – repete Sorenson como um papagaio.

– Você vai me ajudar a libertar Lena Sorenson?

Um sim patético.

– NÃO CONSIGO OUVIR NADA, PORRA! – berro com ela, que faz uma careta e recua. – Como esta boca pode ser grande o bastante para devorar toda aquela porcariada, e ainda assim não pronunciar nada direito? VOCÊ QUER SE ERGUER?! QUER PROGREDIR?! QUER ME AJUDAR A LIBERTAR LENA SORENSON?!

– Sim...

– NÃO CONSIGO OUVIR VOCÊ! QUEM NÓS VAMOS LIBERTAR?

– Lena... Lena Sorenson...

– GRITE ISTO! GRITE ISTO NA PORRA DA MINHA CARA! Ande, diga para mim: quem, em nome do santo inferno, nós vamos libertar?

Os olhos de Lena se apertam, com os punhos cerrados ao lado do corpo, enquanto ela solta um belo gemido de raiva virtuosa.

– LENA SORENSON!

– QUEM?!

– LENA SORENSON!

Eu viro para o espelho, olhando para o seu rosto manchado de vermelho e o nariz que escorre.

– Eles trancafiaram Lena... você percebe como fizeram isto? Percebe como deixou que eles trancafiassem esta mulher linda? – digo, agitando a fotografia na cara dela.

– Sim, sim, percebo. – Ela olha para o seu reflexo no espelho, agora já cheia de desprezo. – Como eu pude ser tão burra? Ah, meu Deus, o que eu fiz?

– Você está com raiva – digo, segurando o seu ombro gorducho. – E é assim que eu quero ver você. Só não quero que esta raiva se volte para dentro, virando o que chamamos de depressão. É então que começamos a comer merda, enfiando troços na boca, para nos recompensar quando sentimos que as coisas na vida não estão indo bem...

Então me coloco atrás dela, ponho meus braços em torno daquela massa banhuda e sussurro no seu ouvido: – Já jogamos esse jogo, e é um jogo para perdedores. Já chega.

– Já. Já chega.

Ela balança a cabeça de raiva, enquanto eu dou a volta para olhar nos seus olhos.

– Nós nos levantamos. E avançamos.

– Sim.

– Mas você vai me ajudar a ajudar você? Vai trabalhar comigo, trabalhar comigo *de verdade*, para libertar Lena Sorenson?

– Sim! Sim. Sim. Sim, vou!

Agora já tenho a pequena Miss South Beach onde eu queria, uma massa guinchante, mas rebelde, de gelatina trêmula, aqui nos meus braços. Então sinto Lena soltando tudo... o ódio por si mesma, o abuso, a raiva, a negação, a vitimização e, muito em breve, a gordura. A corporificação de toda aquela merda feia em uma cabeça fodida.

– Estamos prontas, irmã. Estamos prontas para começar a reagir – digo, erguendo minha mão aberta. A princípio ela hesita, mas depois reage adequadamente, espalmando a minha mão. – Bem-vinda ao Comitê de Fuga Lena Sorenson!

10
CONTATO 4

Para: michelleparish@lifeparishioners.com
De: lucypattybrennan@hardass.com
Assunto: Não entendo

Oi, Michelle,

Mais uma vez, estou despudoradamente pedindo a você um conselho profissional. Tenho uma cliente, uma gata artista, que parece já ter tudo na vida, mas vem comendo tanto que pode até morrer. Ela faz esculturas e bonecos com ossos de animais, mas vive me mandando fotos de bichinhos fofinhos de sites cafonas. Esta piranha é uma psicopata delirante?

Sua família mora no norte, em Minnesota. É uma parte do mundo que nunca me atraiu, provavelmente porque uma vez tive uma experiência ruim com um sujeito de St. Paul. De qualquer forma, esta gata não tem namorado, e parece também não ter amigos. Talvez só precise ser comida... feito todas nós, certo?!

Algum conselho para que eu consiga obrigar esta bola de banha autocomplacente a entrar em forma?

Tudo de bom,

bjs
Luce

P.S.: O projeto de dominar o mundo está suspenso. Andei sob muita pressão por causa de todo esse negócio dos pedófilos. Uma merda bizarra, por certo, mas o canal a cabo amarelou completamente. Sinto cheiro de gente falsa, Michelle. Não aturo gente assim.

P.P.S.: Páginas Matinais... não sei se consigo fazer isso. Gosto não se discute, mas não acho que seja *pour moi*.

Para: lucypattybrennan@hardass.com
De: valeriemercando@mercandoprinc.com
Assunto: Por favor, se acalme!

Lucy,

Thelma ligou, dizendo que você deixou um recado altamente ofensivo, e um tanto ameaçador, na caixa postal dela.

Por favor, não entre em contato com ela ou qualquer outra pessoa do canal quando estiver nervosa desse jeito! Prejudica tudo que estou tentando fazer por você!

Sei que é angustiante, mas não há muito mais que eu possa lhe dizer, a não ser que é absolutamente imperativo que você não fale com a imprensa. Deixe que eu cuide de toda a comunicação com o pessoal da TV... é isto que sou paga para fazer!

Tudo de bom,

Valerie

Outra babaca falsa!

11
DIABA

O paraíso tem cheiro, e é de esgoto. Um pouco de chuva, os bueiros entopem, e em Boston há pouquíssimas espeluncas com banheiros tão cheios de merda quanto aqui em South Beach depois de uma tempestade tropical. A menos que você queira chapinhar em água estagnada, nem dá para cruzar a Alton até a Taste Bakery para tomar um café da manhã saudável. E disto eu não estou a fim, pelo menos calçando tênis. O sol já está bombando e fará evaporar este lago de merda, mas isso demorará duas ou três horas.

Recebo uma mensagem de texto de Grace Carillo, perguntando se nossa sessão de *sparring* ainda está de pé mais tarde. O compromisso tinha escapado da minha memória, mas é *exatamente* disso que eu preciso. Volto para casa e preparo um shake de proteína (450 calorias). Então Miles liga.

– Lucy... como vão as coisas, benzinho?

– Eu estou bem – digo cautelosamente.

– Liguei para me desculpar por aquele dia.

– Desculpas aceitas. Eu também fui um pouco brusca.

– Legal – diz Miles, e eu ouço seu pigarro. – Escute, há uma outra coisa...

Lá vem. – Seiii...

– E não há como falar isto sem parecer um babaca total...

Penso na mesma hora: no seu caso, não há como falar *qualquer coisa* sem parecer babaca, mas mordo minha língua cáustica. Já foi um erro deixar aquela mensagem de voz abusada na caixa postal de Thelma. Gente escrota a gente enfrenta cara a cara. Agora a escrota tem testemunhas. A escrota tem provas. Eu respiro fundo.

– Lucy? Você ainda está aí?

– Sim... mas a ligação está muito ruim – minto.

– Eu preciso que você me empreste quinhentos paus. Para o meu aluguel. Estou de licença, esperando a perícia do seguro por invalidez, mas já estourei meu Visa e meu MasterCard.

– Não consigo ouvir você, é muita estática – digo a ele, raspando a unha no microfone do celular. – Que sinal horrível...

– Eu disse que preciso que você me empreste...

– Está falhando, Miles... eu estou dirigindo... ligo para você depois...

Desligo o telefone, boto o aparelho na mesa e termino o meu shake. Depois rumo para a Bodysculpt, onde tenho uma sessão com Sorenson. Depois daquela nossa merda ontem à noite, ela chega com um olhar levemente encagaçado, mas um andar determinado. Eu não confio naquela balança de merda que tem no banheiro dela. Por experiência própria, sei que a tendência de uma piranha gorda é simplesmente foder com a balança até ela produzir os números que a gorda deseja.

Então dou a ela a série com o kettlebell. Entre um exercício e outro, vou enfiando polichinelos, agachamentos, flexões, mergulhos e saltos, além de uma gama variada de exercícios abdominais no chão – rotação de tronco com bola, flexão de pernas na vertical, bicicleta – até Lena ficar arquejando e brilhando. Depois ela calça as luvas e, embora eu lhe mostre como dar um *jab*, um cruzado de direita, um gancho de esquerda, um gancho de direita, um *uppercut*, Lena vai batendo no saco feito uma fresca, até que eu grito para que ela bata com mais força naquela porra. Então faço-a voltar aos outros exercícios. Lena fica ofegando, gemendo e corando, até que eu vejo as sobrancelhas erguidas de Lester. Então esfrio o ritmo e ponho Lena no aparelho elíptico, fazendo com que ela fique mexendo aqueles pedais e aquelas alavancas em alta velocidade. Ela nem consegue falar ao sair do aparelho, feito Neil Armstrong na superfície lunar.

Fico vendo Lena arder feito uma filha da puta, enquanto gentilmente insisto: – Inspire pelo nariz, expire pela boca!

Ela está se sentindo satisfeita consigo mesma, apesar da dor, e eu também. Quando iço sua bunda para cima de uma balança verdadeira, porém, ela ainda está pesando mais de 90 kg, está com 91,05, para ser bem precisa, caralho!

— Isto é tão decepcionante — diz ela. Depois sorri, já de volta ao papel de puxa-saco escandinava de Minnesota. — Mas estou progredindo na direção certa!

Eu é que digo quando a porra de uma piranha progride! Eu é que digo quando ela respira, caralho!

— Você não vai a lugar algum — rebato. — Acha mesmo que a esta altura a porra de um quilo, diante do que você vem fazendo, significa alguma merda?

Então baixo meu tom, pois vejo as orelhas de Mona se empinarem. A piranha intrometida botou uma varapau anoréxica da Condé Nast em um colchonete bem perto daqui, fazendo uns alongamentos afrescalhados, só com o objetivo de bisbilhotar. Mas é antiprofissional xingar uma cliente, e aquela cobra escrota já deve ter ouvido tudo. A vagabunda vive manipulando e minando tudo. Assim como esta Sorenson aqui. Onde ela foi tomar café da manhã? No Jerry's Deli? Costeletas de porco engorduradas, enfiadas na porra da sua própria fuça de porca? Ela precisa ouvir mais.

— Não estou nem um pouco impressionada, Lena. São os números que importam. Eu queria uma queda substancialmente maior.

— Bom, eu também...

A piranha continua batalhando para passar nos exames de bunda grande.

— Você está seguindo o plano de dieta?

Lena faz um bico culpado com a boca; acaba de ser pega com a porra da mão gorda dentro da cumbuca!

— Eu, eu estou tentando. Eu...

— Nós não *tentamos*, nós *fazemos*! Você precisa *fazer* — digo a ela, vendo os traços ambíguos e glaciais de Mona se iluminarem um ampere ou dois. Vá se foder, sua arrombada! Então, viro novamente para Lena. — Mas agora eu preciso ir.

Pego minha bolsa e vou saindo, sentindo seu olhar de criança abandonada vigiando minha ida até a porta. O sol está brilhando e eu estreito os olhos, percebendo que esqueci meu Ray-Ban, mas não vou voltar para lá. Tento me manter na sombra por toda a Washington, até a academia Miami Mixed Martial Arts na rua 5.

O ar-condicionado atinge com força quem entra na MMMA, mas não consegue suprimir os aromas satisfatórios de uma academia de verdade: suor, linimento e adrenalina. Graças a Deus existe este lugar, cheio de sacos de pancada, barras para flexões, halteres sólidos e aparelhos de ginástica, dois ringues de boxe em tamanho real e um octógono. Emilio (1,77 m, 66 kg) sai de trás de uma mesa para me saudar com um abraço grande.

– Oi, você!

– Oi!

Ele se afasta e dá um pulo para trás, feito um canguru dando marcha a ré.

– Está com uma cara boa, Lucy B!

– Você também, querido. – Abro um sorriso com meus dentes branqueados por um tratamento caseiro, na esperança de espelhar o dele, mais profissional e mais caro. Emilio tinha um histórico sólido como boxeador profissional (24-2-8, 11 por nocaute). Durante uma certa época, chegou a ser o número 8 na Federação Internacional de Boxe, e o número 10 no Conselho Mundial de Boxe. Das suas oito derrotas, três foram nas últimas três lutas, sendo que duas foram paralisadas por ferimentos. O recado era claro: de uma promessa quente, ele passara a ser um alvo fácil para jovens famintos em ascensão. De forma até inusitada no mundo quase suicida do boxe masculino, Emilio teve o bom senso de reconhecer isso. Seu nariz já fora quebrado duas vezes, mas sarou bem, e seu bonito rosto de menino quase não tem marcas. Ele sempre foi mais um boxeador técnico do que um boxeador bruto. Agora administra este lugar, e mantém seu corpo de lutador peso-médio.

– Mas será ótimo ter um exercício *decente* hoje – digo a ele, que faz um sinal afirmativo com a cabeça. Emilio tem seu próprio rol de banhudos em alguma outra academia fajuta, só para pagar as contas.

Eu passo vinte minutos só me alongando. Quanto mais velha você fica, mais essencial se torna esta rotina entediante. Um músculo distendido, ou pior, rompido, leva mais tempo para se recuperar, e ficar à margem do campo simplesmente não é uma opção para mim. Eu *preciso* me exercitar. Sem isso ficaria maluca. Principalmente agora. Isso me deixa centrada. Preciso me exercitar mais, a fim de me manter tranquila. Valerie Mercando tem razão: eu preciso calar a porra da boca e sumir de vista.

Faço mais vinte minutos de polichinelos, agachamentos, flexões e saltos, evitando pular corda, pois isto bagunça os ácidos láticos nos braços, se você está planejando dar socos mais tarde. Então envolvo as mãos para fazer três assaltos de boxe sombra com pesos manuais de um quilo e meio, antes de calçar as luvas e fazer quatro assaltos com o saco de pancadas, misturando combinações... *jab*, direto de direita, gancho de esquerda, *jab*, *jab* duplo, direita, gancho de direita, cruzado de direita, *uppercuts*... encontrando um ritmo lindo que me transporta a outro lugar. Como de costume, o rosto triste de alguma nêmesis se materializa no surrado saco de pancadas, sempre que eu golpeio:

POW! O fascista de merda do Quist.

POW! A lesma insípida do Thorpe.

POW! A porra do covarde do McCandless.

POW! O pedófilo imundo do Winter.

POW! A manipuladora da Mona.

POW! O viado ciciante do Toby.

POW! A botocada falsa da Thelma.

POW! A botocada falsa da Valerie.

POW! O BABACA DO PARQUE... A PORRA DO CLINT AU... FODA-SE! FODA-SE! FODA-SE! ESQUEÇA ESTA MERDA!

POW! A fracassada gulosa e carente da Sorenson.

POW! A fracassada gulosa e carente da Sorenson.

POW! Sorenson. POW! Sorenson. POW NA PORRA DA LENA SORENSON...

Estou ofegante e encharcada de suor, enquanto os assaltos vão se sucedendo rapidamente. Então diminuo o ritmo e faço quatro séries de dez flexões de braço na barra. Caio sobre o colchonete, sentindo aquela ardência, aquele ronronar delicioso por dentro, e tomo um longo gole gelado de H_2O. Grace Carillo, do Departamento de Polícia de Miami, acaba de chegar e me cumprimenta com um sorriso de crocodilo. Seu andar é bom, tipo modelo arrogante na passarela, mas sua bunda me pertence. Depois de se alongar feito uma pantera esguia, ela coloca a bandagem nas mãos. Eu calço as luvas outra vez, coloco o protetor bucal junto com o capacete, e nós duas passamos através das cordas com Emilio. Para me prevenir, estou usando um sutiã protetor de seios reforçado, que é ótimo para treinamentos, embora eu note que a armadura de Grace é mais pesada: um protetor peitoral completo. Ela parece realmente fodona, com a pele morena realçada pelo tom negro do capacete, do protetor peitoral, das luvas, dos protetores de virilha e abdome, e das botas até o meio das canelas. Mas é um exagero colocar tudo isso só para treinar: eu farejo um certo medo no ar.

Emilio toca o gongo, Grace e eu tocamos as luvas, começando nossa dança apertada. Com aqueles braços compridos e magros, ela é uma filha da puta durona e incômoda; tem um *jab* de esquerda bastante sólido, de que eu preciso me livrar. Se deixar esta piranha controlar a distância, ela vai torturar e frustrar você o dia todo. Fico olhando para as gotas de umidade que surgem no seu rosto entre as partes do capacete, enquanto meus pensamentos se desviam para sua xota, que deve estar bastante suada, com um gosto muito doce...

POW!

Filhadaputa! Vejo estrelas quando um direto de direita bem forte passa pela minha guarda, fazendo-me voltar imediatamente para o aqui e agora. *Que perra se determina... a piranha acertou o alvo...* não posso permitir isto. Abano a cabeça e avanço, decidida a pegar esta escrota de jeito. Preciso tomar outro, mas nem ligo, porque já estou onde quero estar, e solto um violento gancho no corpo de Grace, ao estilo de Micky Ward. *Ponto vital*, ronrono para mim mesma, vendo o fôlego se esvair do corpo dela, como que de um acordeão.

– Desculpe, benzinho – digo, enquanto ela faz uma careta e suga o ar, ainda dobrada feito uma navalha.

– Devagar, meninas – avisa Emilio, enquanto Grace se levanta tremulamente, e nós voltamos à luta.

Agora é um espetáculo técnico, pois o *jab* de Grace já perdeu seu ferrão. Quando Emilio diz, em tom sério, que nosso tempo acabou, nós encerramos com um abraço suado, e eu fico curtindo o aroma almiscarado de Grace, misturado ao seu perfume.

Vamos para os chuveiros e Grace se despe sem qualquer vergonha. Ah, cara, que corpo esta gata tem.

– Você me pegou de jeito ali – diz ela sorrindo ao entrar em um cubículo já esfregando o tronco esguio e duro. Se Grace não tivesse namorado, eu juro por Deus que tentaria cavar, cavar e cavar sua bunda de policial até extrair pepitas de ouro! Fico me tocando no cubículo ao lado, pensando que poderia simplesmente entrar ali dentro com minha toalha de mão e ensaboar aquela xota toda...

Na minha cabeça, dou este passo curto e os lábios grandes de Grace estão sobre os meus, e eu deslizo minhas mãos em torno da sua bunda. Ficamos esfregando nossas virilhas, até que eu ajoelho para me banquetear com aquela doçura toda... nenhuma piranha tem gosto melhor do que as que carregam nas veias uma fusão de sangue latino-americano e africano...

– Aaahhh...

– Você está bem, Lucy?

A cabeça de Grace surge rapidamente no canto do meu cubículo.

– A água ficou meio fria de repente – digo, recuando aterrorizada.

– Às vezes acontece isso mesmo – sorri ela, já saindo do cubículo, com uma grande toalha de praia amarela enrolada feito papel de bombom em torno daquele doce bloco de chocolate ao leite.

Eu me sinto mortificada demais para falar qualquer coisa, então simplesmente me seco e visto a roupa.

Às vezes Grace e eu tomamos um drinque ou comemos um sanduíche, mas hoje ela volta ao plantão, então encaro uma caminhada solitária até a Lincoln. Está quente agora, e o relógio do Bank of America diz que a temperatura é de 27 graus, mas a sensação é de mais de 30. Vou andando pela rua, vendo as vitrines das lojas. Para matar o tempo, entro na Books

& Books. Começo a examinar os livros de arte, coisa que em geral nunca faço, e percebo por que estou agindo assim quando vejo a lombada:

LENA SORENSON: HUMANO FUTURO

Pego o livro e folheio as páginas. Há numerosas gravuras daqueles pequenos homens monstruosos, com ossos de aves e pele translúcida verde como a de répteis, que vi Sorenson tentando montar na sua oficina. Fico esquadrinhando o ambiente disfarçadamente enquanto leio, temendo que aquela assediadora fracassada entre ali e me pegue com a boca na botija, identificando-me como sendo *igual a ela*. Depois levo o livro até o caixa, pagando o preço ridiculamente caro de 48 dólares. Fico me sentindo aliviada e explorada ao mesmo tempo, enquanto o vendedor enfia o livro dentro de um saco pardo. Então penso: quanto ganham Sorenson, Mathew Goldberg e Julius Carnoby, que formam a equipe autoral e fotográfica, para fazer isso?

Depois de refazer meus passos, continuo descendo a Washington. Na rua 14, minha atenção é atraída pela presença de um homem com cabelo louro, oleoso e queimado de sol, a pele bronzeada sob uma camada de sujeira, vestido com o uniforme dos criminosos sexuais de meia-idade em Miami: camisa havaiana imunda e short bege manchado. Mal consigo acreditar: é Winter. Timothy Winter. A porra do pedófilo, o tarado cujo rabo miserável eu fui suficientemente burra para salvar! Ele está com um sujeito obeso, de calvície incipiente, com uma camada suja de suor no rosto purulento. O sujeito usa um colete abotoado, e mais nada, na parte de cima do corpo; embaixo, uma pança morena vai se curvando até o cós de uma cueca, onde há um bordado: *David Beckham*. Embora a porra deste vagabundo já deva ser um quarentão, sua calça pende, no estilo hip hop, abaixo da bunda nojenta. Mas é Winter quem mais me revolta, devido ao deboche ostensivo que exibe, enquanto tenta filar cigarros dos fumantes parados diante de um pub temático irlandês. Ele nem sequer me reconhece quando nossos olhares se cruzam! Um porteiro, sentado em um banco ali fora, vigia os movimentos dele e do Gordo Nojento pela rua.

Eu sigo atrás de Winter, vendo quando ele, incentivado pelo parceiro banhudo, arranca uns trocados de um grupo de meninas em férias que parecem enojadas, e devem estar mesmo. Sinto vontade de esmurrar a fuça convencida daquele monstro. Mas estamos na Washington, é dia claro, e este babaca já me causou bastantes problemas. Em vez de lutar, resolvo fugir, e saio da porra da cena.

Vou para casa e pouso o livro de arte na minha mesa de centro, folheando algumas das gravuras. Qual é esse lance todo de ficção científica e monstros? Aposto que Sorenson foi uma gatinha gorducha gótica malamada, que andava junto com os fracassados e os nerds fodidos, do tipo que frequenta convenções de ficção científica e revistas em quadrinhos. Tudo faz sentido. Consigo até farejá-la paparicando pateticamente aquele pessoal esquisito, tremelicante e semiautista, enquanto viro cada página e faço uma pausa diante das notas nauseantes. Algo me faz verificar o celular; eu sabia, duas mensagens bobas de Sorenson. Eu vou *mesmo* caçar essa piranha.

Troco de roupa e vou de carro até a casa dela, estacionando na esquina. Entrando escondida no jardim, eu me curvo atrás das grandes moitas de hibisco e olho para dentro da sala. Sorenson está enfiando na boca um saco cheio de biscoitos. Conheço a marca; cada biscoito daqueles tem 250 calorias, e há dez biscoitos em cada pacote. Ela está mais ou menos na metade do veneno, e claramente a caminho de se automutilar ainda mais terminando de comer a porra toda. Essa Sorenson me enoja; ela é pior do que qualquer drogada ou alcoólatra patética. Na verdade, não é melhor do que aqueles repugnantes pedófilos predadores, que não conseguem manter as mãos imundas longe de crianças. Uns escrotos fracos, que sempre trazem na cara a mesma expressão estúpida e infeliz. De quem procura ajuda. Bom, eu vou ajudar vocês, seus filhos da puta! Vou ajudar cada um de vocês, seus pentelhos de merda, vou afogá-los feito filhotes de gato! Uma carnificina bonita pra caralho!

Fico olhando com ódio pela janela: aquela baleia, que só desperdiça tempo e energia, está encalhada boquiaberta no sofá, sem pensar em coisa alguma, diante da sua TV a cabo. Eu tiro o celular do bolso da calça jeans e digito o número dela.

— Oi, Lucy — diz Sorenson, aprumando a carcaça. — Só estou vendo TV.

— Você está comendo merda? NÃO MINTA PRA MIM, LENA! EU VOU SABER SE VOCÊ ESTIVER MENTINDO PRA MIM!

Lena se agita um pouco, olhando em torno, como se eu estivesse dentro do aposento. Eu recuo ainda mais para as sombras. Então ela salta do sofá.

— Não... só vou trabalhar um pouco agora — exclama ela, correndo para outro aposento e fazendo com que eu perca o contato visual. Então vejo seu vulto saindo pela porta dos fundos e rumando para o ateliê. Ela olha nervosamente em volta outra vez, enquanto vai rebolando pela escuridão que cai.

— Devo aparecer aí em uns vinte minutos.

— Ah... ah... ah... tá legal...

Ela vira e volta correndo para a cozinha. Eu me esgueiro para a frente, vigiando-a através do janelão, e vejo seus biscoitos irem direto para o lixo. *Acabo de poupar a porra dessa idiota gorda de duas horas de corrida na esteira.*

Sorrateiramente, saio do jardim e desço a rua até o Cadillac. Vitória. Ao menos parcial. Chego em casa e fico vendo umas reprises de *O grande perdedor*. Imediatamente, começo a fantasiar que formei um triângulo com Jillian e Bob Harper. Jillian está comigo na esteira, gritando comigo, mas dá para ver que ela está com tesão pelas falsas lágrimas femininas que derramo a fim de atraí-la para a minha teia. Já estou correndo a quase vinte e cinco quilômetros por hora, mas Jillian aumenta a velocidade, então eu saio dali girando e caio nos braços tatuados de Bob. Fico soluçando junto ao seu peito nu, que rescende a talco masculino suado. Sinto a mão de Jillian no meu cabelo, arrancando meu couro cabeludo, dizendo "agora chupa", e empurrando minha cabeça para baixo, em direção à virilha de Bob. Eu ergo o olhar e vejo o brilho maníaco nos seus olhos, enquanto puxo seu pau para fora da calça de malha. Vou chupando tudo, levando a cabeça até o fundo da garganta, enquanto Jillian solta meu cabelo e ajoelha do meu lado, afastando meu rosto para receber sua cota do pau de Bob. Eu cedo meu lugar para a sua boca faminta, mas apenas para me posicionar por trás dela e dar-lhe uma gravata de jiu-jítsu, enquanto ela arregala os olhos, sentindo as metidas cruéis de Bob. Ele começa a se parecer levemente com Miles, e eu percebo que na realidade Jillian é Mona. *Mona e Miles não, Bob e Jillian, Bob e Jillian...* Meu telefone vibra e eu meto o aparelho na frente da minha calcinha. Enquanto penso em Bob e Jillian, o celular vai tocando e eu sei que é Sorenson... é isso aí, sua puta carente, continue tocando...

... aaahhh... grite mais alto, Jillian... diga que eu sou uma puta preguiçosa... bata em mim, Jillian... Bob, Jillian me machucou... beije isso melhor, Bob, beije a porra toda melhor... aaahhh...

OOOHHH... AAAGGGGHHH!

Meu Deus... foi uma suruba supergostosa...

Estou molhada pra caralho, e até sem fôlego depois dessa explosão, mas tiro da calcinha o telefone gotejante. O aparelho para de vibrar na minha mão. No visor aparece: LENA S. Eu recupero o fôlego, vendo Jillian lá na tela, dando esporro em um banhudo qualquer. A imagem corta para Bob balançando a cabeça daquele jeito paternal, decepcionado-mas-afetuoso. Papai usava muito bem esse *mesmo* jeito de olhar para mim, quando eu me dava mal no atletismo, ou mais tarde, em artes marciais. Então volto minha atenção para Lena Sorenson.

– Lena, surgiu um imprevisto, e eu não vou passar aí.

– Ah... ah... ah...

– A gente se vê *mañana* na academia!

– Ah... tá legal. Pensei que a gente podia...

– Até amanhã.

Eu desligo o telefone e imediatamente ligo para meu pai, contando a ele a covardia daquelas escrotas da TV.

– É foda, Chuchu. Acho que a moral da história é: nunca confie na mídia. É tudo uma grande conspiração financiada pelos velhos protestantes anglo-saxões brancos...

– Você é fabuloso, papai... por que demorou tanto?

– Como assim? Não posso oferecer um pouco de apoio à minha filha...

– Já li todas as suas merdas, pai. Esse é o enredo do segundo livro com o Matt Flynn, *Um estado da natureza*. Aquele em que o Matt abriga na Nova Inglaterra a apresentadora de TV que está sendo chantageada sexualmente por seus próprios chefes na empresa...

– Olha... você lê *mesmo* os livros!

– Claro que leio. Eu me interesso. Você é o meu pai. E eu sou sua filha. Portanto, corresponda!

– Dê um desconto para mim, Chuchu... seu velho pai ainda está abalado por causa da resenha que o *Globe* publicou sobre *O cenário do apocalipse*. Vou citar: "Por mais que tente, Tom Brennan nunca será Dennis Lehane. O que não seria um grande problema, se Tom Brennan fosse digno de nota. Mas eis a novidade: ele quase certamente não é. O seu Matt Flynn é um estereótipo cheio de clichês, desejos e fantasias dos americanos de meia-idade com origem irlandesa, que vive arrastando a carcaça arquejante pelos bares e entornando umas Guinness com guisado de carne"... E isto foi publicado no jornal da porra da minha cidade natal! O babaca que escreveu isto, Steve French, jamais teria a integridade de contar ao seu bando minguante de leitores que vem forrando as paredes da merda da sua casa com cartas de rejeição das editoras há um porrilhão de anos! Eu devia lembrar a este sujeito que um certo bostoniano é um milionário na lista de best-sellers do *New York Times* e que ele é um merda agarrado ao seu triste emprego fajuto...

– Já chega disso! Sinto muito pela sua resenha. Para você pode não significar nada, mas eu liguei em busca de apoio, porque minha vida está uma merda!

Aperto a tecla vermelha e desligo o aparelho.

Felizmente, quando ligo o noticiário local, a maré parece estar virando. Não há menção alguma a mim pela primeira vez em dias! A matéria mais interessante é sobre as gêmeas Wilks, falando dos órgãos que são ou não compartilhados por elas, e se as duas podem ou não ser separadas. Só que agora as duas gêmeas abriram processos judiciais, uma contra a outra. Annabel Wilks afirma que Amy, sua irmã, está impedindo que ela vá encontrar Stephen, seu namorado. Amy contra-atacou, alegando que seus direitos serão desrespeitados caso ela seja arrastada por Annabel para um lugar aonde não quer ir. Seu advogado já declarou se tratar de um caso de coerção. Então a mãe das duas aparece na tela.

– Não quero ver as meninas brigando. Ela precisam ficar juntas. Talvez nós devêssemos ter pensado na operação para separar as duas quando eram bebês – diz Joyce Wilks, arregalando os olhos ao tragar um cigarro. – Mas eu acredito que foi pela vontade de Deus que as duas saíram juntas, como aconteceu.

Eu me sinto um pouco zonza e deito no sofá. O nível de açúcar no meu sangue deve estar baixo. Então pego o livro de Sorenson.

12
HUMANO FUTURO
– INTRODUÇÃO

"Uma ilustradora de histórias em quadrinhos de ficção científica que arrombou a porta do mundo da arte", foi a pouco lisonjeira descrição com que um crítico saudou a jovem artista americana Lena Sorenson. Apesar da natureza derrisória de tal declaração, é verdade que a visão distópica e futurista que Sorenson tem da humanidade diz muito da sua perspectiva.

Sua missão, como exposto por ela em sua mais bem-sucedida exposição de esculturas, *Humano futuro*, é examinar "qual será a aparência e o comportamento dos seres humanos dentro de alguns milhões de anos, se ainda estiverem neste planeta".

De forma talvez única, Lena Sorenson fez um enorme sucesso quando ainda estudava no primeiro ano do renomado Instituto de Arte de Chicago. Sua primeira exposição, *Vácuo*, uma série de pinturas futuristas distópicas, aconteceu na galeria Blue, que ela coadministrava no West Loop da cidade, antes de receber uma curadoria de Melanie Clement na sua galeria GoTolt em Nova York, depois de várias peças terem sido compradas por colecionadores influentes. A exposição então foi para Londres e depois fez uma turnê pelo mundo, com grande aceitação. A peça principal da exposição, também intitulada *Vácuo* e adquirida pelo influente colecionador nova-iorquino Jason Mitford, tinha uma dívida com John Martin (1789-1854), um pintor inglês inspirado pela Bíblia, cujas enormes telas abrigavam paisagens panorâmicas e frequentemente apocalípticas. Sorenson já vira a obra de Martin em uma visita à galeria Tate Britain de Londres. Em vez de olhar para o passado bíblico e criacionista de Martin, Sorenson, uma ateia assumida, usou a escala e a forma do inglês para produzir paisagens futurísticas distópicas. *A queda da Nova Babilônia* (2006), por exemplo, é baseada em *A queda da Babilônia,* de Martin. Só que esta Nova Babilônia é Los Angeles, tal como vista das colinas de Hollywood.

Zero (2007) deriva de *A destruição de Pompeia e Herculano* (1821), de Martin. Sorenson retrata uma Nova York em ruínas. É o Marco Zero do 11 de Setembro, reconstruído como se fosse toda a metade inferior da Ilha de Manhattan. Ela confessou que, ainda adolescente em Potters Prairie, Minnesota, ficara assombrada ao ver as imagens na televisão do World Trade Center desabando. *A trindade do fim* (2007) é fortemente baseada em *O Juízo Final*, um tríptico de Martin que antevê o final da Terra e a ressurreição.

Suas superfícies suavemente pintadas também relembram as belas tentativas hiper-realistas de ilustradores cujas obras quase nunca são vistas nas galerias principais, e artistas como Dalí, que frequentemente era menosprezado pelos críticos como repetitivo e populista.

Contudo, essa visão que acusava Sorenson de bater sempre na mesma tecla precisou ser revista pelos críticos quando ela produziu uma pintura satírica que causou muita controvérsia política. Em *Você está perdido, garotinho* (2008), um Abraham Lincoln predatório embala no colo uma Minnie Mouse que mostra estar sexualmente excitada, enquanto um Mickey lacrimejante e impotente observa tudo por trás da cadeira presidencial, só com a cabeça visível. O Lincoln de Sorenson parece ter traços ligeiramente orientais, e houve quem especulasse que a obra pode ser uma referência à relação (cada vez mais subordinada) dos Estados Unidos com a China, principalmente devido aos contínuos investimentos feitos lá pela classe capitalista americana, em vez de desenvolver a economia doméstica. Sorenson se recusa a comentar sobre isto, repetindo sempre a frase costumeira que os artistas adoram, mas que nos faz querer arrancar os cabelos: "A arte, ao ser explicada pelo artista, deixa de ser arte. Eu não sou uma crítica."

Há quem veja a obra de Sorenson como derivada de um movimento anterior, os Jovens Artistas Britânicos (YBAs), e aparentada com o tipo de táticas de choque empregadas no Reino Unido por esse grupo. Embora ela tenha se declarado pessoalmente "indiferente" ao trabalho e aos processos dos YBAs, isto soa um tanto insincero, já que sua obra foi colecionada e defendida por Mitford, um VIP de Manhattan, assim como os YBAs haviam desfrutado do mecenato de Charles Saatchi uma década antes.

Embora as pinturas de Sorenson fascinassem os colecionadores, os críticos permaneceram frios, e a própria artista se declarou insatisfeita com os resultados, exprimindo o desejo de passar a esculpir. *Humano futuro* (2009) foi o fruto desse desejo. As esculturas dos seres humanos que evoluíram para se adaptar ao meio ambiente de uma Terra tóxica, rastejando feito ratos ou se alimentando feito moscas em monturos de lixo, impressionaram os colecionadores até mais do que as pinturas haviam feito. As figuras de Sorenson foram influenciadas pelas esculturas de bronze de Germaine Richier, principalmente *Homem da noite*, o Alien/Predador semelhante a um morcego que foi o precursor das suas efígies. Esta escultura está exposta na *alma mater* de Sorenson, o Instituto de Arte de Chicago. Tal como tantas esculturas e pinturas de Sorenson, o *Homem* também tem um falo proeminente. Suas figuras masculinas sempre são muito bem-dotadas, para sugerir potência sexual e talvez até alta fertilidade reprodutiva. Paradoxalmente, porém, há muitas ilustrações de bebês mortos. Assim, presumimos que os humanos de Sorenson são como coelhos; precisam procriar prolificamente a fim de assegurar o futuro da espécie. É como a era medieval, e o oposto do ponto em que nos encontramos agora, pois o consenso é de que estamos procriando e consumindo rumo à nossa própria extinção.

    Os críticos já estabelecidos continuam amplamente hostis, e em seus comentários exasperados, quase sempre deselegantes e até vitriólicos, podemos sentir uma autêntica incompreensão do porquê exato de Sorenson ter atingido tamanha proeminência. A frustração fantasmagórica nas palavras de Max Steinbloom nunca está distante da superfície das reações deles: "Lena Sorenson deveria estar em Hollywood, fazendo maquetes para os grandes estúdios usarem em suas próximas produções de *Aliens* ou *Predadores*. Seja o que for, ela claramente não é uma artista. Seu truque é usar ossos de animais. Nada mais."

    Embora a obra de Sorenson tenha sido com frequência depreciada pelos críticos de arte ("especulativa, de natureza fantástica, sem relação com a experiência humana atual, além de servir como um aviso bastante banal sobre o estoque de ameaças ecológicas ao planeta"), sua série de esculturas do homem do futuro, usando os ossos de pequenos mamíferos e répteis fundidos em moldes e resinas, conseguiu se tornar popular entre colecionadores. Uma das peças, *Brinquedo* (2009), que mostra uma mãe embalando nos braços uma criança morta ou moribunda, enquanto uma figura masculina, presumivelmente o pai, apenas observa com um olhar preocupado e confuso, atraiu uma atenção quase sem precedentes, sendo adquirida por um colecionador particular pela quantia estimada de 14 milhões de dólares.

Lena Sorenson agora mora em Miami, onde declarou seu apreço pela obra de Mark Handforth, um inglês nascido em Hong Kong, que em 1996 tornou-se o primeiro artista residente na cidade a expor no Museu de Arte Contemporânea. Foi a obra dele que alegadamente incentivou Sorenson a fazer seus modelos e suas esculturas em uma escala maior. "Modelos pequenos não dão à obra uma perspectiva humana. O poder da arte de pessoas como Mark Handforth vem tanto da escala quanto do conceito. Esta foi uma lição valiosa para mim." E isto indica o seu desejo de trabalhar mais com esses humanos do futuro maiores, em tamanho natural.

13
CONTATO 5

Para: lucypattybrennan@hardass.com
De: michelleparish@parishoner.com
Assunto: Meu programa não é para "obrigar bolas de banha autocomplacentes a entrar em forma"!

Lucy

Não quero que você forme uma ideia errada, porque realmente admiro seu zelo na batalha contra a obesidade. Mas acho que você precisa ter um pouco mais de empatia com suas clientes!

São pessoas que, de alguma forma, perderam seu rumo na vida, ficando deprimidas e desmotivadas. Depois buscaram refúgio nesse tipo de comida, capaz de lhes dar um barato rápido.

Elas não ficaram assim da noite para o dia. Frequentemente, precisam encarar uma longa e dolorosa estrada de volta à saúde. Sim, você tem de ser firme, mas precisa olhar para o histórico, as carências, e os grandes eventos na vida de cada cliente, inclusive essa tal artista. Lembre que respeito e amor são as pedras fundamentais do sucesso!

Eu reconheço que os programas devem ser criados segundo as necessidades individuais, mas recomendo enfaticamente que você adote as Páginas Matinais com esta cliente. Se conseguir que ela escreva 750 palavras toda manhã, este material pode se tornar a base para uma discussão... embora eu enfatize que isso precisa partir dela, já que as páginas são propriedade dela. Essa mulher está magoada psicologicamente. Caso você consiga chegar à origem dessa dor, terá todas as portas abertas à sua frente. E as Páginas Matinais podem se tornar uma ferramenta valiosa para ajudá-la a fazer isso. Experimente! Quem não arrisca não petisca!

Lamento saber dos seus problemas. A imprensa pode ser ao mesmo tempo volúvel e cruel.

Um abraço,

Michelle

14

LUMMUS PARK

Está fazendo "um calor atípico para a estação" hoje, como sempre trombeteiam aqueles babacas do canal do tempo. O aplicativo do meu celular indicava 33 graus, e eu acredito. Felizmente há uma brisa fresca vindo do oceano. Estou correndo para trás, devagar, na pista do Lummus Park, dando latidos de incentivo para Sorenson, que bamboleia ao meu lado, ofegando, gemendo e suando.

– Continue, Lena! Aqui ninguém desiste!

– Sim...

Eu começo a improvisar um cântico. – Podem parar com essa zorra, nós não vamos desistir desta porra! Vamos lá, Lena!

– Podem... parar... com... essa... zorra – arqueja pateticamente Sorenson, com aquele olhar bovino, mortiço e sem foco que indica uma alma de férias no limbo.

Qual é a história, Páginas Matinais?

Uma canção sobre Nelson Mandela começa a se formar na minha cabeça. *Por dez anos da obesidade ela foi prisioneira... nada mais enxerga devido a essa cegueira...*

– Li... ber...tem... Le...na... So...ren... sen... cante com o coração, gata – rujo, ao lado da sua cabeça. – Eu sei por que o pássaro engaiolado canta!

Sorenson simplesmente vai em frente, confusa. Vou trotando ao seu lado, quase de marcha a ré; por Deus, ela é lenta pra caralho, mas ao menos está se esforçando.

– Nós não vamos... desistir... dessa... porcaria...

É a comida. Comer. Este é o seu problema principal. Só estaremos desperdiçando a porra do nosso tempo, se eu não conseguir reprogramar o seu cérebro para parar de engolir aqueles malditos excrementos. Mas sempre há esperança. É preciso reeducar as papilas gustativas de todas elas, afastando-as daquela dieta constante de açúcar, sal, xarope de milho e substâncias químicas a que foram sujeitadas desde a infância, geralmente por mães preguiçosas, avarentas e idiotas.

Nós terminamos e a piranha jorra suor feito água de um hidrante de Boston durante uma onda de calor. Depois que ela se recupera, eu a levo para comer uma salada no meu lugar favorito na Washington. O Juice & Java é um café pequeno e muito iluminado, com paredes cor de creme e um piso de ladrilhos rosados. Nós sentamos em cadeiras de espaldar alto perto dos janelões, por onde entra a luz. A maioria da clientela exibe, com exceção de Sorenson, uma forma magnífica. É muito raro você entrar aqui e ver alguém que não é comível. Os poros de Sorenson disparam balas de suor por conta do ar-condicionado. Que nojo.

Eu examino o cardápio: estas saladas são tão saborosas e fartas que vencem até a tradicional defesa das banhudas contra a comida de coelho.

– É esta merda aqui que você deveria estar comendo – digo, começando a tirar com meu iPhone fotos do cardápio, que instantaneamente envio para ela. – Estes grupos de alimentos. Sem desculpas!

Peço uma salada de tofu grelhado e Lena faz o mesmo.

– Esse prato tem 380 calorias, bastante proteína e fibras. Os carboidratos são poucos, mas complexos, e as gorduras presentes são boas – explico. – Com um copo de água de 350 mililitros, *qualquer* pessoa fica satisfeita durante quatro horas!

Então Sorenson me conta da sua infância em Potters Prairie, em Otter County, no Minnesota. Lá é tudo assim: frescos bosques de pinheiros, adoráveis ursos pretos assaltando latas de lixo e a torta de maçã que mamãe faz. (Com coberturas duplas de creme, sem dúvida.) No último item eu acredito, mas no resto... desculpe, Lena, você simplesmente não convence, sua deprimida escandinava gorducha... Quando foi que tortas inteiras começaram a ser engolidas feito M&M? O que aconteceu? Aguardo a revelação: o toque pervertido do padrasto, o alcoolismo da mãe disfuncional, ou o bullying sofrido pela criança psicótica. Fodam-se eles. Mas não. Sorenson não abandona o seu roteiro de *Uma casinha em Potters*

Prairie, e ainda inclui um pai razoavelmente abastado, só para afastar qualquer suspeita de pobreza rústica.

Quando a comida chega, Sorenson fica evidentemente impressionada ao começar a engolir, e guincha: – Isto é tão booom...

Enquanto isto, duas superpiranhas magricelas lançam um olhar enojado para ela, que parece totalmente lesada.

– Que bom que você gostou.

Então Sorenson passa a falar de Chicago, e do tempo que passou no Instituto de Arte. – Era a minha cidade, meu lugar, meu tempo... foi onde eu conheci o Jerry...

Hum, hum... campainhas de alarme...

Agora sou toda ouvidos. Estávamos nos aproximando deste ponto, desde que eu ouvi esse nome pronunciado diante da balança no banheiro. Então deixo que ela conte sua história com o tal do "Jerry". Aparentemente, Sorenson partiu de Minnesota para fazer uma faculdade de arte em Chicago, conheceu esse cara, foi fodida direito pela primeira vez e caiu em uma gandaia infernal. O grande problema, embora isto ela não consiga chegar a confessar, é que ele era um babaca total. Isto ficou mais aparente quando Lena e seu namoradinho Jerry foram para Miami, ele só pegando carona em um panorama artístico que abraçara o talento de Lena.

– Eu fiz uma exposição aclamada em Chicago, e depois Nova York...

– Posso dizer só uma coisa? – interrompo.

Sorenson olha para mim, como se eu estivesse prestes a violar sua boceta, e depois sua bunda, com um vibrador gigantesco. Ainda assim, seus olhos me dizem que *ela quer esta porra*.

– Ao que me parece, você deixou que seu talento considerável fosse desperdiçado, a fim de sustentar esse parasita sem tutano que nem preso conseguiria ser, mesmo que tentasse ficar nu diante do portão de uma escola primária – digo a ela. Por algum motivo, quando penso nesse babaca do Jerry, vejo a imagem daquele escroto pedófilo cagão, o tal do Winter, que a bicha do McCandless devia ter mandado para a casa do caralho, feito o insetinho doente que ele era. O PARQUE O PARQUE A PORRA DO PARQUE.

– Mas...

Eu levanto a mão e balanço a cabeça negativamente.

– Só me escute até o fim. Talvez eu esteja até me excedendo, mas vi um livro sobre você naquela livraria da Lincoln, a Books & Books. Você tem talento, Lena. É famosa pra caralho, pelamordedeus!

Agora *ela* fica balançando a cabeça, com os olhos tímidos pestanejando nervosamente sob a franja. Feito a porra de uma retardada de 13 anos de idade.

– Não. Foi uma época em que aquele tipo de coisa estava em voga. Eu tive sorte. Recebi muitas críticas de gente do mundo da arte...

– Só fodidos invejosos e sem talento, que nunca ganharam a porra de um único vintém com suas merdas! Enquanto você vendeu uma pequena escultura, feita com ossos de aves e fibra de vidro, que lhe rendeu oito milhões de dólares! *Claro* que atraiu críticos! *Eu sou* a porra da sua maior crítica, sua puta sortuda – digo, socando o braço de Lena. – E esse fato não faz de *você* uma artista ruim, só faz de *mim* uma filha da puta invejosa! Assuma o seu talento, Lena. Não encarar os seus próprios dons únicos e especiais é justamente o que está matando você. Comer porcaria é apenas uma artimanha, a sua própria arma pessoal de autodestruição, que poderia facilmente ser trocada por outra coisa, como tomar drogas ou biritar.

Ela balança a cabeça em concordância.

– Esse tal de Jerry... ele nunca teve um livro escrito sobre seu trabalho, teve? – pergunto.

– Não – diz Lena, com um leve sorriso brincando nos lábios. O sorriso a transforma: ela fica bonita pra caralho.

– Mas aposto que ele ficava se pavoneando feito um babaca pomposo, pensando que era uma grande merda. Certo?

Lena sorri, concordando. Depois, como que preocupada em não parecer desleal por ter falado mal do idiota, diz: – Mas o Jerry tem muito talento como fotógrafo...

– Não fode! Não entendo porra nenhuma do assunto, mas até eu sei que fotografia não é arte! Basta ficar de sacanagem com a luz! Os bons fotógrafos são como pombos aqui em Miami Beach – digo a ela, tirando um pedaço de amêndoa encravado entre os meus dentes.

Sorenson dá um sorriso conivente, antes que a dúvida bata com violência, quase dobrando seu corpo ao meio.

– Eu sei a impressão que dá... mas você não entende – diz ela em tom pedinte, fungando e erguendo um guardanapo aos olhos úmidos. – O Jerry não era só mau... havia mais do que isso nele. Havia mais do que isso em *nós*!

– Tenho certeza que sim, mas isso já é passado, Lena – sussurro em tom urgente. – Você precisa pensar no resultado final. Ele, tratando você feito uma boba, e depois provavelmente saindo para foder com uma modelo vagaba qualquer.

Vejo a verdade que há nessa frase, quando Sorenson inspira rapidamente. Então continuo: – E você, mutilando seu corpo... porque é disto que se trata, Lena... automutilação com açúcar e gordura!

A boca de Sorenson forma um bico desafiador, enquanto ela afasta a franja e diz: – Você já se apaixonou alguma vez, Lucy?

Que porra isto tem a ver com alguma coisa?

– Sim, já. E sim, às vezes é uma droga, às vezes acaba mal – digo a ela, pensando em Jon Pallota. Nós tínhamos algo, mas ambos éramos um pouco fogosos demais para que a coisa pudesse funcionar no dia a dia. Sempre achei que um dia talvez nos juntássemos novamente, mas isto foi antes que aquele peixe grande aparecesse para foder com o pau e a cabeça dele. – Mas nada tem *qualquer chance* de funcionar se você não se ama, e só entra na relação querendo que a outra pessoa valide a porra da sua existência!

– O Jerry me dava tanto!

– E levava muito, aposto – digo, encarando aqueles tristes olhos verdes. – Lena, é óbvio que o lance artístico dele era uma bosta total, e ninguém dava porra nenhuma por aquilo. Não preciso de suas evasivas tímidas para saber o que aconteceu depois... já vi esse filme um milhão de vezes. Esse escroto do Jerry botava você pra baixo, não é, Lena?

– Ele podia ser cruel pra caralho – ela confessa, já montada na raiva outra vez.

– Enquanto gastava o seu dinheiro, aposto eu – digo a ela, enquanto as duas superpiranhas de bunda ossuda levantam e saem. Uma delas lança um olhar de ódio ostensivo para Sorenson, mas então me vê olhando para ela e imediatamente nós duas trocamos sorrisos controlados de vai-se-foder. Filhadaputa.

Sorenson está sentada em silêncio lívido, batendo com o garfo na mesa. Juro que se esse escroto do Jerry aparecesse aqui agora, ela arrancaria os olhos dele da porra da cabeça.

– O Jerry ficou vendo você inchar, usando biscoitos como consolo, enquanto ele bebia, cheirava e tomava todas com o *seu* dinheiro, conseguido com o *seu* trabalho.

– Foi isso mesmo! Eu odeio o Jerry! Odeio pra caralho!

Um casal em uma mesa vizinha olha para nós e Sorenson, *a minha Lena*, encara furiosamente os dois. Deus, fico tão orgulhosa por ela! Elas crescem tão depressa!

Só que ainda preciso manter esta piranha na fervura. Então me inclino para o rosto avermelhado dela, dizendo: – Enquanto você ia inchando, ele se enroscou com uma gata mais jovem e mais magra. E você foi buscar mais consolo, metendo o nariz no saco de donuts. Acertei na mosca, ou estou quebrando o cofre do porquinho com a porra de um martelo?

– Sim – diz ela, virando para mim com ar desanimado. – Como você conseguiu perceber tudo isso?

Eu respiro fundo. Por um segundo, tenho a sensação de que vou falar merdas que não devo falar. Tipo, que eu conheço esse psicótico do Jerry, que todas nós conhecemos, e que entre estes sacanas genéricos só o nome é que muda. Mas não: melhor manter a relação em nível profissional.

– Já tive muitas clientes, e essa é uma história arquetípica. Investimento excessivo no tipo supostamente ideal, nos filhos supostamente perfeitos, ou em uma carreira totalmente bem-sucedida, mas não o suficiente em V-O-C-Ê – digo, apontando para ela. – Então aquele grande amor vem e vai embora, levando junto o seu senso de valorização. Depois o sacana largou você lá feito uma batata de sofá sem valor, deprimida demais para pintar e esculpir, ou usar o talento que Deus lhe deu. Vocês se mudaram para cá, por ideia dele, mas com o seu dinheiro, aposto. Enquanto isto ele bancava o figurão, mas depois se mandou... certo?

Um aceno de cabeça lento, mas enfático.

– Ele está em Nova York. No Brooklyn, acredito. Morando com uma mulher rica... que tem uma galeria – diz Lena, lutando para respirar normalmente.

Eu estendo o braço, agarrando e apertando a sua mão. – Estou orgulhosa de você, Lena.

Seus olhos estão marejados e ela agarra a borda da mesa. – Do que você está falando? Eu sou a porcaria de uma palhaça! Fui uma boba!

– Sim, mas então me mostre uma só pessoa no planeta Terra que não seja, e eu lhe mostrarei uma mentirosa ou uma babaca morta... ou pior ainda, alguém que deveria estar morta. Ao menos você está indo à raiz do problema. Está encarando coisas sobre si mesma que seria mais fácil reprimir. Ou manter enterradas – digo a ela, enquanto o italiano gostosão se aproxima com a conta. – Enterradas sob uma camada de gordura.

– O mundo da arte pode ser cruel se você não está produzindo – geme ela. – Eu pensava que tinha amigos no meio. Acho que estava enganada. Jerry sempre foi mais sociável. Eu era só solitária.

– Não. Ele construiu uma prisão psicológica ao seu redor, e entregou a chave a você. Então falou: "agora se encarcere aí." E você fez justamente isto, porque ele e os outros babacas na sua vida já tinham minado tanto a sua autoestima que você pensava que só merecia isso mesmo. Já vi essa merda vezes demais.

Sorenson fica sentada ali, cozinhando no próprio suor.

Então eu continuo. – Escute, quero experimentar uma coisa. Você já ouviu falar nas Páginas Matinais? Julia Cameron?

– Sim – diz Sorenson cautelosamente. – Minha amiga Kim falou que eu deveria experimentar fazer isso. Eu fiz uma tentativa, mas não sei. Achei que não tinha muito a ver comigo...

– Talvez valesse a pena fazer outra tentativa – digo a ela, que olha para mim vagamente, enquanto nós pagamos e rumamos para a praia, caminhando, por instigação minha, pela areia. Vamos falando sobre o conceito de escrever as tais páginas, que foram inventadas para artistas e pessoas criativas.

– Foi o que a Kim falou... vou tentar novamente, e continuar tentando.

– Isso, legal – digo, balançando a cabeça.

Eu só trouxe Sorenson até ali por uma razão: para que ela visse como são os corpos em Miami Beach, e como o *seu* próprio corpo deveria ser. Fico examinando uns universitários bastante comíveis, todos com corpos sarados e bronzeados, que estão jogando *frisbee* uns contra os outros, tentando impressionar umas garotas risonhas estendidas em espreguiçadeiras sob o sol. Então chegamos a uma partida de vôlei jogada por umas gatas brasileiras com corpos fabulosos melhorados cirurgicamente, e que comandam esta seção da praia. Lena continua com um ar triste, e o olhar perdido no espaço à sua frente. Nós vamos andando pela areia em direção ao sul, passando por aqueles domos de pele brilhante cheios de silicone, e vendo os turistas cafajestes boquiabertos diante deles, sendo que os mais despudorados até tiram fotos.

– Agora começamos de novo – digo a Lena.

– O quê?

– Vamos lá – insisto com ela, já começando a trotar. Sorenson hesita um pouco, mas depois me acompanha.

Nós desviamos o rumo, partindo pela rua 5 em direção à baía de Biscayne. Lena é lenta, muito lenta, mas constante. Passamos pela rua West, deixando os espigões para trás, e na Alton uma onda de calor atinge as minhas costas, enquanto um sol baixo e inclinado cai implacavelmente sobre nós, esticando nossas sombras no chão feito pés de feijão. Sorenson já está começando a suar feito uma puta de estrada esperando o traficante.

– Eu não penso...

– Você não precisa pensar! Basta continuar! Vamos lá! Competindo!

Nós voltamos a rumar para o oceano, só parando no Flamingo Park, enquanto Sorenson, eufórica, luta para recuperar o fôlego em um estado de euforia.

– Eu me sinto... tão... bem...

– Profundamente, pelo nariz, prenda o ar... prenda o ar... e solte pela boca...

Depois que ela se recupera, nós vamos para o Starbucks na Washington, onde eu peço dois chás-verdes. Sorenson dá uma olhadela invejosa para uma vizinha de mesa, cujo café mocha teria consumido a cota alimentar dela no dia inteiro. Então me conta que geralmente come um bolo de frutas (400 calorias), ou então dois biscoitos de aveia (430 calorias), já que frutas e aveia são boas para nós. E isto sem contar a porra do café...

– A aveia deve ser comida em forma de aveia, e as frutas em forma de frutas. Não foram criadas para fornecer sabor a um pedaço imundo de farinha e açúcar. Uma mulher do seu tamanho pode facilmente ingerir metade da sua cota calórica diária em uma só visita ao Starbucks.

– Mas... eu vou duas vezes ao dia.

– É isso aí. Eu também vou duas vezes ao dia. E só bebo chá-verde. Calorias: zero. Antioxidantes: muitos.

Um exemplar da *Heat* foi abandonado na nossa mesa. As gêmeas já viraram celebridades de alto nível. Chegar a esse ponto, partindo de uma reportagem qualquer, parece levar cerca de dois dias. As Valeries Mercandos deste mundo não deixam a grama crescer embaixo dos seus pés tão bem tratados por manicures. A manchete:

AMY: EU DEIXARIA ANNABEL DORMIR COM STEPHEN

Mais abaixo, uma foto de Stephen, exibindo um bico amuado. A legenda:

Stephen: "Tudo isto já ficou demais para mim."

Lena está tagarelando no meu ouvido. – Eu tenho tanta pena dessas meninas.

– Pois é, a coisa ali é foda – digo a ela. Depois ouço minha voz dizer: – Você gostaria de sair hoje à noite?

Sorenson me lança um olhar abobalhado. – Faz séculos que eu não saio à noite.

– Mais um motivo. Vá me apanhar às nove e meia.

Então saímos do Starbucks enquanto o sol está se pondo. Sorenson parte com um ânimo decidido no seu andar. Quando chego em casa, depois de passar na Whole Foods, preparo um pouco de salmão selvagem grelhado, cheio de ômega 3, junto com arroz integral, já que minha contagem calórica está um tanto baixa hoje. Espero uma hora para a comida ser absorvida, e então faço uma série de exercícios com meus halteres de mão e a barra na parede. Realmente queria ter um saco de pancada pesado aqui dentro, pois estou com vontade de botar para fora uma certa agressividade distribuindo socos, mas não há espaço nesta porra de caixote.

*

Sorenson chega por volta das nove (eu falei nove e meia). Aperto o interfone para ela subir, escondendo meu exemplar de *Humano futuro* no armário do quarto. Ela parece uma bucha de canhão: não vou arrumar nada hoje à noite fazendo dupla com essa nerd. Até mesmo aqueles detalhes que qualquer gorducha normal conhece para minimizar os danos causados por uma boca gulosa parecem estar além do alcance de Sorenson. Suas roupas são pequenas demais, de séculos atrás; uma saia que corta seu corpo ao meio, deixando a carne balofa pender por cima do cós, e uma blusa bege presa a ela feito uma segunda pele. Por um esforço sobre-humano de vontade, eu fico em silêncio, mas quando descemos a Washington, ela recebe um olhar que diz "quem é esta retardada?" da parte do porteiro que fica junto ao cordão de veludo diante da Uranus. Fico até com medo de sermos barradas na entrada. Felizmente, ele conhece a minha cara, e desvia o olhar de mim para Lena, e depois novamente para mim. Sua expressão é um misto de desdém e compaixão.

Ainda bem que dentro da boate está escuro. O DJ acabou de botar para tocar aquela música irresistível, "Disco Holocaust", do Vinyl Solution. Nós achamos um canto bacana, longe das luzes piscantes. Uma garçonete aparece e nós pedimos as bebidas: vodca com tônica diet para as duas. (Cerca de 120 calorias, numa estimativa aproximada.) Alguns rostos me cumprimentam, mas não param a fim de conversar com aquele som alto, em que a vocalista é uma diva que pergunta e responde, *Seis milhões realmente dançaram, sim, dançaram!* Uma piranha gorducha e hétero, toda adornada com aquelas tatuagens que as pessoas fazem na avenida Washington quando ficam um ano longe da cocaína, ou saíram de um volátil relacionamento duradouro, fica olhando boquiaberta para mim e Sorenson. A Foda Lipoaspirada, uma loura de rosto esculpido a cinzel que já sofreu mais reformas do que o porto de Miami, arqueia uma das sobrancelhas enquanto brinca com seu vinho branco e um bofe gringo puro eurotrash com metade da sua idade. Duas gatas anoréxicas semimortas, famosas por passarem três horas por dia malhando no elíptico, e que já foram banidas de pelo menos quatro academias de South Beach por continuarem se exercitando até entrar em colapso, interrompem brevemente seu pacto de suicídio a fim de ficarem olhando, boquiabertas de indisfarçável horror emaciado, para a minha acompanhante. Sim, eu estou com uma gata gorda, e aqui em Miami Beach qualquer obesa é vista como se tivesse lepra em estágio avançado e estivesse se esfarelando toda na pista de dança. Eu cometi um grande *faux pas* ao trazer uma baleia para uma boate. Mereço o ostracismo, e também estaria liderando a porra do ataque, se a culpada não fosse eu mesma.

Lena olha em volta, tentando imaginar, assim como todo mundo na boate, exatamente o que ela está fazendo ali. – Eu nunca gostei muito de boates. Nunca gostei de muito barulho. E essa música é meio porcaria.

– Mas a batida é boa, e os artistas não passam de garotos... para eles toda essa merda da guerra é como se fosse nada. Eu só venho aqui para não ficar vegetando. Mas o sul da Flórida tem um outro lado, além de festas e hedonismo. Esportes. A praia – digo, meneando a cabeça para o bar, onde um gostosão louro de corpo esculpido é todo sorrisos para o seu parceiro latino. Se é quem eu penso que é, não lembrava de ele ser bicha antigamente. – Acho que aquele cara estudava na Universidade de Miami na mesma época que eu.

– Ouvi dizer que essa universidade é ótima – assente Lena.

– Não banque a esperta comigo, menina – digo naquele tom sábio e cansado da vida que me faz recordar, de forma desconcertante, meu pai. – Se Sly Stallone e Farrah Fawcett são os ex-alunos mais famosos de um lugar, é claro que um diploma de lá vale menos que papel de chiclete. E pensar que nessa época eu tinha *orgulho* de frequentar um estabelecimento de ensino onde a livraria do campus só tinha fileiras de trajes esportivos, principalmente dos Miami Hurricanes, e onde você precisava pedir os livros-textos, que ficavam entulhados em um canto esquecido no andar superior. Agora eu me sinto uma babaca, arrependida por não ter ido para uma faculdade *de verdade*.

– Mas era o que você queria fazer, aquele negócio de ciências do esporte.

– Pois é, era.

– É importante fazer o que a gente quer. Droga, bem que eu queria ter sido mais atlética. Nunca entrei nessa.

– Eu sempre estive nessa. Meu pai era louco por esportes. Ele queria meninos, portanto minha irmã e eu estávamos em todos os times... basquete, futebol, beisebol, tênis... depois ela se cercou de livros, mas eu continuei louca por esporte. Fiz atletismo, caratê, kickboxing, o que você puder imaginar.

– Deve ter sido difícil – diz Sorenson. – Quer dizer, exaustivo.

– Não. Isso me deu disciplina e força – digo a ela com frieza. Gorda idiota da porra. Que direito esta fracassada tem de tentar *me* psicanalisar?
– Mas então... o que mais você faz no seu tempo livre?

– Bom, eu leio muito, e vejo filmes.

– Pois é, às vezes eu vou naquele cinema na Lincoln. O último filme que vi ali foi *Lanterna verde*. Mas só fui arrastada para lá porque minha amiga achava o Ryan Reynolds gostoso – explico, sentindo um gosto ruim na boca por usar a palavra "amiga", já que estive lá com Mona.

– Eu prefiro a Cinemateca de Miami Beach. Você já foi lá?

– Não...

– É um cinema de arte. Eles passam filmes muito interessantes ali. Nós temos de ir!

– É... pois é... tá legal, claro – digo com esforço. Mas nem fodendo eu vou assistir a alguma merda de filme legendado da Bósnia, do Irã ou da Escócia, cheio de gente fora de forma e com roupas esquisitas. Lena já entornou a porra do seu drinque todo, e quer outro. Só que eu declaro – Não. Você sabe quantas calo...

– Mas eu *preciso* de mais um.

Ela mexe no adorno em volta do pescoço papudo. Como se fosse bom chamar atenção para *aquilo* com uma joia.

– É claro... – Eu ouço minha voz assumir aquele tom melífluo e passivo-agressivo que mamãe usa. Fico com ódio de mim mesma, e depois de Sorenson, por causa disso. Já devo estar entrando naquela fase da vida em que você passa a reconhecer os piores aspectos dos seus pais na sua própria conduta.

Sorenson levanta e acena para a garçonete, que olha para mim meio constrangida, como quem diz, "Que porra você está fazendo com essa *coisa* aí?"

Mas nós fazemos novos pedidos, e quando os drinques chegam eu viro para Sorenson.

– Eu não gosto de beber muito, e sou contra as drogas. Gosto de estar no controle. De manter a disciplina. As drogas fodem com isso.

– Eu sei como é. Acho que passei por uma fase de loucuras um pouco excessiva, e que não me fez bem – diz ela, erguendo à boca o copo alto de vodca. – Atrapalhou o meu trabalho.

Eu balanço a cabeça em concordância.

– Isso acontece mesmo. E os seus pais... eles bebem? – digo, levando o copo frio aos lábios e sentindo uma dormência satisfatória ali.

– Muito pouco. E nem sabem o que são drogas. Bom, isto não é verdade. O armário de remédios da mamãe é cheio de drogas para ansiedade, depressão e fadiga. Mas acho que se ela cortasse tudo aquilo o resultado final seria o mesmo.

É óbvio que foi o casal Sorenson que provocou o dano. Enquanto beberico meu drinque, porém, começo a sentir minha cabeça arder daquele jeito horrível, *fora de controle*. Não estou acostumada a álcool, e odeio ficar bêbada. Olho para os rostos em volta, frouxos e caídos devido à bebida, à luxúria e ao desespero. A cena aqui sempre se desintegra a uma certa hora. Uma sapatona velha e gorda em quem uma vez eu apliquei um enema, como parte de um pacote de saúde geral (todas nós entramos em becos sem saída), e que hoje em dia é uma bebum irremediável, junta os dedos com unhas ridiculamente longas em torno de um copo de martíni cheio até a boca. É tão patético quanto tentar pegar um brinquedo barato com uma garra de fliperama. Temendo derramar o conteúdo, ela assume a derrota e baixa os lábios enrugados feito pergaminho até a borda do copo, sugando o líquido como se fosse uma boceta. Uma gata com calça de malha, top branco, joias caras e falso bronzeado alaranjado entra se pavoneando. A Foda Lipoaspirada, com quem nunca voltei a falar direito depois de um encontro confuso numa festa em um barco no ano passado, me lança um olhar do tipo, "eu sei". Nós fazemos alianças estranhas, mas isto aqui é Miami Beach, e o eurotrash precisa ser mantido em seu lugar. O pior é que eu sinto o ímpeto da atração, feito uma mão agarrando e torcendo meu intestino, e um diminuto metrônomo de medo já pulsando dentro de mim. Querendo que Sorenson vá se foder, mas também estranhamente feliz por ela estar ali, embora nas sombras, fora do alcance das luzes piscantes.

Então meu amigo, o masterchef Dominic Rizzo, vem se aproximando com um sorriso de reconhecimento que se amplia enquanto ele ziguezagueia pela multidão. Não nos vemos há *meses*.

– Dominic!

– Pode me escalpelar, lindinha, pode me escalpelar – implora teatralmente Dominic, com braços e palmas das mãos erguidos.

– Por onde você anda? Venho ligando, mandando torpedos, e-mails... o Bruce me falou da separação.

– Uma palavra *verboten*, minha linda. Estou em outra. Ele já está fora, F-O-R-A em maiúsculas, do meu sistema. Você nem acreditaria nos buracos em que eu me enfiei, tanto psicologicamente quanto fisicamente. Mas agora *chega* de ficar fodendo e bebendo só para esquecer aquele homem. Vou à Bodysculpt na próxima semana. – Ele me lança um olhar pedinte ao projetar à frente uma pequena pança. – Vai me fazer parecer um príncipe encantado novamente?

– Dieta primeiro. O que você anda comendo? Provando suas próprias receitas?

– Ah, benzinho, o estrago foi *todo* culpa do demônio da bebida. Esqueci na minha adega a garrafa de vinho específica em que escondi as respostas aos enigmas da vida e do amor!

– Quando você descobrir, pode me avisar – interrompe uma Sorenson animada.

– Ah, eu sou a pessoa totalmente errada para se perguntar isso – diz Dominic, sem se apresentar a ela, e virando vivamente de volta para mim. – Mas aqui estou, sóbrio há quinze dias, e tão apaixonado pela porra do meu patrocinador que estou quase sufocando. Um arquiteto. Só que nunca dou certo com gente que trabalha das nove às oito.

Eu concordo com a observação.

– Eu sei, está certo. Bom, mas agora você está pensando em *você* mesmo outra vez, e não em você-sabe-quem – digo para ele, mas com um olhar marcante para Sorenson –, então deve ser mais simples.

– Sabe, Lucy – diz Dominic, olhando para mim com gratidão fatigada. – Eu queria que você fosse o filho que seu pai sempre quis. Nós estaríamos no Canadá agora, com uma licença.

– Isto foi o mais perto que eu já estive de um pedido de casamento, mas serve.

Dominic arqueia as costas, botando as mãos nos quadris. – E aquele bombeiro gostosão?

Noto que Sorenson se interessa, deslocando o peso de uma nádega gorda para a outra, e respondo: – Você só pode estar de sacanagem comigo. Sei que vocês, viados, acham que são mais narcisistas do que qualquer outro, mas quanto a isso aquele bundão careta faria vocês cortarem um dobrado!

– Bom, eu estou saindo fora, lindinha, tanto física quanto metaforicamente – diz Dominic, beijando minha face. – Tem muita buça e pouco pau aqui neste lugar.

Ele vira para Lena com um meneio de cabeça relutante e desajeitado, antes de ir embora. O gesto poderia ser chamado de rude e superficial, mas uma aparência tão fora de forma quanto a dela é realmente um crime contra a ordem estética aqui em South Beach, talvez o último bastião de sanidade neste mundo tão fodido.

Só que o álcool já me subiu à cabeça. Eu me pego tocando no braço de Lena, que é inchado, mas tem uma pele ainda jovem e firme. Ela tem dois anos para perder todo esse peso, antes de precisar passar ao reino da cirurgia plástica para remover essas orelhas de elefante. Se o braço perder a gordura agora, a pele logo voltará ao que deveria ser. Eu sorrio para ela, e passo o dedo pelo seu braço, provocando um risinho bem cativante.

– A diferença entre ser uma mulher saudável de 60 quilos e uma obesa de 100 quilos é grande. Mas a diferença entre uma obesa de 100 e uma obesa mórbida de 150 é pequena. Você quer ter tornozelos grossos feito pães de forma? – digo, balançando a cabeça na cara de Lena.

– Será que nós podemos não falar de...

– Não. Não podemos *não* falar sobre isto. Porque aquelas mulheres gigantescas não falavam sobre isto. Elas engordavam, ficavam deprimidas, desenergizadas, viciadas em açúcar e comidas reconfortantes para levantar o astral, e então entravam em queda livre. Elas sempre serão mutantes. Mesmo que percam peso, sempre carregarão cicatrizes obscenas onde tiveram dobras de pele removidas, ou então terão de preencher aquela parcela vazia de pele com musculatura obtida à base de suplementos, feito aqueles gordos mais velhos de *O grande perdedor*. Mas você não. Você ainda pode voltar a ter uma aparência normal. É jovem. Tem uma pele boa.

– Ah, obrigada! Mas você também tem uma pele ótima!

Subitamente percebo que quero trabalhar aquela carne. Sua armadura me fascina!

– Conte para mim como foi seu primeiro beijo, Lena.

– O quê?

Em meio ao barato da bebedeira, as pseudoafetações boêmias se afastam e aquela professorinha cafona de cidade pequena vem à superfície. Mas eu quero encontrar a artista escolada da MTV. É dessa Lena Sorenson que eu preciso.

Agora não há como recuar. Então eu falo com todas as letras.

– Conte. Para. Mim. Como. Foi. Seu. Primeiro. Beijo – digo, abrindo um grande sorriso. – Lena.

Sorenson me lança um olhar desafiador.

– Não! – diz ela. Depois dá outra risada. – Quer dizer, primeiro você.

Subitamente meus ouvidos estão zumbindo pra caralho. Não consigo ouvir porra nenhuma. A porra do primeiro beijo...

– Lucy, você está bem?

– Só não estou acostumada com álcool.

– E eu aqui pensando que você estava com medo de me contar o seu primeiro beijo!

Eu respiro fundo. Preciso parar de pensar nele, naquele sacana, na porra do babaca do Clint, e pensar no inofensivo Warren.

– Tá legal, sem problema. Havia um garoto chamado Warren Andover. Ele tinha uns dentes de coelho enormes, sabe, era dentuço, e toda vez que nós nos víamos eu ficava muito molhada. Só pensava naqueles dentes brancos raspando o meu clitóris.

Sorenson leva a mão à boca e fica semicorada. – Meu Deus, Lucy... você me lembra minha amiga Amanda, lá da faculdade!

Ela estudou em uma escola de arte ou na porra de um convento? Mas eu ergo o olhar e noto que estou sendo paquerada por uma gata no bar: cabelo escuro, curto, liso e muito bem cortado, corpo esguio, mas com um busto grande embaixo do top roxo, e, pelo que lembro de uma conferida anterior, uma bela bunda dentro daquela calça justa amarela. Ela vê Sorenson e desvia o olhar ostensivamente. Agora este navio provavelmente zarpou, pois ela já deve ter me marcado como uma pegadora de gordas. Então eu me viro para Sorenson.

– Você ainda tem contato com suas amigas da faculdade?

– Ah, sim, embora obviamente a gente não se veja muito, já que eu moro aqui – diz ela, que continua tagarelando. O jeito com que se enrosca no sofá, feito uma gata grande e gorda, mas mesmo assim uma gata, confirma que essa capa de gordura nem sempre esteve aí. A memória muscular geralmente oferece pistas. – A Kim trabalha em uma galeria, a Amanda voltou para o leste e ficou noiva de um cara muito maneiro, que é corretor da bolsa. Pode parecer meio rude e chato, mas...

Eu quero ver essas veias azuis aparecerem novamente na superfície da pele dos seus peitos. Quero ver essa pele arder e queimar sob o meu toque, como deveria acontecer, antes que você transforme tudo em massa de biscoito. Quero fazer com que volte a ser como antes.

– ... tantos daqueles caras eram mais amigos do Jerry... a gente só percebe isto quando se separa. Você vai saber quem são os seus amigos de verdade nessas circunstâncias.

Mas primeiro quero amarrar você na minha cama forrada com o lençol de borracha, sua putinha gorducha, e fazer cócegas até você se mijar toda. Não quero que ela fique seca comigo. Desidratada não serve. Então sugiro: – Vamos pedir um pouco de água.

– OK.

Menos Lena Menos Lena.

Menos Menos Menos Lena.

Que merda, esta vodca está me deixando pirada. Ela é uma cliente. Esfrie a cabeça. Eu me controlo e recosto o corpo no sofá, observando a loucura crescente à nossa volta. O pior momento é quando Sorenson quer dançar. Não acho que eu esteja *tão* bêbada a esse ponto, mas nós vamos para a pista, ela em uma valsa sem jeito e envergonhada, típica de uma clínica geriátrica. Eu sinto todos os olhares em cima de nós, e tenho vontade de sair logo da merda deste lugar antes que essa puta arruíne minha vida social inteira, fazendo com que eu vire motivo de chacota em South Beach.

Por sugestão minha, nós saímos e voltamos para a casa dela. Quando chegamos lá, eu convenço Lena a me deixar ver mais trabalhos seus na oficina. Desta vez, a coisa está descoberta... é o esqueleto de uma criatura em tamanho natural. Todos os ossos estão ligados por arames... pernas, braços, espinha e costelas. Sorenson explica que as únicas partes substituídas por moldes de plástico são os quadris e o crânio, de cor e textura um pouco diferentes.

– É uma obra em progresso – diz Lena. – Só não sei se ainda sou eu ali. Os ossos, os animais. O Jerry vivia dizendo...

Ela se interrompe e leva a mão à boca.

Eu insisto. – O sacana dizia o quê? O escroto sem talento que sabotava você dizia o quê?

– Ele vivia dizendo que aquilo era mórbido demais. Que eu estava me fazendo ficar deprimida com aquilo. Que eu precisava trabalhar com temas mais alegres, mais edificantes. Que eu não tinha a *personalidade* certa para lidar com a escuridão.

– Isto já lhe diz tudo que você precisa saber, não diz? – digo bem perto dela, segurando sua mão e sussurrando no seu ouvido. – Termine o trabalho. E amanhã você começa aquelas Páginas Matinais. Elas vão ajudar. Porque alguma coisa está bloqueando você. É como se houvesse uma rolha gigantesca enfiada no seu cu...

Eu começo a rir descontroladamente diante da expressão que ela faz.

– Eu disse "rolha" e não...

Agora Lena começa a rir também, com o corpo curvado. Então eu vejo como é repulsiva, e como é bonita pra caralho.

15
CONTATO 6

Para: michelleparish@lifeparishioners.com
De: lucypattybrennan@hardass.com
Assunto: Você está com tudo, gata!

... e como! Acabo de ver você na TV! Você é a melhor, Michelle! Se eu disser "a piranha lacrou", espero que você não entenda mal!

Já pus a minha própria piranha para fazer as Páginas Matinais! Vamos ver como a coisa anda. Como você diz, quem não arrisca, certo?!

bjs
L

16

ART WALK

As multidões passeiam pela Lincoln. Os locais se exibem, desfilando, posando ou deslizando de skate. Os turistas com seu passo relaxado, pingando dinheiro. Nas soleiras das portas, ocasionalmente há um vadio ou malandro à espreita, só filmando os acontecimentos, frequentemente sob a supervisão nada discreta de um policial gorducho.

Eu continuo pensando no ateliê de Sorenson, tão diferente da sua casa, que é bem convencional. Aquilo é um caos fabuloso. Não por uma dissolução alcoólica, inconsciente. O ateliê simplesmente exala suor, atividade e foco. Ali vi o interior de uma cabeça que sabe que o planejamento abstrato e frio, embora essencial, só consegue nos levar até certo ponto. Que precisamos sujar as mãos para alcançar qualquer coisa na vida. A oficina me dizia que antigamente Sorenson sabia disso. Ela precisava reaprender a lição. Precisava se abaixar e se sujar. Bom, eu vou foder com aquela piranha. Vou foder com a merda dela direitinho, caralho!

Então, almoço com Miles no World Resource Cafe. Como sou eu que vou pagar, Miles, de olhos inchados, parecendo mais molenga ainda do que antes, está se banqueteando com um sanduíche de filé com fritas (880-900 calorias). Tipo carboidrato duplo, cara: um não-não. Triplo, se a gente contar a cerveja italiana (180) que ele está bebendo. Calorias de *quatro dígitos* em um almoço na *porra de South Beach*? Tem algo mais nojento do que isso? Piloto para navegador! Socorro!

– Quero ver se entendi direito – diz Miles, mastigando. – Para ganhar esses quinhentos paus eu só preciso comer uma gorda fracassada?

– É isso aí.

Ele balança a cabeça e abaixa o sanduíche para dar outro gole rápido na cerveja. Depois estreita os olhos, ao pousar a garrafa na mesa.

– Então por que estou farejando alguma sujeira bostoniana nessa história, Brennan? O que você ganha com isso?

– Eu quero que ela perca peso. Está deprimida, come demais. Por quê? Porque foi largada por um babaca por quem era apaixonada. Eu quero que você dê uma boa foda com essa gorda, para que ela recupere um pouco do senso de perspectiva. Ela se sentirá muito mais valorizada levando uma rola do que ouvindo mil dos meus papos motivadores. E nessa área você tem mesmo certa expertise – minto em tom sedutor, a fim de fisgar o otário.

– Bom, acho que realmente você veio bater na porta certa. – Ele sorri. Depois franze o cenho. – Mas qual é exatamente o peso dessa garota?

– Oitenta e dois quilos – digo a ele, tomando certa liberdade e trapaceando com os números, como Sorenson faz. Mas é pelo bem de todos.

– Eu consigo aguentar o tranco e fazer este sacrifício pelo time – diz ele, tomando outro gole da cerveja. – Uma vez tracei uma gata gorda em Las Vegas, quando estava doidão. Larry, Joe e eu fizemos uma aposta. Depois de uma luta do Floyd Mayweather.

– Que ótimo para vocês. – Sorrio, fazendo sinal para trazerem a conta.

– Quando eu... você sabe?

– Sem adiantamentos... este é um serviço prestado estritamente em confiança.

Miles esboça um protesto, mas depois dá de ombros. Então pergunta se eu mudei meu penteado, dizendo que assim estou parecida com a Blake Lively de *Gossip Girl*. Não sei que porra é essa.

– Nunca vi esse programa.

– Deveria. Você ia curtir demais.

– OK – digo, sabendo que agora mesmo é que nunca vou ver, *jamais*.

Então encontro com Sorenson no meu apartamento e cruzamos no seu carro a ponte Julia Tuttle, onde tudo começou. Achei que ficaria nervosa quando passasse pelo mesmo lugar, mas não sinto nada. Na realidade, as únicas coisas que embrulham meu estômago são os grandes olhos assustados de Lena, tentando pescar uma reação. Eu ignoro isso e desvio meu olhar por cima da ponte na direção da baía. São apenas lugares, não podem nos deixar nervosos. Depois do tal incidente naquele parque em Weymouth, eu costumava caminhar até o mesmo ponto, sozinha à noite, sem sentir coisa alguma. São as pessoas que tornam assustadores os lugares, especificamente alguém, e era por ele que eu esperava. Mas a porra deste alguém nunca apareceu.

Estamos indo para o Design District e o Art Walk. Só fui lá uma vez, e por acaso foi com Miles, que acabou ficando bêbado feito um gambá com a cerveja grátis que as galerias oferecem, paquerando todo o mulherio e tentando me convencer a envolver uma gata qualquer em uma suruba a três. Ele é muito nojento quando bebe. Na realidade, vamos corrigir isto: ele é nojento a porra do tempo todo.

A noite está quente e a brisa do mar parece ter acabado. Subitamente, sinto minhas pernas muito cansadas, e é uma luta caminhar no ar denso e pegajoso. Para minha surpresa, Sorenson, embora suada feito uma porca premiada, vai marchando à frente, muito entusiasmada. Tudo porque pesou menos de 90 quilos naquela balança de bosta. Isso não é porra de progresso algum. Lena deveria estar perdendo uns quatro quilos por semana, com tudo que estou lhe dando. Mas ela é uma lata de lixo que só desperdiça a porra do meu tempo!

Nós deixamos a rua apinhada e entramos em uma galeria (ar-condicionado... sim!) que vende livros de arte. Um deles contém mais fotos do trabalho de Lena, seus homens e mulheres monstruosos. Sei que é coisa de nerd, mas eu meio que gosto das merdas dela.

– Isto é tão bom... você nunca deve desistir do seu trabalho – digo a ela.

– Não sei se você está falando sério, ou só querendo ser gentil, mas é exatamente isso que eu preciso ouvir agora. Obrigada.

– Lena, eu não curto gentilezas. Curto papo reto. Curto uma honestidade brutal pra caralho.

– Acho que às vezes você se diminui.

Eu dou de ombros, tentando não deixá-la ver que estou acesa por dentro. Elogio é sempre uma fraqueza, é a dieta básica de quem desiste. A mulher que é forte não precisa dessa merda. A mulher forte simplesmente *sabe*.

Uma piranha magricela de blusa preta, parecendo uma Medusa por causa das extensões no cabelo que se projetam sob um chapéu preto com uma aba cheia de penas, está de olho em Lena. Então abandona sua revoada ciciante de abutres culturais e vem se aproximando até falar com ela.

– É você... não é?

– Andrea. – Sorri Lena. – Que bom ver você!

– Quase não reconheci você.

– Eu ganhei um pouco de peso – reconhece Lena.

– Cai bem em você, querida – diz a piranha, abrindo um sorriso de carrasco. – Está trabalhando em alguma coisa?

– Bom, tentando.

– Muito bem. – Ela faz uma careta para mim, e eu imito a expressão. – Olhe, isto foi ótimoooo, mas eu preciso correr. Reservas para o jantar. Ligue para mim!

Eu sigo com o olhar sua bunda fajuta ir até o grupo e vejo todos partirem para se juntar à multidão lá fora.

– Quem era a porra dessa babaca?

– Ah, uma velha amiga. Eu sempre pensei que ela e Jerry...

Jesus, ela precisa aprender a escolher as amigas. Qualquer porra de amiga. Nunca conheci uma piranha tão isolada. O encontro certamente fez Sorenson murchar. Quando ela me deixa em casa, nem consigo seduzi-la a entrar para tomar um shake de proteína. Na sua ausência, eu tento me acomodar no sofá diante da TV, mas então ouço uma batida na porta. É o garoto DJ lá de baixo, segurando um grande pacote FedEx quase da sua altura.

– Isto chegou para você – diz ele.

Eu pego e abro o pacote... é o tal aparelho Total Gym grátis que mandaram para a agência. Então instalo e experimento. Comparado com um equipamento de verdade, parece fraco, mas na realidade é bem-feito, com uma tecnologia de sistema de cabos. Segurando as alças presas aos cabos, eu me deito e começo a trabalhar o peito. Depois de algumas séries, passo a outros exercícios: algumas flexões para os tríceps, e remadas sentadas para trabalhar as costas. Dá para exercitar todas as partes corporais, e eu gosto das variações de posição que posso fazer, como erguer as pernas nos abdominais e nas flexões de braços com pesos. Em um aparelho de supino, meus braços ficam em uma só posição. Posso reproduzir esse movimento aqui no aparelho da Total Gym com os cabos, mas ganho alguma variação. Faço isto há mais de quinze anos, e possivelmente para um novato há flexibilidade demasiada neste Total Gym. Mesmo bem orientada, uma pessoa como Marge ou Lena poderia se machucar nisto, se não estivesse em plena forma. Acho que um aparelho com um controle maior seria mais eficaz e seguro para gente assim. E como todos os aparelhos, embora propicie algum benefício cardiovascular, este aqui não substitui o trabalho de suar na esteira ou no elíptico, nem mesmo uma caminhada ao ar livre. É o tipo de máquina que conviria a alguém feito Sorenson, *mas somente em um ambiente controlado*.

Esta é a chave: o ambiente de Lena precisa ser *controlado*.

Eu deveria ir para a cama, mas não consigo me aquietar após o exercício. Portanto, sem ter consciência do que estou fazendo, tomo uma chuveirada, visto uma roupa para sair e parto madrugada afora, seguindo uma trilha familiar.

Volto à Uranus, procurando aquela gata que ficou de olho em mim na noite passada, enquanto eu estava amarrada na Sorenson. Desta vez a clientela parece mais suja e excitada, a maioria pronta para dar o bote em cima da sua presa. Eu trouxe um pau de vinte centímetros, sem muitas veias, e um par de algemas forradas de pele. Estou com um vestido de festa, lady ao máximo. Alguma bofinho vai ter o maior choque da sua vida quando eu puxar o pau para cima dela. Estou a fim de fazer uma vaca durona de araque chorar feito um bebê.

Não demoro muito a encontrar minha garota. Ela está no bar, como se não tivesse saído do lugar desde que a vi ali ontem à noite, dando aquele olhar malicioso de garoto de 14 anos, feito Hilary Swank em *Meninos não choram*, o olhar preferido de todas as sapatas bi. Uma butch de calça amarela? Essa puta está de sacanagem. Eu me aproximo dela.

– Oi.

– Oi – diz ela. – Onde está a sua amiga? Aquela gorducha.

Eu me finjo de tímida e até mordo o nó de um dos meus dedos.

– Ah, acho que aquilo foi só uma pequena experiência.

– Eu gosto de experiências.

Nós já sabemos onde isto vai parar... direto pela rua até o Blenheim, na Collins. Não demoramos nada para nos registrar, o recepcionista malandro cobrando a mais do que a taxa oficial por hora. Ele nos entrega a chave e subimos a escada. Quando entramos no quarto, o fedor de mijo no carpete velho invade nossas narinas. Nos trópicos os carpetes são sempre sujos, mas um carpete em um motel vagabundo projetado para o despejo regular de todos os fluidos corporais concebíveis? Esqueça. Há uma cama decrépita, duas mesas de cabeceira velhas e um antigo relógio de parede parado nas 9:15, com o ponteiro de segundos tentando se erguer feito uma aranha em uma banheira e caindo pateticamente na posição original.

As paredes amarelas têm o tom dourado de nicotina e as persianas pegajosas não fecham direito. Uma olhadela rápida pelo banheiro revela uma privada e uma pia todas manchadas, um espelho rachado e um chuveiro com cortina plástica estampada de fungos azuis e pretos, onde eu jamais botaria meus pés. Só que não fomos ali por causa da merda da decoração. Eu me encosto na Swank Boy; enquanto trocamos beijos ofegantes e melados, deixo que ela sinta o volume do meu pau junto ao seu corpo. Uma caixa de ventilação de alumínio embaixo da janela começa a roncar, mas logo silencia após um estalo dramático. Os grandes olhos verdes dela estão arregalados.

– Você está armada? Eu quero...

Estendo o braço e puxo o seu cabelo para trás. É curto, mas dá para agarrar com firmeza.

– Ai – diz ela, quando dou uma pegada com mais força e envolvo meu outro braço no seu pescoço, imobilizando-a junto a mim. – Ai... isso não tá legal. – Ela esboça uma resistência, surpresa com a minha força.

Eu começo a sussurrar no ouvido da Swank Boy e sua resistência ao meu agarro já fraqueja.

– Você é um menino desobediente e vai levar umas palmadas – sussurro, recuando em direção à cama e arrastando-a comigo. Então viro depressa, jogando seu rosto imobilizado no edredom nojento, enquanto vasculho a bolsa em busca das algemas.

– Não! Eu não levo – protesta a Swank Boy. – Não faço a merda da mulherzinha, eu só como...

– Não leva o quê?

– Pau...

Deixo as algemas caírem ao lado dela. São supérfluas.

– Acho que isso é conversa sua, Calça Amarela. Você está só me provocando, gata!

– Não, é verdade – gane ela. – Eu nunca...

– Conversa! Acho que você quer o meu pau dentro de você!

– Não. – Ela solta um arquejo rouco, lutando mais, enquanto eu aumento a pegada.

– Não tente soltar-se de mim, Judy Garland – sibilo no seu ouvido, mas agora já é tudo teatro. – Eu poderia rachar a porra deste seu pescoço de putinha magricela feito um graveto!

– Mas eu... ah, meu Deus... não era *nada* disso que eu...

Seus protestos teatrais caem em ouvidos moucos, enquanto eu arranco sua calça amarela, e ela chega até a me ajudar, embora continue protestando ridiculamente.

– Eu não estava a fim disso – diz ela, quando eu boto o pau para fora, encostando-o no meu osso pubiano e na sua bunda. Afasto sua calcinha para o lado e vou metendo dentro daquela xota reluzente.

Seu corpo se tensiona feito um fio elétrico desencapado, mas sua xota está faminta e vai lentamente engolindo aqueles centímetros.

– Ah, meu Deus... eu não faço issoooo!!

– Se há duas putas num quarto, *eu* sou a psicótica. Sempre!

Então meto até o fundo, forçando um gemido. – Ah...

Vou estocando a piranha com tudo que ela merece, enquanto roço o meu clitóris na base do vibrador.

– Puta merda, vá mais devagar! Você está me machucando...

– Cale essa boca... sem dor não se ganha porra nenhuma – provoco, ainda metendo e pressionando a base do vibrador no meu osso pubiano com longos movimentos dos quadris. Depois do que parece ser apenas um segundo, nós duas gozamos feito leoas no cio.

O descanso pós-coito é apenas burocrático. Rapidamente, eu saio de cima dela e me visto, enquanto ela senta na cama, chocada, com os joelhos encolhidos sob o queixo, em um estado dissonante que oscila entre vítima de estupro e alguém que acaba de dar a melhor trepada da sua vida.

– Obrigada, meu bem.

– Hum... é, tudo bem. Obrigada – ela consegue dizer. Vai passar anos trabalhando essa crise de identidade. Então ergue o olhar e diz: – Você se veste toda e finge ser feminina como as gêmeas Olsen... você é uma escrota abjeta e perversa!

– Pode crer – reconheço com uma piscadela, já saindo porta afora.

17
CONTATO 7

Para: lucypattybrennan@hardass.com
De: michelleparish@lifeparishioners.com
Assunto: Você está com tudo, gata!

Ora, obrigada!
Você verá que as Páginas Matinais serão uma ajuda e tanto com essa sua cliente difícil!

bjs
Michelle

Para: michelleparish@lifeparishioners.com
De: lucypattybrennan@hardass.com
Assunto: Sucesso

Michelle

Estou em cima do lance, benzinho! Espero que as Páginas Matinais me ajudem a descobrir onde está o bloqueio. E então abram caminho para que a merda presa saia como deve, e não fique entupindo tudo, fazendo com que ela inche feito uma jamanta!

Superestrela Michelle! Amo você!

Tudo de bom, bjs

Luce

18
PÁGINAS MATINAIS DE LENA 2

Lucy me deu estas Páginas Matinais para escrever, feito aquelas que Kim me mandou tentar. Não pense, diz ela, simplesmente escreva. Bom, tá legal. Só que eu não fiz isso. Agora estou agoniada, com a bunda ardendo por causa da mordida de algum inseto, e ela está vindo para cá. Então é melhor eu escrever, embora já não seja de manhã, mas sim noite, e eu mal consiga sentar. Então, o que aconteceu hoje?

Ocasiões são ocasiões, e encontros sociais não são compromissos profissionais. Mas quando Miles me convidou para um café, eu hesitei. Sabia que ele tinha uma história qualquer com a Lucy, mas os dois com não formavam um casal. Nós dois nos conhecemos na academia, e eu estava me sentindo bem comigo mesma, porque tinha me esforçado loucamente, e pesado apenas 89 quilos! Era a primeira vez em muito tempo que eu chegava abaixo da marca de 90! Fiquei feliz e falei para Lucy que não voltaria mais àquele estado. Mas ela ainda não se mostrou satisfeita e ficou me encarando com aquele seu olhar super-rabugento.

Então Miles veio e começou a papear. Ele era um verdadeiro rato de academia, com cabelo escuro, queixo quadrado e sorriso aperolado. Havia algo nele de escorregadio e forte, mas mesmo assim funcional, como se fosse uma bancada de mármore na cozinha que pudesse falar. (Não sei se Miami simplesmente atrai os intelectualmente deficientes e vazios, ou se o sol ardente e a carne bronzeada exibida provocam um curto-circuito cerebral, induzindo assim toda essa debilidade mental.) Ele perguntou se eu queria tomar um café.

Fiquei meio lisonjeada com tanta atenção; na realidade, no início pensei, "Ah, beleza". Como Lucy anda muito tensa, porém, achei que devia esclarecer as coisas com ela primeiro. Fui até ela, olhando por cima do ombro para Miles, que estava sentado no balcão de sucos, conversando com Toby, que trabalha na recepção. Falei para Lucy que ele tinha me convidado para sair. Ela não pareceu ficar enciumada ou raivosa, muito pelo contrário. "Você deve ir. Ele é um gostosão inofensivo, burro feito uma porta. Pode ser divertido." Depois piscou para mim de um jeito tão lascivo!

Eu falei para ela que era só um café idiota!

De modo que Miles e eu saímos juntos, com Lucy ainda me lembrando para ficar no chá-verde, quando fomos lá para fora. O dia estava luxuriante, quente e perfumado, com uma difusa luz dourada refletida nos prédios art déco. Fomos para o Starbucks da Alton. Miles se mostrou amável, até encantador, mesmo que de um jeito limitado. Ele parecia tão interiorano, que eu imaginei que fosse de algum lugar como Potters Prairie, e fiquei quase decepcionada quando ele me contou que nasceu em Baltimore.

— Eu gostava de <u>The Wire</u>... era um ótimo programa.

— Nada como Baltimore — retrucou ele, parecendo irritado, e acelerando o passo pela rua. — Toda cidade tem seu lado sombrio, mas eles também deveriam mostrar o lado bom de uma cidade. Esses babacas da TV são simplesmente irresponsáveis!

Eu continuei mantendo o passo ao seu lado e disse: — Já eu penso que qualquer artista só tem a responsabilidade de ser verdadeiro consigo mesmo, contando a história que faz sentido para ele...

— A Família Soprano... esse sim foi um programa e tanto — interrompeu Miles, abrindo a porta da lanchonete e se aproximando do balcão. Não havia fila. "O que você vai querer?", ele disse e, sem esperar minha resposta, virou-se para a barista. "Quero um latte magro com soja."

Eu queria muito um daqueles muffins de blueberry com cobertura e um cappuccino. Já tinha malhado tanto, porém, que fiquei só na água com café expresso. Sem dúvida Miles faria um relato para Lucy, e eu até sentia o tal plano de dieta dela (tão difícil de seguir) pesando dentro da bolsa no meu ombro.

Conversamos muito tempo, principalmente sobre os exercícios, a dieta e o trabalho dele.

— As pessoas formam uma certa visão dos bombeiros a partir de programas como Esquadrão Resgate. Nós não somos aqueles machões vazios, pelo menos nem todos nós — disse ele, dando um sorriso meio forçado de menino.

— Tenho certeza disso — disse, um pouco constrangida por ele.

— E você... é de onde?

— Minnesota.

— Vocês tiveram <u>Os Pioneiros</u> e <u>Coach</u>, mas muitos fracassos depois disso... tipo, <u>Get a Life</u> ou <u>Happy Town</u> nunca chegaram a emplacar.

— Ao que parece, você vê muito televisão.

— Só os programas do horário nobre. Eu não fico parado em casa vendo merda — disse ele, parecendo quase ofendido. — A vida é curta demais.

Foi Miles quem sugeriu que nós fôssemos tomar algo mais forte. Eu fiquei em dúvida, porque o céu tinha escurecido e parecia que as nuvens iam se romper.

Eu não queria ficar na rua, mas estava menos inclinada ainda a ir para casa sozinha. Acho que isto mostra bem como anda a minha vida. E fez com que eu percebesse que não sabia o que estava fazendo: no Starbucks, e até em Miami.

Andamos dois quarteirões rumo norte, até um lugar chamado Club Deuce, na rua 14. Entramos já ouvindo trovoadas no ar denso, enquanto relâmpagos amarelos laceravam o céu escuro e machucado. Todo mundo ali dentro parecia conhecer Miles. Nós sentamos em umas banquetas no canto, atrás do longo balcão serpenteante do bar. Eu fiquei na vodca com soda, enquanto Miles optou por rum com Coca-Cola. Enquanto ouvíamos a chuva tamborilar na calçada, e víamos os fregueses encharcados entrarem com gratidão no lugar, continuamos conversando. A bebida estava descendo bem, calorosa e reconfortante. A bonhomie relaxada do bar contrastava agradavelmente com a chuva selvagem e implacável lá fora. Pedimos outra rodada. O clima mudou quando Miles olhou bem nos meus olhos, enrugando os lábios em um sorriso.

— Sabe, você é uma mulher muito bonita e gostosa. Fiquei só vendo você malhar com a Lucy.

Ele tinha vindo com força total, e eu não gostei. Tentei desviar o assunto para Lucy, mas percebi que ele estava se aproximando de mim, enquanto falava que não havia coisa alguma entre os dois. Sua loção pós-barba agrediu minhas narinas através da fumaça de cigarro. Havia algo na solitária TV de plasma atrás do bar sobre as gêmeas siamesas, as irmãs Wilks do Arkansas.

— Acho que o que eu quero dizer é o seguinte — disse Miles, baixando a voz e semicerrando os olhos. — Acho que seria ótimo nós fazermos amor.

Então falei para ele que eu não era assim, mas ele entendeu errado, erguendo as sobrancelhas.

— Você curte gatas?

Falei para ele que simplesmente eu não dormia com gente que mal conhecia. Miles deu de ombros, falando que achava que seu problema era que ele tendia a "trabalhar esse lado das coisas na velocidade de South Beach". Deixou seu rosto desabar até formar um sorriso, e então ergueu as mãos para puxar umas rédeas imaginárias.

— Mais devagar, caubói!

Eu queria falar para os Miles e as Lucys deste mundo que não faço sexo casual, não por ser pudica, mas porque simplesmente preciso gostar da pessoa, ou ao menos ficar empolgada, antes de dormir com ela. E com certeza não farei isso uma segunda vez, se não me afeiçoar a ela.

— É só o meu jeito — eu disse a ele. — Sexo casual sempre me parece uma masturbação glorificada com um narcisista carente de plateia.

Eu tinha a esperança de que isto poria Miles no seu lugar, mas ele nem pareceu registrar a coisa.

— Eu respeito isso, sabe, mas... eu preciso ser sincero agora... acho você uma garota gostosa, e quero muito que a gente se conheça melhor.

Uma pulsação surgiu nas minhas têmporas. Era uma daquelas enxaquecas que eu tenho de vez em quando, chegando feito uma enchente repentina. Com frequência a dor é tão intensa que produz imagens ardentes e excruciantes atrás das minhas retinas. Eu realmente precisava ficar deitada no meu sofá no escuro, ou então me distraindo: vendo animais bonitos na internet, escrevendo e-mails, ou até misturando resinas na minha oficina. Só não queria mais ficar em um bar barulhento com aquele sujeito.

Enquanto o volume do sistema de som aumentava, eu me sentia cada vez menos presente. Os olhos de Miles pareciam afundar na sombra de suas órbitas profundas e escuras. Eu mal conseguia enxergá-los, mas ainda ouvia a voz dele, suave e insistente.

— E eu não gosto de fazer joguinho — disse ele, com o rosto soturno telegrafando a mensagem dolorosamente sincera que eu deveria lhe dar.

— Sei...

E então ele disse: — Porque a sinceridade é a moeda mais incrível que você pode trocar em qualquer relacionamento.

Era exatamente esse tipo de coisa que Jerry dizia. Eu quase tive vontade de rir, qualquer coisa para esquecer aquela dor pulsante na minha mandíbula, e que perfurava a depressão em que eu já estava afundando. Álcool em demasia. Enquanto Miles gritava, pedindo outra rodada, eu fiquei pensando em Jerry, que sempre me incentivava a beber, para então mandar que eu tirasse toda a roupa e ficasse parada no umbral do banheiro. E depois me virasse. E outra vez. E em Lucy. Que me mandou fazer a mesma porcaria.

Eu devia ter protestado. E foi o que fiz, quando senti a língua de Miles na minha orelha.

— Não — gritei, fazendo com que algumas pessoas se virassem. Dei um empurrão em Miles, levantei e saí correndo até a Collins, onde fiz sinal para um táxi. Não sei se ele veio atrás de mim, gritando meu nome: LENA, ESPERE, ou se isto foi só algo que imaginei em meio ao turbilhão caótico na minha cabeça.

O taxista, um latino, tinha uma cruz pendurada no retrovisor, com estatuetas de Jesus e da Virgem Maria nos dois lados do painel. Ele sorriu para mim com algo que parecia pena. Eu permaneci em silêncio, enquanto o táxi cruzava as ruas inundadas.

Quando cheguei em casa, não conseguia parar de pensar em Jerry. Os bons tempos: quando ele e eu éramos intocáveis. Comecei a chorar. Mandei um e-mail para mamãe e continuei on-line a fim de pedir uma pizza de chorizo e uma torta de limão inteira. A pressão da enxaqueca diminuiu, enquanto eu visitava o site Cute Overload. A comida foi entregue cerca de quarenta minutos depois. Eu me acomodei no sofá e liguei a TV em um filme onde Al Pacino era um diretor de cinema hollywoodiano, escondendo do mundo que sua estrela principal, descoberta por ele próprio, é na verdade um programa gerado por computador. Eu olhei para a pizza, vendo os óleos que manchavam a caixa de papelão, e as fatias vermelhas de chorizo que contrastavam vividamente com o queijo derretido onde se encaixavam. Então me concentrei na torta dentro do recipiente plástico, já na expectativa daquele maravilhoso laivo cítrico, afiado feito uma lâmina, presente em cada mordida. Mas primeiro a pizza. Uma fatia de cada, e depois para a geladeira com o restante. Um regalo que duraria a semana inteira.

O personagem de Pacino estava usando a estrela gerada por computador para se vingar da ex-esposa, interpretada por aquela linda atriz Catherine Keener. Ela nunca, jamais teve, e nunca, jamais terá, um só quilo de excesso de peso na vida.

Então os créditos finais apareceram, acabando com o meu transe. Eu olhei para a embalagem vazia no chão à minha frente. Toda a comida se fora. Senti uma pontada ardente de medo no peito, enquanto lágrimas escorriam no meu rosto. Calculei as calorias e uivei de dor.

Meu ímpeto inicial foi ir até o banheiro e me forçar a vomitar tudo. Em vez disto, fui para o meu ateliê para tentar trabalhar mesmo assim, como Lucy sugerira. Estava do lado de fora, mexendo freneticamente com a chave na fechadura, tentando desesperadamente me transportar para outro lugar, onde pudesse esquecer o que acabara de fazer, quando senti uma horrível dor ardente na nádega, como se algum inseto tivesse me picado!

Voltei para dentro de casa agoniada e meio mancando e deitei de bruços no sofá, afogada em lágrimas de desespero. Meu celular começou a vibrar: era Lucy. Contei o que me acontecera (a mordida, não a comida), e ela falou que vinha para cá imediatamente. Eu me forcei a levantar e escondi as caixas vazias embaixo da cama, pois sabia que ela revistaria todos os armários. Ainda precisava escrever as tais Páginas Matinais, que na realidade até fizeram com que eu me sentisse melhor. Então liguei a esteira que tinha instalado na sala e comecei a caminhar, embora meu traseiro ainda estivesse ardendo.

19

BALA NA BUNDA

Levantei cedo e enfiei o Total Gym inteiro dentro da mala do carro. A manhã foi gasta na MMMA e em um pouco de kickboxing com duas policiais sapatonas estressadas, cuja ronda inclui Little Haiti. *Sacré bleu!* Depois almocei no Whole Paycheck: uma lasanha de trigo com espinafre, sobre um leito de mais espinafre, não mais do que 500 calorias anotadas no Lifemap do iPhone. E então rumei para a erroneamente denominada Bodysculpt, a fim de encontrar Sorenson.

Ela estava pesando 89,5 quilos. E sim, isto foi na balança oficial. Mas ainda está indo devagar demais. Os gritinhos de contentamento que ela deu, ao saber que estava abaixo de 90, simplesmente me irritaram pra caralho. Resolvi que ia exercitar a sua bunda até queimar aquela merda toda. Comecei com o aparelho elíptico, fazendo um treino de 4 x 15 minutos, e aumentando o nível de resistência de 8 para 10, depois 12, até 14. Quando Miles chegou, já dando aquele sorriso fácil que passa por simpático até você perceber que o cara é simplesmente um tapado, eu passo Lena para uma esteira, a dez quilômetros por hora.

Depois de se alongar um pouco, Miles sobe na esteira ao lado. Sorenson até se virou, ao ser cumprimentada por ele com um meneio de cabeça e um sorriso. Ele fez algum comentário piegas que eu não consegui ouvir. Lena respondeu com um sorriso hesitante, mas não parecia feliz ali. Não apenas estava sendo trabalhada por mim com um gradiente aumentado, como a cada quatro minutos eu ordenava que ela desse tudo durante um minuto inteiro.

– Estou tentando acelerar o seu metabolismo.

Ela reagiu com a recalcitrância emburrada das gordas fracassadas. De nada adianta. *Você faz o que eu mando, porque eu sou o poder maior, sou a deusa do corpo, e você vai se submeter a mim...* Durante os últimos cinco minutos, aumentei o ritmo para dez, pedindo que ela desse tudo nos últimos dois. Enquanto ela arquejava rumo ao fim da sessão, eu apontei para o contador calórico.

– Setecentos e vinte e dois! É *isso* que eu preciso de você. É *isso* que você precisa me dar!

Ela ergueu a mão trêmula para espalmar a minha, e foi, ainda suando e ofegando, até o balcão de sucos, tomar uma poção de cenoura e brócolis. Com a toalha enrolada nos ombros, Miles foi gingando até lá, e eu ouvi sua voz.

– Você parecia estar se esforçando muito hoje.

Então chegou a minha simpática velhota judia, Sophia Rosenbaum. Ela perdeu o marido recentemente. Levou muito tempo para tornar a sair e começar a fazer coisas. Então eu lhe dei uma série leve na bicicleta, a fim de proteger seu joelho, já reduzido a estilhaços flutuantes de osso e cartilagem pelo assédio do tempo. Fiquei escutando suas histórias sobre filhos e netos em lugares distantes, mas o tempo todo continuei espionando Miles e Sorenson.

E sim, depois de sumir no chuveiro, Lena reaparece com o rabo todo açucarado, a fim de obter minha aprovação para sair com Miles, que já está aguardando junto à porta, também depois de tomar uma chuveirada, pentear o cabelo e mostrar os dentes que ainda secam. Aprovação? Se a porra desta bobinha soubesse que eu só armei esta foda para acabar com as merdas que ela tem dentro! Eu volto a Sophia assim que os dois se esgueiram porta afora.

Depois de supervisionar a série de Sophia e tomar um chá gelado com ela, eu peguei as chaves daquele verdadeiro pombal que mamãe e Lieb têm no centro e rumei para lá. Já no último andar, dei uma olhada pela janela. Em um lado, podia ver a Interestadual 95 com carros passando, mas calçadas desertas. Sim, dá para malhar aqui, e com total privacidade, de modo que desci outra vez. Levei o Total Gym da mala do Cadillac até o elevador e instalei o equipamento no apartamento de mamãe. Então fui à academia ao lado, percebendo que as esteiras têm um conjunto de rodas que você abaixa usando um pedal. Empurrei uma delas até o apartamento. Nada legal, mas puxa... eu só estava pegando emprestado. Depois de olhar a viga de aço lá em cima, fiz uma rápida pole dance, estilo strip, em uma das pilastras, que é da grossura de um cano, enrolando minhas pernas nela e sustentando meu próprio peso facilmente ao ficar pendurada ali, enquanto deixava que o sangue descesse para minha cabeça. E ainda tentei imaginar alguém como Sorenson fazendo aquilo! Depois comecei a malhar decentemente, vendo o céu mudar por trás de todos os prédios desertos ao meu redor.

No início da noite fui até a MMMA e fiz uma sessão no ringue, treinando combinações de golpes de boxe com Emilio. Se a Bodysculpt é uma boate imaculada, então a MMMA é uma fábrica de fundo de quintal. Na fileira de aparelhos, o som dos grunhidos tensos e do choque de metal-sobre-metal lembra uma latrina só para pessoas cronicamente constipadas em algum pátio ferroviário decadente. Isto é intensificado pelo estridente sinal dos assaltos de boxe, com sua autoritária sequência de verde-âmbar-vermelho. Do outro lado do hangar, grupos de boxeadores golpeiam seus sacos de pancada, em combinações comandadas pelo instrutor, acima da insistência martelante de um hip hop urbano.

Emilio e eu temos um laço; ambos guerreiros, sim, e ambos quase suficientemente bons. Digam o que disserem, existem vencedores, e existe o resto. O segundo lugar é como se fosse o último. Eu atingi meu limite no Marriott Orlando World Center em 2007, quando perdi a última chance de me tornar campeã mundial de muay thai. Já tinha chegado à semifinal em Cedar Rapids, Iowa, no ano anterior, mas enfrentara uma garota que era um touro. Nem consigo dizer seu nome, mas ela parecia Marvin Hagler de collant, com golpes mais rápidos e fortes. Nós nos reencontramos no ano seguinte. Eu tinha treinado feito louca e estava no auge para aquele reencontro. Mais uma vez, lutei bravamente, mas aquela sapata animalesca se diplomara em machucar os outros e escoiceava feito uma mula. Não faz bem à alma ficar ruminando duas derrotas importantes, portanto direi apenas que percebi que jamais superaria aquela piranha, quase quatro anos mais nova do que eu. Fim da minha carreira competitiva.

Emilio entende isso. Existe uma bela foto dele na lona, depois de ser nocauteado pela primeira vez. Obviamente não fica exibida ali, mas eu já vi a foto, e até consigo me identificar com aquela expressão tipo que-porra-acaba-de-acontecer? Nem tanto de medo, mas de reconhecimento lento e triste de que ele acabara de atingir o seu limite, enquanto o carrasco se pavoneava de pé ao lado dele. Mas eu adoro a coragem de Emilio; ele optara pelas almofadas de um lutador agressivo, em vez de recorrer ao escudo completo, e isto significava que precisava ser rápido para se proteger das combinações de golpes que ordenava que eu executasse. Suas narinas se abriam, com o rosto reluzente de concentração, enquanto eu descarregava uma série de golpes e chutes em cima dele.

Quando acabamos, tive minha primeira sessão com Annette Cushing, que me impressionou ao manter a compostura quando entrou naquele ambiente cavernoso. A maioria da clientela da Bodysculpt não conseguiria passar por essas portas. Levei Annette até um dos sacos pesados e mostrei a ela como enfaixar as mãos. Fizemos um bom aquecimento de quinze minutos, antes que eu passasse a demonstrar a postura de luta e os passos básicos. Então fiz Annette ficar treinando os movimentos comigo no espelho durante dez minutos. Depois mostrei a ela toda a gama de golpes e chutes nos sacos de pancada, aumentando o seu ritmo até uma intensidade alta, só interrompendo para refinar sua técnica. Terminamos com uns exercícios de condicionamento abdominal e alongamento. Annette estava esgotada, com o suor jorrando do corpo. Também estava eufórica feito uma puta viciada em crack com um bilhete de loteria ganhador dentro da bolsa. "Nunca tive um treino como este antes, Lucy. Achei o máximo!"

Música aos meus ouvidos, pois eu sabia que Mona, com seu Pilates de *femme*, ficaria lívida. Portanto, tudo bem. Nós duas ainda combinamos outra sessão, antes de Grace Carillo chegar. Fui treinar junto com ela nos pesos e nas barras.

Tomando uma chuveirada mais tarde, tentei não pensar na xota de Grace (raspada, imaginei, com o interior rosa-shocking todo aberto, fazendo um belo contraste com a pele cor de ébano), e depois fui tomar um suco com Emilio antes de partir.

Então chego em casa, sem fotógrafos ou jornalistas à vista, e tento ver as reprises de *O grande perdedor* (às vezes Bob e Jillian têm uma paciência de santo), mas não paro de pensar se Miles estaria fodendo com Sorenson.

Pego o vibrador, louca para satisfazer minha xota, mas fico frustrada ao ver que estou distraída demais para realmente curtir a coisa. Distraída demais até para ver *Exterminador do futuro 2*, eternamente no meu DVD player, e que é a porra do melhor filme já feito, e um dos melhores filmes feministas de todos os tempos. Podem esquecer aquele monstro de esteroides e pau encolhido; em termos de uma pessoa fria, durona, quase demente, Linda Hamilton é o máximo. Já aquela piranha anoréxica que substituiu Linda no papel de Connor na série de TV: nem por um caralho. Aqueles braços débeis nunca içaram seu corpo acima de uma barra de exercícios. É só ver que as flexões jamais são feitas em plano aberto. Que tal nos dar a porra de algum crédito, produtores de TV?

Resolvo então dar alguns telefonemas, tagarelo um pouco com o chef Dominic e depois envio e-mails, principalmente para clientes. Mas só consigo pensar em Miles e Lena. A curiosidade acaba me dominando e eu pulo dentro do Cadillac, seguindo para a casa de Sorenson ao norte. Quando chego lá, está começando a escurecer, o ar quente e denso. Eu bato na porta. De novo. Mais uma vez. Ela não está em casa!

Fico esperando no Cadillac, tentando imaginar como seria o sexo entre eles. Miles é, essencialmente, um homem de enfiar-e-bombear, sem um só osso sensual em seu corpo robótico. E é difícil ver o que Sorenson traria para a mesa carnal, se é que ela traria algo. Simplesmente tenho esperança de que Miles fique estocando Lena até ela entrar em uma espécie de êxtase.

Dou uma volta de carro, ouvindo a versão de Joan Jett para "Roadrunner" na porra do volume máximo e acompanhando em voz alta. Então me vejo cruzando Little Haiti; sempre fico surpresa ao me deparar com um pub inglês bem no meio deste bairro, e vejo pequenos grupos de expatriados britânicos gordos, que no conjunto parecem pacotes de salsichas roliças de loja de conveniência, entrando no bar.

São cerca de onze horas quando volto à casa de Sorenson. Seu carro está na entrada da garagem. Eu paro no estacionamento de um supermercado e só depois me aproximo do portão dela. Quando me agacho, consigo vê-la através da janela. Ela só podia estar na casa de Miles. Mas não tem aquele ar de mulher recém-comida. Parece nervosa: corre para fora, depois volta, enquanto eu me escondo atrás da moita de hibisco. Essas constantes idas e vindas entre a casa e o ateliê, sem qualquer razão específica, estão começando a me irritar pra caralho.

Eu me esgueiro de volta até o Cadillac e tiro da mala minha pistola de ar comprimido calibre 22, esquadrinhando cautelosamente a rua silenciosa. Ali em torno está sempre deserto, mas tenho consciência de que ainda assim seria um risco.

Fico espreitando atrás de um grande arbusto florido nos fundos da casa. Então Sorenson aparece no jardim outra vez, acionando uma iluminação automática e fazendo com que eu pule outra vez para trás da moita de hibisco. Algo estala sob os meus pés, mas Sorenson não parece ouvir, enquanto luta com a fechadura da porta do seu ateliê na semiescuridão, à luz apenas da débil lâmpada ligada pelo sensor de movimento. Já tenho a arma apontada para a sua bunda inchada, que vira um alvo quase impossível de errar naquele short de Lycra.

– Droga – diz ela para si mesma, enquanto eu aperto o gatilho e ouço o ar sibilando. – Ui... o que é... ah, meu Deus... ah... ah... ah...

Então vejo Sorenson boquiaberta, esfregando a bunda enquanto olha em volta, confusa e dolorida.

Enquanto ela manca de volta para a casa, fazendo caretas e massageando a bunda, eu vou recuando em direção à rua, cruzando o portão aberto e dobrando a esquina até chegar ao meu carro. Pego o telefone e digito o número dela.

– Lena S? É Luce – digo, com voz atrevida de gueto. – Qual é a boa, amiga?

– Ah, Lucy, eu não estou bem! Minha bunda acaba de ser picada! Não sei o que aconteceu!

– Picada? Tipo por um inseto?

– Acho que sim, mas parece que fui esfaqueada, tamanha é a dor!

– Onde foi isso? Quer dizer, onde esse inseto picou você?

Silêncio. Então...

– Já falei pra você, na minha bunda.

– Nossa – digo, abafando um ataque de riso. – Desculpe... quando você falou que sua bunda tinha sido picada, achei que fosse no sentido genérico, não literal. Estou indo aí. Chego em meia hora, mais ou menos.

Quando chego na casa de Lena, vejo que seu rosto continua contorcido de dor, enquanto vou entrando atrás do seu rabo bamboleante.

– Minha bunda está tão dolorida...

– Que chato – digo em tom solidário, enquanto entramos na sala. – O problema do clima aqui é que estamos cheios de espécies invasoras. Duvido que o bicho que atacou você seja nativo daqui. Ontem à noite vi um programa na PBS sobre essas cobras pítons atacando crocodilos nos Everglades.

Então me calo, totalmente chocada, ao ver uma esteira instalada diante da TV. Impressionada é pouco!

– Muito bem!

– Pensei que eu podia queimar umas calorias enquanto via a HBO e o Showtime.

A porra da piranha está sendo bem específica, só para esfregar na minha cara a sua TV a cabo, sabendo que eu só tenho a rede aberta.

– Você fez as tais Páginas Matinais?

– Fiz. – Ela aponta para seis folhas de papel sobre sua mesa no escritório.

– Que bom. – Eu apanho tudo.

– Preciso confessar que só escrevi isso agora, esqueci de fazer de manhã – diz ela. Eu jogo a papelada de volta na mesa e ela continua. – Mas achei útil!

– Por que você acha que elas se chamam Páginas *Matinais*? Hein? Hein! Porque devem ser escritas na porra da manhã! Isto aqui não presta – rebato.

– Não grite comigo! Eu tive um dia ruim!

Eu baixo o tom um pouco, porque ainda preciso inspecionar a sua bunda.

– Tá legal, Lena, desculpe – digo com voz mais suave. – Agora me mostre essa ferida...

Logo tenho Sorenson deitada no sofá, embaixo de mim, com a calça arriada até os tornozelos. A calcinha continua no lugar, só que puxada para dentro do rego a fim de expor aquelas grandes nádegas brancas e arrepiadas. Ela deve ser a garota mais branca do sul da Flórida. *Eu vou marcar a ferro e fogo a bunda branca feito um lírio desta piranha gorda!*

– Um machucado feio – digo a ela, enquanto passo antisséptico na ferida, que já está ficando amarela, com manchas azuis e pretas em torno do rasgão vermelho causado pelo tiro. – Uma espécie invasora... eu apostaria meu dinheiro nisso.

Puta merda, eu poderia separar este globos bamboleantes até ver os pelos pubianos da sua xota se enroscando na calcinha e... não, melhor manter o tom profissional.

– Só vou limpar isto aqui – digo, percebendo que minha voz ficou grave e rouca.

– Hummm – murmura Sorenson para a almofada.

Depois de limpar a ferida e colocar um Band-Aid, eu levanto. – Prontinho.

Então ficamos sentadas lado a lado no sofá, assistindo à sua TV de plasma matadora, 70 polegadas. Sorenson tenta apoiar seu peso longe da nádega machucada. As gêmeas siamesas estão de volta em um programa informativo sobre o distúrbio delas. O programa mostra fotografias históricas de antigos portadores dessa condição. O comentarista é um ator que parece uma bichona esnobe. "As gêmeas siamesas são classificadas pelo ponto em que seus corpos se unem", diz ele. "Amy e Annabel Wilks pertencem ao terceiro tipo mais comum de gêmeas siamesas, as gêmeas onfalópagas, que abrange cerca de 15% dos casos. Os dois corpos se fundem na parte inferior do peito. Os corações estão separados, mas elas compartilham parcialmente um fígado, o sistema digestivo e alguns outros órgãos."

– Dividir uma xota? Tô fora!

– Coitadas dessas meninas – geme Lena. – Duvido que elas dividam uma vagina, mas devem dividir certas terminações nervosas. Portanto, para todos os meios e fins, isto significa que, caso este tal de Stephen esteja fazendo sexo com uma delas, tecnicamente está fazendo sexo com ambas. Isso é doentio. É um estupro!

– O quê?

– É sem o consentimento dela. A Amy.

– Não fode! Você só pode estar brincando!

– Bom, mas é!

– Eu já vejo diferente. Você está dizendo que é legal a coitada da Annabel não poder ser comida pelo garoto que ela ama, só porque a piranha frígida da sua irmã, Amy, aquela porra de *anexo*, não quer dar pelo bem da equipe?

– Isso é escroto, Lucy. Que espécie de feminista você é?

– Uma que é comida de vez em quando. Já você parece ser da outra variedade – sugiro, vendo uma mancha avermelhada subir pelas faces de Sorenson. – Então, estou louca para perguntar... como foi o negócio com o Miles, lá da academia?

– Legal – diz Sorenson, olhando para mim e pinicando as unhas.

– Vá adiantando os detalhes sangrentos. Você pulou em cima da porra dos ossos dele?

– Pare com isso.

– Vamos lá! Jesus, Lena! Vocês dois treparam?

– Não é da sua conta!

– Isso é um "não"?

– Às vezes você parece uma universitária desbocada, Lucy – diz ela, com ar emburrado. Depois levanta e sobe na esteira. A velocidade marcada é de apenas seis quilômetros por hora, mas pelo menos ela foi para lá sem eu precisar mandar.

– Isso, Lena!

Então fico tentando ver além da gordura, aquela gordura horrível e desfigurante. O que vejo? Dois olhos fixos e uma boca tensa em um rosto pálido que em um dos lados tem uma crescente de verrugas, feito uma constelação; somente o aspecto tenso e assustado impede que esse rosto seja lindo. E uma cabeleira frisada, batendo no colarinho, sempre sendo afastada dos olhos e enfiada atrás das orelhas.

Depois do seu "exercício", nós vamos para o ateliê. Mais uma vez o cheiro de resina e substâncias químicas deixa meus olhos marejados. Eu pisco até clarear a visão e vejo uma pilha de ossos plásticos que ela fabricou com seus moldes descansando sobre a bancada. Ela agora tem o esqueleto do homem alienígena grandalhão pendurado feito uma marionete por uma série de arames, ligados a uma viga no teto. Tudo parece expressivo e macabro.

– Isto está realmente tomando forma.

– Eu sei, mas há algo que ainda não está certo – diz ela, pegando uma câmera e tirando mais fotos da peça, a fim de complementar as outras que já tirou em ângulos diferentes, e que estão fixadas em uma série de painéis.

Então ela pega sobre a bancada um crânio que ergue para a luz. Depois o compara com o crânio em fibra de vidro do homem alienígena.

– Isso não é um crânio *humano*, é? – pergunto.

– Não. É de um gorila. Ele morreu recentemente no zoológico de Atlanta. E me custou muito dinheiro chegar à fonte. Infelizmente, não serve.

Lena sorri para mim e durante um segundo me vejo tomada por um nervosismo terrível. Depois ela põe o crânio de volta no lugar e a sensação passa.

20

HUMANO FUTURO – O PROCESSO

Como artista, Lena Sorenson é vaga sobre seu processo, descrevendo-o como "diferindo de projeto para projeto". Fica claro, porém, que ela faz extensos esboços de suas paisagens, e só depois desenha os personagens dentro delas. Também é sabido que Sorenson começou a usar ferramentas de pré-visualização computadorizada, construindo cenários e projetando as figuras nestes espaços, a fim de manipular suas posturas e relações entre si.

– Eu queria sentir que essa imagem, embora fosse parte de um cenário cambiante, dava a mesma sensação estática de permanência que um esboço daria. E essas ferramentas me ajudam a definir com exatidão as relações espaciais corretas entre as minhas figuras.

Só então Sorenson, que estudou taxidermia, estrutura o esqueleto das criaturas. Em obras menores, geralmente isto é feito a partir dos ossos preservados de pequenos pássaros e mamíferos. Sorenson cria uma criatura "nova", misturando partes dos esqueletos de criaturas velhas para formar sua moldura, combinando ossos de braços, pernas e colunas vertebrais. Em composições maiores, os ossos grandes (principalmente o crânio e a pelve, que ajudam a definir tanto o aspecto quanto a postura, e consequentemente tanto as expressões quanto o movimento desta "nova" criatura) são mais problemáticos. Em geral, estes são criados a partir do zero, por meio da confecção de moldes. Sorenson então junta com arames os ossos de cada seção. O estágio seguinte é colocar "carne" nesses ossos. A maneira de fazer isto é mantida em segredo por Sorenson, mas provavelmente envolve o uso de algum material sintético semelhante a argila, que é esculpido em torno dos ossos para formar a figura, antes que a estrutura inteira seja colocada em uma caixa grande, e moldes sejam feitos da forma. Então Sorenson remove a "carne" das estruturas ósseas e as coloca nos moldes já prontos, despejando lá dentro uma resina que endurece em torno delas.

Isto produz um boneco, ou, de forma crescente, uma figura em tamanho natural, com uma "pele" exterior marrom-esverdeada. A resina moldada é suficientemente translúcida para deixar visíveis os ossos suspensos em seu interior. Sorenson alega que foi influenciada subliminarmente pelos pedaços de fruta incrustados nas gelatinas de sua mãe. Ela ainda aplica técnicas de fabricação de modelos para acrescentar detalhes; por exemplo, frequentemente coloca nos seus corpos cabelo humano de verdade.

21
CONTATO 8

Para: lucypattybrennan@hardass.com
De: michelleparish@lifeparishioners.com
Assunto: Sucesso

Só posso dizer que meu mantra sempre foi custe o que custar. Eu não aceito o fracasso. Jamais. Obtenha sucesso por qualquer meio necessário.

Como estão indo as Páginas Matinais?

Michelle

Para: michelleparish@lifeparishioners.com
De: lucypattybrennan@hardass.com
Assunto: Sucesso

Obrigada. Eu torcia desesperadamente para que você dissesse isso, mas lá no fundo já sabia que a resposta seria essa mesma. Agora estou mais convencida do que nunca de que tenho razão. Você é realmente uma visionária inspiradora, Michelle!

bjs
Luce

Para: lucypattybrennan@hardass.com
De: michelleparish@lifeparishioners.com
Assunto: Sucesso

Uau, quantos elogios! Obrigada! Eu tento!

bjs
M

P.S.: E as Páginas Matinais?

Para: michelleparish@lifeparishioners.com
De: lucypattybrennan@hardass.com
Assunto: Sucesso

Eu tentei, e ainda estou tentando, as Páginas Matinais. Você tem clientes motivadas, Michelle, mas esta piranha... bom, francamente, ela não tem respeito. Mandei a bundona preguiçosa escrever as Páginas Matinais, mas é claro que ela não fez isto. Simplesmente alinhavou uma merda às pressas, quando eu fui até a sua casa à noite, porque algum inseto tinha picado sua bunda gorda.

Falei para ela que aquelas páginas não serviam e que eu não queria ver aquilo. Ainda mencionei que se chamam Páginas Matinais porque devem ser feitas de MANHÃ! Dã!

bjs
L

22
UM AMBIENTE CONTROLADO

Novamente há um punhado deles lá fora, na frente do prédio, só parados ali, ou sentados em carros estacionados. Em geral ao menos dois, às vezes mais. Por que fazem isso? Que porra eles querem? Em qualquer dia do ano, aqui em South Beach sempre há umas cem minicelebridades fazendo babaquices em festas. Ainda assim, sempre que este pessoal me esquece, a dupla Quist e Thorpe volta a intoxicar as telas com aquele seu número. Valerie já não retorna os meus telefonemas; depois de mandar um ou outro torpedo dizendo *Suma de vista*, e conferir se eu recebi o tal Total Gym gratuito, a piranha me riscou da sua vida.

A porra das Páginas Matinais? Como se fosse possível sair da merda *escrevendo*? Vão se foder, precisamos cair na real.

As estatísticas de Sorenson simplesmente não são aceitáveis. Começamos o programa há quase duas semanas e ela só perdeu três quilos e meio. Neste ritmo, vai levar um PORRILHÃO DE ANOS QUE EU NÃO TENHO para deixar em forma aquela fracassada que só desperdiça o meu tempo. Quanto mais ela liga, e quanto mais nos vemos, pior minha vida parece ficar. Fico irritada ao ver que aquela maluca da porra me meteu nesta confusão. Se a gorducha bunda-mole não tivesse me filmado com a porra do telefone, e mandado o vídeo para aqueles pentelhos da TV, eu jamais teria atingido tal nível de celebridade, nem virado alvo da subsequente caça às bruxas. E agora ela ainda continua me sacaneando!

É necessária uma ação drástica.

Como não consigo arrancar coisa alguma da Porquinha Premiada de Potters Prairie, eu ligo para Miles.

– E então, o que rolou? Ou devo dizer, quem rolou com quem? A mangueira desse bombeiro aí entrou em ação?

Um silêncio cauteloso é seguido por uma confissão bundona.

– Eu não consegui comer essa Lena. Acho que ela ainda está mal por causa do ex-namorado. Todos nós já tivemos nossos corações partidos, Lucy. Você não conhece a história pregressa das pessoas. Não pode se aproveitar de alguém nessa situação. Ela é uma garota bacana.

Pentelho inútil. Vá se foder.

– Tá legal. Você tentou. E fracassou. Mas a culpa é minha... obviamente, a tarefa estava muito além de você.

– Lucy...

Eu desligo. Outro viado a fim de paparicar os fracos. Por quê? Porque é um deles. Um pacote com seis cervejas e uma bela musculatura peitoral não mudam isso.

Portanto, foda-se ele. Se você quer alguma merda feita, trate de fazer a porra pessoalmente. Não pode depender dos outros. Todos só pensam em si mesmos. Vão foder você em troca de qualquer ganho pessoal de bosta. Então você precisa ser forte. Precisa esmagar todos os filhos da puta com seu calcanhar, porque não se iluda, eles estão prontos a fazer o mesmo com você, assim que mostre a porra de um sinal de fraqueza.

Eu chego na casa de Sorenson. Apesar de entrar cautelosamente no Cadillac, ela está animada.

– Aonde nós vamos hoje? À academia? Ao Lummus Park? Ou ao Flamingo Park?

– Vamos misturar as coisas um pouco – digo a ela, enquanto pegamos a MacArthur rumo ao centro de Miami. – É surpresa.

– Eu gosto de surpresas!

Então estamos subindo de elevador até o vigésimo andar no prédio de mamãe. Quando saltamos, digo a Sorenson que vamos subir correndo os degraus até a cobertura no quadragésimo andar. Um queixume lamuriento irrompe.

– Por que não podemos usar aquele aparelho, o StairMaster, lá na academia?

– Não, precisamos misturar as coisas. Desta vez vamos subir escadas de verdade. Até o topo, lá em cima. Só que há uma recompensa esperando no apartamento da minha mãe: uma comida nutritiva bem saudável, além de um daqueles shakes de proteína com manteiga de amendoim e chocolate preto que você tanto adora.

O brilho da gula incendeia os olhos de Sorenson, destruindo as gastas sinapses escandinavas que provavelmente vêm amaldiçoando sua família há gerações. Quase consigo enxergar as papilas gustativas dançando dentro daquela caverna voraz que é a sua boca.

E nós partimos...

– Vamos lá, Lena... upa, dois, três, quatro – comando, apontando para as escadas e deixando que ela siga arquejando no meu rastro. Depois de alguns andares, os arquejos se tornam menos audíveis. Logo percebo que deixei a porra da idiota para trás.

Vou subindo de marcha a ré, e então paro em uma curva, vendo aquela lesma ofegante, inchada e de rosto avermelhado na luta para rodear outro patamar.

– Vamos lá! Você consegue!

No trigésimo segundo andar, o rosto escarlate de Sorenson ergue o olhar para mim. É o rosto de uma criança gorda e mimada.

– Ah... ah... ah...

– Vamos lá, Lena Sorenson! Você vai conseguir!

– Vou tentar...

– Não *tente*... faça! Quem tenta é choramingas. As vencedoras não tentam porra alguma, as vencedoras fazem! Tentar é se preparar para fracassar! Faça! FAÇA! FAÇA! Você fez as suas Páginas Matinais hoje de manhã?

– Eu nunca... eu queria, mas...

– ASSIM NÃO DÁ! ESTA PORRA NÃO DÁ! FAÇA! VAMOS LÁ! FAÇA! FAÇA! FAÇA!

No trigésimo sexto andar, a porra da Sorenson fracassada e desobediente já está só rastejando. Suas pernas fracas e atarracadas lutam para encontrar a energia pneumática que consiga içar aquele nojento monte de banha até o próximo lance de concreto.

– Ah, meu Deus...

– *Tire* as suas mãos da porcaria do corrimão! – grito. – Vamos lá, Lena, meu bem, vamos lá, mostre a eles quem é Lena Sorenson. Ela é uma vítima gorda e bundona?

O rosto de Sorenson ergue para mim um olhar pesaroso.

– Por favor – implora ela.

Eu desço e agarro seus ombros com força, sentindo toda a carne que há ali. Só que eu *não* deveria estar sentindo carne frouxa e pelancuda em cima de *ombros*. Então cravo minhas unhas naquela banha horrível.

– ELA É UMA VÍTIMA GORDA E BUNDONA? DIGA QUE NÃO! DIGA A PORRA DE UM NÃO, LENA!

– NÃO!

O grito desafiador e sofrido de Sorenson ecoa nas escadas do prédio fantasma, enquanto ela cava mais fundo, galvanizando e forçando sua carcaça bamboleante.

– ESTA É A MINHA GAROTA! ESTA É A MINHA LINDEZA DE GAROTA! LENA SORENSON É UMA GOSTOSONA QUE VIRA A CABEÇA DE TODO MUNDO EM TUDO QUE É PORRA DE BAR DA OCEAN DRIVE!

– SIM!

E lá vamos nós outra vez. Lena segue bufando e grunhindo a cada degrau, com o metabolismo acelerado a tal ponto que ela ainda passará horas queimando gordura.

– Lena S é uma máquina de queimar gordura!

– Má... qui... na... de.. quei... mar... gor...

Nos últimos lances de escada, Sorenson já está rastejando. Ela termina, literalmente, de joelhos.

– Vamos lá, Lena! Levante!

Ela obedece e eu a levo para dentro do apartamento sem mobília. Aqui só há a esteira de mamãe, o Total Gym e uma cadeira, além do colchão inflável e do edredom que eu trouxe ontem, sobre os quais Lena se atira com gratidão.

E há as minhas provisões na cozinha, onde eu começo a picar uma banana, gritando: – Relaxe. Estique essas pernas aí.

Ponho a fruta no liquidificador, com um pouco de iogurte de baixo teor de gordura, manteiga de amendoim, proteína em pó com chocolate, leite de soja e gelo. Transformo tudo em uma polpa, acrescentando um toque do meu próprio ingrediente especial.

Quando levo o shake até a sala, vejo que Sorenson continua ofegando sobre o colchão, com o corpo apoiado nos cotovelos e as pernas estendidas no assoalho de madeira. Ela está lutando para forçar o ar a entrar nos pulmões. Só que o impulso da gula é mais forte do que tudo. Quando estendo o milkshake para ela, um punho gorducho se adianta e agarra o copo. Depois, ela enfia o canudo empinado naquele rosto lacrimoso de tomate. Se Sorenson chupa tudo como chupa a porra daquele canudo, bom, então desculpe, Miles, mas você com certeza perdeu a porcaria do bonde.

O shake desce, mas Lena não levanta do chão. Em vez disto, seus olhos se turvam, enquanto ela se estica e fica ali entorpecida. O Rohypnol funcionou, embora, devido à exaustão dela, isso fosse mais fácil do que tirar doce de criança.

Cerca de vinte minutos depois, eu sacudo seu corpo até ela acordar e empurro um café preto morno na sua direção.

– Acordando, acordando!

– O que...

– Você apagou. Beba isto...

Seus lábios finos encostam na borda da caneca, sugando um pouco de café frio, e a cafeína faz um efeito quase instantâneo.

– Eu desabei? Estou me sentindo tão derrubada... o que...

Quando eu levanto, ela vê que um dos seus pulsos está preso, pela algema forrada de pele, a uma pesada corrente de elos soldados com cinco metros de comprimento, cuja outra ponta está presa, por outro par de algemas, a uma das colunas de sustentação.

– O que é isto? Eu desmaiei? – pergunta Sorenson, sacudindo o bracelete e focalizando os olhos em mim. – O que está havendo? Lucy?

Ela esfrega o pulso gorducho, olhando incredulamente para mim, enquanto eu lhe explico o novo conjunto de regras do jogo.

– Aqui é o lugar onde você vai morar no próximo mês, pelo menos. Quanto tempo mais, depois disso, é uma decisão totalmente sua.

– Mas... mas...

– O único *mas* em que eu estou interessada é o dessa *massa* banhuda onde você está sentada. Você vai me odiar por causa disto, mas para mim já ficou cristalino que eu *não* vou conseguir realizar meu serviço, e fazer você perder peso, se não puder controlar o seu ambiente.

Sorenson me lança um olhar mudo e depois olha para a algema, sacudindo o braço novamente. Ela ri, como se tudo não passasse de um trote de faculdade.

– Mas você não pode me manter aqui por um mês! Isso é maluquice!

Eu encaro o seu olhar. – Não há maluquice maior do que tentar se matar com comida. Como dizia Einstein, a definição de insanidade é fazer sempre a mesma coisa e esperar resultados diferentes. Nada mais. Isto é drástico, sim, mas também é essencial.

Ela já percebeu que eu não estou brincando.

– Mas... você não pode me acorrentar feito um bicho – diz, levantando. No início parece meio zonza, mas depois agita o bracelete no pulso, fazendo a corrente chacoalhar no chão. – Isto é *ridículo*! Eu estou *pagando* você!

– Você está me pagando para ter êxito, e eu vou fazer exatamente isso!

– Pode me soltar! Você está despedida!

– Você já não toma mais decisões aqui, Lena. Não *sabe* tomar decisões adultas.

– Quem você pensa que...

– As suas supostas decisões são os impulsos da porra de uma criança mimada, gulosa e gorda – digo, sacudo a cabeça feito um filhote de cachorro saindo do mar. – Você mentiu para mim. Mentiu sobre o que estava comendo. Eu lhe dei a porra de um plano de dieta e você me falou que estava seguindo, mas era mentira!

Sorenson fica olhando em torno do apartamento e depois volta a olhar para mim, totalmente confusa.

– Mas eu tentei... eu...

– Até você virar uma adulta de verdade, uma mulher propriamente dita, eu vou tomar todas as decisões por você, para o seu bem. Porque as suas decisões ruins estão impactando negativamente a minha vida! Dar aquele meu vídeo para o pessoal da TV: decisão ruim! Encher a barriga de merda quando estou tentando fazer você perder peso: decisão ruim pra caralho!

Ela dá um passo à frente, embora seja forçada a recuar pela corrente.

– Mas você não pode fazer isto comigo! Está... está me sequestrando! ESTÁ ME MANTENDO AQUI CONTRA A MINHA VONTADE!

– QUE PORRA DE VONTADE? VOCÊ NÃO TEM NENHUMA! SE TIVESSE, NÃO ESTARIA NESSA CONFUSÃO! – Dou um passo na direção de Lena, berrando naquela fuça gorda, enquanto ela recua. – Sei que isto é drástico, mas você atingiu e até ultrapassou os limites da minha paciência. Aqui em cima, consigo controlar as calorias que entram e saem de você. Quero que você perca uma média de quatro quilos e meio por semana, a fim de sair daqui dentro de um mês.

Aponto para uns abajures pequenos instalados em cantos opostos da sala. – Aquelas luzes ali estão ligadas a temporizadores. Vão se acender às seis, quando escurecer, e vão se apagar às dez, quando você adormecer. Eu passarei aqui todo dia, ocasionalmente mais de uma vez por dia, para garantir que você faça três refeições com calorias controladas e todos os nutrientes de que precisa.

Meneando a cabeça para dois grandes receptáculos plásticos cheios de água e desinfetante, arremato. – Aqueles baldes ali são para você mijar e cagar. Serão esvaziados ao fim de cada dia, ou pela manhã. Eu tenho o seu telefone, que na maior parte do tempo ficará na cozinha em modo silencioso, mas monitorado por mim, caso surja uma chamada de emergência.

Sorenson caminha até a janela, testando os limites da sua corrente, mas seu olhar continua voltando para mim.

– Por favor, Lucy, você não pode...

– Posso, e farei – digo, tirando da bolsa as chaves dela. – Também vou passar na sua casa com regularidade, a fim de apanhar a correspondência e conferir tudo lá. Mas este aqui é o seu novo lar, de modo que vá se acostumando.

Olho em torno, antes de prosseguir. – Você vai passar algum tempo aqui, então precisamos resolver certas questões de higiene. A fim de manter você limpa, sem desenvolver uma cistite assassina, eu vou trazer uma piscina plástica infantil, e deixar que você se banhe nela a cada dois dias.

Sorenson arqueja. – Isto é... eu não... como...

Eu ignoro seus balidos, indo em direção ao termostato fixado na parede.

– A temperatura será sempre de vinte e um graus. Você deve se sentir confortável só de sutiã esportivo sem alças, calcinha, e aquele seu short nojento – digo, apontando para uma bolsa cheia dessas coisas.

– Eu não posso ficar aqui... você não pode fazer isso!

– Como eu já disse, é você quem determinará o tempo que passará aqui – digo, apontando para a esteira e o Total Gym. – E estas são as suas ferramentas de fuga. Aqui não haverá pesos manuais, fitas elásticas ou bolas para exercícios. Isto é tudo que você terá, portanto sugiro que faça bom uso do equipamento.

Então dou um sorriso tenso, jogando na frente dela um toco de lápis e um bloco de anotações. – E você *vai* escrever as Páginas Matinais!

Depois jogo minha bolsa por cima do ombro.

– Mas... você é louca! VOCÊ É LOUCA PRA CARALHO! As pessoas vão ficar perguntando onde eu estou!

– Quem, exatamente? – pergunto, erguendo o celular dela. – Sua família? Seus amigos no mundo da arte? A Kim? O Jerry?

Há um momento horrível, em que eu vejo um pedaço dela perecer lá dentro. Isto me enfraquece, e eu ouço meu tom se suavizar enquanto falo.

– Se você cumprir a sua parte, estará fora daqui em dois tempos – digo, já recuando para a cozinha. Coloco o celular dela para vibrar e deixo o aparelho em cima da bancada.

– Espere... Lucy, por favor... espere... você não pode me deixar sozinha aqui! – A voz de Lena começa a subir até virar um pedido sussurrante, antes de irromper em um uivo prolongado. – EEESPEEEREEE!!! LUUU-CYYY!!!

Fico sem vontade de escutar isso e saio fora, batendo com força a porta da sala, e depois a porta mais pesada do apartamento. Lá dou duas voltas na chave, reduzindo os gritos de Sorenson a um vago ruído de fundo. Então entro no elevador e desço até a portaria, conferindo as caixas de correio para ver se não há visitantes ou investidores interessados em perguntar sobre possíveis compras ou aluguéis. Satisfeita de que a gata gorducha está realmente sozinha ali, eu pego o carro e volto para South Beach. Quando encontro trânsito pesado na ponte MacArthur, Miles liga.

– Andei pensando sobre aquele nosso pequeno trato. Ficarei feliz de tentar novamente.

– Trato desfeito e anulado. Você não cumpriu a sua parte.

– Se isso é por causa da *Heat*...

O idiota vem falar de NBA numa hora dessas? Eu começo a pensar em LeBron, Dwyane e Bosh.

– Foda-se o Miami Heat, viva o Boston Celtics!

Miles fica em silêncio um pouco, antes de dizer: – Beleza. O negócio é que eu gostei mesmo da Lena. Tipo, gostaria de curtir a companhia dela. Como amigo. Ela é uma mulher bem interessante.

Não é uma boa ideia, mas se eu falar isto ele vai grudar nela, e certamente isso seria pior ainda.

– Pode fazer qualquer porra que quiser!

– Eeii! Estou percebendo um traço de ciúme aqui? Afinal, se você conseguiu arrancar uns quilos daquela gata, ela deve estar gostosa pra caramba.

– Só na porra dos seus sonhos! Jesus! Alguém conseguiria ser mais trivial e inconsequente como ser humano?

– Eu sei que a Lena mora em algum ponto de Miami Beach. Qual é o endereço dela?

– Ela é minha cliente. Certamente não posso dar o endereço particular dela a você. Existe uma coisa chamada confidencialidade – digo, fazendo uma careta diante do meu tom defensivo e cheio de frescura.

– Sem problema, Miami Beach não é tão grande assim. Eu vivo indo lá. Agora, que ela está no meu radar, tenho certeza de que toparei com a Lena.

– Que bom para vocês dois – digo, desligando o celular.

Chego em casa, estaciono, tomo um banho. Depois me acomodo e leio mais sobre os dias gloriosos de Lena Sorenson em *Humano futuro*.

23

HUMANO FUTURO – REAÇÕES CRÍTICAS x COMERCIAIS À OBRA DE LENA SORENSON

Poucos artistas já foram denunciados com tanta virulência pelo *establishment* artístico quanto Lena Sorenson, mas muito poucos já obtiveram tanto sucesso comercial. É estranho que esta jovem gentil, quase antiquada, de constituição delicada, e criada no Meio-Oeste consiga ser alvo de tantas críticas corrosivas. De sua parte, a velha relutância de Sorenson a falar sobre si mesma e sua obra continua sendo um traço encantador desta artista enigmática.

Só que não é difícil entender o poder de atração da arte de Sorenson, mesmo diante de tanto desdém crítico. Ela coloca seus personagens evoluídos/involuídos para fazer as mesmas coisas que nos tornam humanos. Eles não ficam só vasculhando monturos de lixo e se ferindo mutuamente, mas compartilham, celebram e, em especial, criam filhos. *A família pós-nuclear*, obra adquirida pela Fundação McCormick para o Instituto de Arte, é uma das composições mais ternas e emocionais da arte moderna. A arte de Sorenson ressoa na juventude ocidental, ao apelar para uma geração sem esperança em qualquer coisa além de um futuro distópico, que, para a maioria, será inferior à vida desfrutada por gerações passadas.

Portanto, parece altamente capcioso diminuir Lena Sorenson como sendo uma "ilustradora de quadrinhos glorificada". Sua obra fala aos jovens, e à preocupação deles com um futuro (ou falta de) em uma época de consumo capitalista hoje incapaz de oferecer crédito para que os cidadãos deem continuidade a seu incansável programa de compras e procriação, e que, após ser exposto como uma vigarice em prol dos megarricos, já não tem mais coelhos a tirar da cartola.

Certa vez Andy Warhol fez um comentário memorável, dizendo que não lia as resenhas sobre ele, simplesmente as pesava. Enquanto os críticos de arte continuarem dedicando centímetros de colunas para repetir que Sorenson é uma artista pobre, parece certo que ela continuará rindo a caminho do banco. No entanto, muitos críticos de mente mais aberta, assim que veem o que Sorenson está representando, invariavelmente, ou às vezes sem o saber, buscam com avidez descobrir a sua genialidade muito particular.

24
CONTATO 9

Para: michelleparish@lifeparishioners.com
De: lucypattybrennan@hardass.com
Assunto: Sucesso!

Mágica Michelle

O mais irritante desta cliente: a piranha tem talento. Muito talento. De modo que NADA me impedirá de fazer com que ela controle a porcaria do peso. Você está certa: às vezes a gente simplesmente precisa mostrar para uma piranha gorda quem dá as ordens.

bjs
Luce

P.S.: As Páginas Matinais VÃO ser feitas!

25
HEAT

Quem observa o mundo através das lentes verdes de um Ray-Ban vê uma Miami menos vívida, opressiva e alucinógena. Minha garganta está seca e áspera por alguma merda derivada dos esporos tropicais que andam flutuando por aí e que vêm derrubando os migrantes do Cinturão da Ferrugem. O café da manhã é na Taste, com uma cocção chamada "só para sarados", e depois arrasto o carrinho até a Whole Paycheck. Duas modeletes discutem passionalmente sobre suplementos. Um cara esquadrinha a bunda envolta em brim de outro. Um tira gordão pega uns artigos de padaria, com um grande sorriso na cara. A porra do departamento de polícia não tem normas a respeito da obesidade?

Sorenson: bem que eu queria saber que espécie de noite aquela gorda mentirosa teve. Fazer compras para duas pessoas é chato pra caralho. Eu faço um bom estoque de: proteína em pó, amoras, aveia, iogurte com baixo teor de gordura, tofu, salmão, nozes, sementes, abacates, espinafre, alface, tomates, bananas, mangas, maçãs, brócolis, repolho e queijo feta sem gordura. Já no caixa, enquanto sou depenada, vejo um exemplar da *Heat* na estante e fico boquiaberta ao ver que Miles está no canto inferior esquerdo! Pego a revista e *ah, meu Deus*, lá estou eu!

TRIÂNGULOS AMOROSOS LÉSBICOS DA INSACIÁVEL HEROÍNA LUCY ENTRISTECEM SEU EX-AMANTE MILES

O bombeiro gostosão Miles Aborgast, 28, está de coração partido devido ao recente rompimento com a assediada Lucy Brennan, a "Heroína da Ponte de Miami", que desarmou um atirador enlouquecido com suas próprias mãos. E ele cita como fatores do distanciamento não só a fama recém-atingida por ela, mas também a preferência de Lucy por pessoas do mesmo sexo. "Ela é uma mulher quase insaciável, mas no começo eu nem reclamava disso. Sabia que era dominadora e gostava de cortar para os dois lados, então não posso afirmar que fiquei triste quando ela introduziu outras mulheres na equação, principalmente porque nós dois curtíamos garotas gostosas. Mais tarde, porém, senti que eu não passava de mais um brinquedo em um dos seus jogos. O problema da Lucy é que ela é incapaz de amar."

Era a *isso* que o escroto estava se referindo quando falou em *Heat*... era a porra da revista, não o time de basquete! Eu coloco o tabloide venenoso de volta na estante. A garota do caixa me lança um olhar vago e nauseante, mas predador, tipo "eu não conheço você?", e eu tento não reagir. Fico olhando para o estacionamento lá fora, enquanto ela soma as compras. Pago a escrota e vou até o Cadillac, sentindo o coração disparado como se tivesse acabado de sair da esteira.

Minhas mãos parecem pegajosas no volante durante toda a travessia na ponte MacArthur. Estou ansiosa e também entusiasmada para ver como Sorenson se saiu. Estaciono o carro e retiro as provisões dela. Também trouxe comigo a piscina infantil, pronta para ser inflada. O prédio continua estranhamente deserto. Certamente *alguém* (além da Princesa de Potters Prairie na cobertura) deve estar morando aqui. Eu subo de elevador, abro silenciosamente a porta do apartamento e cruzo devagar o corredor. Não há som algum na sala. Eu resisto à tentação de ir direto para ver como ela está. Em vez disto, vou à cozinha e apanho o seu telefone, que deixei sobre a bancada. Zero chamadas, e os seis e-mails são propagandas ou vêm dos sites fracassados que ela frequenta.

Eu ligo a chaleira, depois começo a inflar a piscina. À medida que ela se expande, o desenho de um urso, com um nojento sorriso de tarado que me lembra Winter, começa a tomar forma. Ele está parado em uma praia, com uma pá em uma das patas e um balde na outra. Então ouço algo chacoalhando e estalando na sala.

– Olá! Lucy! É você? Você precisa me soltar! Eu mal dormi! Isto já foi longe demais, Lucy! Você provou a sua tese! AGORA PRECISA ME SOLTAR!

– Bom-dia – digo, entrando na sala para saudar Lena e estender a piscina infantil no assoalho de madeira ao lado do colchão, onde ela está sentada de pernas cruzadas, com o edredom em torno dos ombros. Noto que ela não trocou a calcinha e o sutiã esportivo. – Fez suas Páginas Matinais? – Baixo o olhar para o bloco, vazio. – Obviamente, não. Não foi um grande começo, foi?

– QUER ME SOLTAR?! – berra ela subitamente para mim. Depois olha para o chão e começa a socá-lo pateticamente com o punho gorducho. – SOCORRO! SOCORRO!

Deixo Lena ali, vendo seu rosto contorcido se avermelhar mais ainda. Então ela desaba em um choro convulsivo com soluços pesados e lágrimas que escorrem pelas bochechas em fogo.

– Pode berrar à vontade. O prédio inteiro está desocupado – informo, pondo as mãos em concha na boca à guisa de imitação. – MEU NOME É LENA! EU COMO MERDA DEMAIS!

Sorenson ergue a cabeça abaixada, com o rosto encharcado de lágrimas.

– Por que isto está acontecendo comigo? – sussurra ela para ninguém. – Eu não fiz nada de errado!

– Esqueça a autopiedade, que comigo não adianta porra nenhuma.

– Mas o que foi que eu fiz? O que foi que eu fiz a vocêêê...

– Eu não falo feito porca. Não falo feito vítima. Você também devia parar de usar essas linguagens – digo a ela, que ergue o olhar para mim feito uma criança molestada. Eu me sinto respirando fundo. – Encare isso como uma oportunidade. Tome aqui.

Entrego o novo plano de dieta e refeições a Lena, que segura a folha com uma pata gorda e oleosa, para logo colocá-la no chão à sua frente.

– Vou fazer para você um desjejum de aveia e amoras, com sementes de linhaça e um toque de mel. Trezentas calorias cheias de carboidratos complexos e antioxidantes. Tudo para ser ingerido com um pouco de chá verde.

Então pego o seu balde de mijo, pois não há merda no outro, e esvazio o conteúdo na privada, antes de reenchê-lo. Depois preparo a aveia, que sirvo em uma tigela de plástico, com uma colher também de plástico. Trago a tigela com um pouco de chá morno, servido em uma xícara de poliestireno, para que Sorenson não consiga usar a coisa como arma, se um dia chegasse a ter culhões para tanto.

– Isto é maluquice... é humilhante...

– Você está falando tanto que vai perder o desjejum – digo, segurando a tigela longe de Lena.

– Tá legal! Tá legal!

Eu me aproximo e ela agarra com avidez a tigela, atacando gulosamente a comida com a colher.

– Devagar. Isto tem de durar para você. Saboreie cada bocado. Mastigue. Não engula tudo de uma vez.

Só que Sorenson não escuta e limpa a tigela rapidamente. – Ainda estou com fome – ela geme.

– Pode se encher de água – digo a ela, enfiando um litro de Volvic na sua cara. – Agora vamos botar você naquela esteira. Duzentas e cinquenta calorias vão zarpar daí hoje.

– Eu não vou subir naquilo! Mal dormi! Você é uma louca filhadaputa!

– E você está *rumando para a porra* do diabetes tipo 2! Sabe o que acontece com quem tem diabetes tipo 2?

Uma centelha de medo brilha nos seus olhos.

– Se você acha que vou abrir mão deste plano, não entendeu merda alguma a meu respeito. Quanto mais depressa você perder peso, mais depressa sairá desta porra. Vamos lá!

Sorenson se levanta com esforço, arrastando a corrente e fazendo bico para mim, antes de içar lentamente a bunda gorducha para cima da esteira. A corrente pende ao seu lado.

– Esta corrente atrapalha – diz ela, erguendo o pulso. – É tão pesada...

– O que eu posso dizer a você? Dê um jeito. Drible isso! Você simplesmente terá de se exercitar no Total Gym um pouco mais do lado esquerdo, a fim de compensar.

Sorenson olha para mim como uma adolescente hormonal recebendo ordens de arrumar o quarto. Só que começa a esteira a cinco quilômetros por hora, e vai acelerando gradualmente até chegar a um ritmo constante de nove por hora.

– Tire as mãos do aparelho! Não quero que você segure isso! Mexa os braços com força enquanto corre!

A piranha obedece, mostrando que pode fazer esta porra sem que eu grite com ela... portanto, por que a necessidade de drama? Deixo Lena ali e vou até a cozinha para preparar seu almoço, que será tofu com salada de espinafre. Quando volto, boto Lena no Total Gym para fazer uma sessão demonstrativa. Eu prefiro pesos livres, em busca de equilíbrio e força interior; no entanto, por mais improvável que pareça, Sorenson pode ter culhões para usá-los como armas contra mim, ou tentar jogar um deles pela janela para atrair atenção. Nós começamos uma rotina, que eu interrompo fazendo com que ela desça do aparelho para executar séries de polichinelos, estrelas, mergulhos, flexões e abdominais. Ouço mais lamentos acerca da corrente, mas ela acaba fazendo tudo.

Quando terminamos, ela se acomoda silenciosamente sobre o colchão, segurando os joelhos com o olhar perdido e a respiração pesada. Eu encho a piscina infantil com água morna, perturbada pela imagem daquele urso afrescalhado e predatório erguendo o olhar para mim. Pensaria duas vezes antes de entrar ali. É até maluquice este troço ser projetado para crianças. Só que isso é problema de Sorenson, e eu deixo para ela a tal refeição leve de almoço.

– Isto é tudo que você comerá até cinco e meia, quando eu voltar para fazer o jantar. Coma agora se quiser, mas se prepare para uma longa espera.

Ela ergue para mim os olhos assustados. – Você não pode...

– Inaceitável – digo, balançando a cabeça. – Eu não ouço essa palavra. – Olho duramente para ela e ponho a mão em concha no ouvido. – Nunca use um "não" associado a mim. Eu *posso*. Eu *farei*. Eu *tenho*. E agora, eu vou vazar.– Rumo para a porta e grito para ela: – TRABALHE!

– ESPEEEREEE!

– E se lave! – digo, apontando para a piscina antes de partir.

Saio do prédio e percorro de carro a ponte MacArthur, até me afastar da mundana Miami e voltar ao *mundo real* de South Beach.

South Beach é uma maravilha, tão impressionante e única, dentro do seu estilo, quanto o bairro francês de Nova Orleans. É encantador ver que, tirando algumas baixas notáveis, o distrito *art dèco* escapou dos tratores. Às vezes, porém, enquanto deixo o carro no estacionamento, preciso admitir que a Lincoln não consegue manter sua aspiração de ser uma Rodeo Drive, e que a Ocean frequentemente parece mais Cancún no período das férias do que a Riviera francesa.

Estamos naquela época do ano em que o lugar se enche de universitários cervejeiros enfiando o pé na jaca. Dois deles estão sentados ao sol, com um chapéu no chão ao lado de uma placa: VIAGEM DE FÉRIAS – PRECISAMOS DE DINHEIRO PARA CERVEJA E STRIPPERS. Só que eles parecem limpos e ensaboados demais, com olhos de Vince Vaughn atentos demais, para terem êxito como mendigos.

Eu sigo para a avenida Washington, a verdadeira rua principal de Miami Beach, com suas boates, seus bares de esportes e suas lanchonetes. Nos meses de inverno, ali fica cheio de desocupados circulando, que chegam à cidade de ônibus ou trens, fugindo do frio ao norte. Ao lado de cada caixa automático, bem como de cada filial da Walgreens ou da CVS, você descobre algum vagabundo pronto para tentar filar algo de alguém.

Paro diante do Starbucks na esquina da Washington com a rua 12, pensando em tomar um chá-verde, quando meu sangue esfria: um panaca de olhos injetados e hálito podre, suando dentro de uma camisa havaiana, sai cambaleando da soleira de uma porta e estanca bem na minha frente. *Winter*.

– Tem um cigarro?

Instintivamente, desvio o olhar.

– Ei! Tô falando com você. Perguntei se tinha um cigarro.

Eu deveria nocautear este babaca, mas em vez disto me viro e entro no Starbucks. Novamente, o idiota não me reconheceu como a pessoa que salvou a porra da sua vida! Por que eu não fiquei parada e deixei aquele coroinha viado do McCandless enfiar uma bala no cérebro doentio dele?

Consigo sentir meu corpo tremendo de raiva. Só que tenho consciência de não estar totalmente presente ali naquele momento, como se estivesse tomada por uma febre. Peço um chá-verde, mal notando o costumeiro olhar de traída no rosto da barista por recusar seu café venenoso. Então vou até a janela e sento, vendo o indizivelmente odioso Winter, através do vidro, perturbar as pessoas. Um par de turistas para e um universitário com cara de sério passa a ele o que parece ser uma nota de cinco dólares. Winter embolsa a cédula com um sorriso frio e se manda dali. Subitamente, sinto uma dor escaldante na mão: esmaguei a xícara e o chá me queimou. Deixo o líquido empoçando no parapeito da janela e sigo o escroto pedófilo, sentindo minha mão arder dolorosamente no calor.

Winter cruza a avenida e começa a descer a 12, na direção da baía. Ele tem os fundilhos do short manchados, como se houvesse se sentado sobre algo, mas fora isto não parece estar morando nas ruas. Ele se movimenta deliberadamente, caminhando com um andar meio torto. Vou seguindo atrás, enquanto ele ruma direto para a Alton, parando apenas a fim de fazer um comentário indesejado para uma garota que passa sem interromper o passo. Então Winter pega a Alton e ruma para o norte, até parar diante de uma loja de bebidas. Logo sai dali com um frasco pequeno de uma merda horrível e um sorriso tenso no rosto, partindo em direção à Lincoln. Eu confiro as horas. Preciso ir para a Bodysculpt.

Chego apenas cinco minutos atrasada, mas Marge Falconetti já está lá, esperando passivamente que eu lhe diga o que fazer. Tipo, acelere a porra do ritmo, sua puta! Coloco Marge para fazer sua série, e na realidade ela até está se saindo razoavelmente bem: já perdeu alguns quilos.

– Estamos indo na direção certa novamente – digo a ela.

Este fragmento de afirmação parece carne diante de um cachorro esfaimado.

– Sim, acho que sim, eu me sinto bem...

– Mas isto só significa que precisamos nos esforçar mais.

Seu rosto murcha, porque ela sabe o que vem a seguir. Eu dou uma olhadela para a baixa estatura do seu corpo. Esta piranha nasceu para se agachar.

– Agora me dê dez agachamentos, e depois dez séries combinadas de agachamento, flexão e salto – entoo.

É claro que ela odeia isto. – Por que eu sempre preciso fazer essas séries combinadas?

Dou uma palmada rápida na sua coxa banhuda, envolta feito carne de salsicha na malha preta ridiculamente esticada.

– Estes aqui são os seus quadríceps. Os maiores músculos que você tem no corpo. Se nós aumentarmos esses músculos, eles queimam gordura como nunca se viu. Então usamos isto aqui para queimar isso aí – digo, agarrando sua coxa com uma das minhas mãos e sua pança banhuda com a outra. Ela me lança um olhar triste, e depois eu fico vendo a jamanta mimada sofrer por uma hora inteira.

Enquanto Marge vai cambaleando sem fôlego lavar a carcaça suada, eu chego ao balcão de sucos e me junto a Mona para tomar um shake de açaí. Ela tem um ar distraído, e um brilho duro ilumina os olhos no seu rosto gélido.

– Você parece um pouco cansada, benzinho – digo, feliz por dizer isso. – Dormiu tarde ontem?

– Ah, meu Deus – diz Mona. Seus músculos faciais até tentam demonstrar alguma animação, mas você não pode injetar tanta toxina assim e esperar uma ampla gama de expressões.

– As coisas que fazemos por amor – digo.

Então sorrio, ao ver entrar minha próxima cliente, Sophia, a doce velhota enviuvada dos joelhos ruins. Delicadamente, ponho Sophia para fazer sua série, usando o aparelho elíptico de baixo impacto na parte cardiovascular. Gosto de ouvi-la falar sobre o marido morto. Não sei se os homens eram genuinamente melhores antigamente, ou se sou eu que só conheço babacas.

– Obviamente, você amava muito o seu marido – comento quando ela conta outra história, enquanto vai se livrando lentamente das calorias.

– E ainda amo. Sempre amarei. Sei que ele se foi, mas o amor que tenho por ele jamais morrerá.

– Você é sortuda. Quer dizer, por ter conhecido essa espécie de amor – digo, olhando para o aparelho. – E cinco... quatro... três... dois... um.

– Ah, eu sei disso – diz ela, recuperando o fôlego, pegando minha mão e descendo do elíptico.

– Não tente substituir seu marido por petiscos açucarados e outras porcarias. Ele ia querer que você fosse a melhor mulher que pudesse ser.

– Eu sei – diz ela, irrompendo em lágrimas. – Mas sinto tanta falta dele...

Ponho meu braço em torno dela, que recende a talco e perfume de outras eras.

– Nós vamos tirar o peso de cima de você. Tirar a pressão de cima desses joelhos ruins. Tornar mais fácil para você sair de casa. O Eli gostaria disso, não?

– Sim, gostaria – diz ela, erguendo o olhar para mim, com os olhos fortes sob a lente do medo. – Você é mesmo uma garota maravilhosa, muito generosa.

– Precisamos nos ajudar umas às outras – sussurro delicadamente, soltando Sophia e acariciando seu braço. – É só o que temos.

E então volto ao estacionamento na Lincoln para pegar o carro, encarando um trânsito lento na ponte em direção ao centro de Miami.

Já na torre de quase-marfim, levo a Sorenson um jantar da Whole Paycheck: frango grelhado com salada. Incluindo os legumes e a batata-doce, a contagem chega a cerca de 425 calorias no Lifemap, mas isto não me garante uma grande demonstração de gratidão pela porra dos meus esforços.

– Estou doente, Lucy... você realmente precisa me deixar ir embora!

– Se você fizer trinta minutos, Lena, três-zero, somará 1.500 calorias queimadas só hoje.

– Não! Não consigo! Já falei que estou doente!

– Isso é só o seu corpo recalibrando. Reação de choque. Lute contra esta merda! Por falar em merda... muito bem – digo, já apanhando o balde.

A piranha nojenta cagou praticamente seu peso todo em bolotas de cocô imundas. Venho colocando sementes de linhaça na sua comida; com a quantidade de água que a obrigo a beber, a coisa já está começando a dar resultado. Levo toda aquela bosta fétida e tóxica até a privada, onde dou a descarga. Logo esses cagalhões ficarão longos e lisos, não em bolotas, não como se ela tivesse cagado A Coisa do *Quarteto Fantástico*. Além disto, Lena usou a piscina e trocou de roupa. Eu pego a roupa suja para levar à lavanderia.

Quando volto, Sorenson continua implorando. – Preciso de uma Coca-Cola, ou Sprite! Só uma! Minha cabeça...

Deus, ela me enoja! Deitada naquele colchão, com o edredom emoldurando sua carcaça gorda, feito uma refugiada obesa. Fracassaaadaaa!

– A esteira – digo, alisando o aparelho.

– Não posso!

– Opa, opa... que porra eu já falei para você sobre a rudeza imperdoável da palavra "não"?

Ela puxa o edredom mais para perto do corpo, olhando para mim com aqueles olhos suplicantes.

– Não... por favor... deixe-me ir embora! Por favor, Lucy... isto já está muito além de uma brincadeira! Eu faço o que você quiser! Sigo a porra do programa! Você já provou a sua tese! Agora por favor me solte!

Vou até ela, ajoelho à sua frente e aponto para a esteira.

– Se você fizer o que eu estou pedindo, reduzirá 1.500 calorias da sua contagem diária. São quase 250 gramas de gordura – digo. – Aqui... e aqui... – Passo o dedo sob seu queixo e cutuco sua barriga, fazendo com que Lena se encolha e se afaste.

– Eu não consigo – geme ela com um fio de voz. – Não dormi direito... estou tão cansada...

– Como eu falei, isso é só o seu corpo recalibrando. – Fico de pé e tento levantá-la. – Venha, vamos lá!

– Mas eu não consigo!

– As fracassadas arrumam desculpas, as vencedoras arrumam jeitos – digo, respirando fundo e pondo em pé aquele inútil saco de merda, que depois empurro até a esteira, ouvindo a corrente chacoalhar lá atrás quando ela sobe no aparelho. – Arrume um jeito!

Plugo meu iPhone no iPod e boto para tocar "Love Is Pain", de Joan Jett. Vou cantando junto, enquanto coloco a velocidade em seis quilômetros por hora.

– Tá legal... tá legal – diz Sorenson, começando relutantemente a trotar.

Eu recuo e fico vendo aquele hamster gordo suar a bunda rumo à liberdade. Mas sabe de uma coisa? Isto não é suficiente. Então avanço e aumento a velocidade. Oito quilômetros por hora.

– Tá legal! Tá legal!

Piranha tem de suar, ou piranha tem de apanhar. Aumento para nove quilômetros por hora, uma corrida leve.

– AAARRRGGGHHH! – A porca fracassada pula da esteira feito uma grotesca personagem de história em quadrinhos, com a corrente puxando seu braço, e a bunda gorda entalada entre o aparelho e a parede. Depois contorce o rosto petulante para mim. – Ah, meu Deus... isto é um pesadelo...

– Pesadelo que você mesma criou – digo apontando para ela, com um desdém e um escárnio que vêm das minhas profundezas, enquanto Joan canta algo acerca do amor ser dor, e não sentir vergonha. – Estou tentando salvar esse seu rabo inchado! Agora volte para a esteira, sua piranha ingrata que só desperdiça a porra do meu tempo!

Sorenson obedece temerosamente, pondo-se de pé com esforço e subindo no aparelho. Entende o recado, porém, e começa a correr com vontade.

– Melhorou! Mantenha o ritmo da porra da música!

Faço com que ela perca mais 400 calorias, para chegar à meta de 1.500, antes de deixá-la comer o jantar como recompensa.

– Coma mais devagar, caralho. Vigie cada colherada. Concentre-se na comida. Mastigue!

Os olhos nervosos abaixo daquela franja: indo de mim para o que está na ponta da colher. A porra de uma vítima passiva. Sem culhões, sem luta. E deixando que alguém faça isso com elas. Aquele cara babaca que Lena namorava; ela simplesmente deixou que ele fodesse com ela. Você precisa lutar contra eles. Precisa bater neles. Não pode simplesmente deitar e apanhar, caralho.

– Tá legal, Lena, você foi bem. Se continuar assim, amanhã vou lhe trazer um livro. E no final da semana, talvez até ganhe uma TV – digo, subitamente pensando no meu aparelho portátil.

O rosto de Sorenson continua contorcido de sofrimento.

– Por favor, Lucy. Você já provou a sua tese. Eu virei pra cá todo dia. Só não me obrigue a passar outra noite aqui. Eu *preciso* dormir na minha própria cama. E *realmente, realmente preciso* continuar meu trabalho – implora ela, com olhos avermelhados. – Não me deixe aqui mais uma noite!

Aqueles olhos insistentes. Seu trabalho é tão importante... mas a piranha está de sacanagem comigo. Eu não vou ser manipulada. Isto não vai funcionar se eu for manipulada.

– Bote pra foder, Lena, e *faça as suas Páginas Matinais*, porque se eu voltar aqui amanhã e não encontrar nenhuma, *não haverá café da manhã*. Sacou? Não haverá a porra do café da manhã sem as Páginas Matinais.

Então parto lá pra fora, trancando duplamente a porta, enquanto seus gritos ecoam.

– LUUUCEEE!!!! NÃO!!!! SOCORRO!!!!

Só que ainda não há pessoa alguma aqui por perto. Enquanto chamo o elevador e fico ouvindo o clangor do mecanismo subir pelos andares, penso: *sim, deve ser assustador passar a noite em um lugar como este prédio.*

Ligo a ignição do Cadillac e meu celular recebe uma chamada de Mona.

– Você viu o noticiário?

– Não.

– Ah. Então não culpe a mensageira – diz ela timidamente, e eu percebo que a coisa não é boa. Por mais que eu despreze esta piranha, preciso admitir que ela tem um bom nariz para farejar sangue na água.

Mona conta a história triste, mas não consegue manter o tom tão neutro quanto o rosto paralisado pelo botox, e uma alegria irreprimível cintila na sua voz. Eu chego em casa e não há ninguém na entrada dos fundos do prédio, além de, graças a Deus, haver uma vaga livre. Dentro do meu apartamento, a euforia daquela puta plastificada é confirmada por um canal de TV local. A tal menina desaparecida, Carla Riaz, foi encontrada morta na casa de seu vizinho, um certo Ryan Balbosa.

No rosto barbado da foto que eu encaro boquiaberta, reconheço o segundo homem que salvei naquela noite na ponte Julia Tuttle. Não consigo tirar meus olhos da tela, mesmo quando o rosto de Balbosa é substituído por um carrossel de outros criminosos sexuais. O sangue nas minhas veias parece gelo; o monstro que eu salvei fez isso com uma criança. *Esse* teria sido o escroto a executar, *esse* aí.

Dominic liga, mas eu não atendo, só escuto uma extensa mensagem de voz sobre uma festa. Não vou conseguir ir.

Mona liga novamente, e eu também não atendo. Outra mensagem de voz, oferecendo outra festa. Nem pensar.

Em vez disso, fico examinando as fotos no livro de Lena Sorenson, vendo homens e mulheres monstruosos se escafedendo pelos escombros de cidades arruinadas. Então saio do apartamento e entro no carro. Os portões se abrem e eu entro na viela. Dois paparazzi logo me fotografam; um deles é aquele escroto da câmera quebrada, berrando, mas eu olho pra frente e vou lentamente pegando a rua. Quando chego lá, piso fundo no pedal. O Cadillac queima borracha (o máximo que consegue) e arranca em direção à Alton, fazendo o barulho de um secador de cabelo quebrado. Eu escolho ir pelo caminho mais longo para a casa de Lena: por cima da ponte MacArthur, através do centro, do meio da cidade, e de volta por cima da ponte Julia Tuttle, na paranoia de que aqueles escrotos estejam me seguindo.

Só que a área parece limpa, quando eu paro no estacionamento Publix e vou andando até a casa de Sorenson. Ao pegar a correspondência, jogo fora todas as porras daqueles folhetos onipresentes, que anunciam noites em boates e entrega de comida. Há um pacote no meio da bagulhada. Fico pensando se devo ou não abri-lo. Não. É da Lena. Isso já é passar dos limites. Também decido não dar uma olhadela maior no seu ateliê. Jogo o resto das merdas no lixo e levo o pacote para casa comigo, mais uma vez estacionando a duas quadras de distância do meu prédio, e então vou até a loja da Whole Paycheck.

Quando saio carregando minhas compras, cruzando o estacionamento e passando pelo ponto de ônibus, um sujeito com ar de infectado vem arrastando os pés obsequiosamente na minha direção. Fico aliviada ao perceber que ele não é um paparazzo, apenas um vagabundo.

– Com licença, senhorita... será que poderia me ajudar? Preciso chegar ao hospital Monte Si...

Já entediada, eu ergo a palma da mão para ele e cruzo a Alton assim que o sinal de pedestres permite. Quando chego de volta ao meu prédio, a rua está cheia de repórteres. Não posso entrar na porra da minha própria casa! Volto ao Cadillac e sigo até a casa de Lena, onde faço alguma comida e tento ver os seus canais a cabo. Só que não consigo relaxar. Fico pensando naquela garota, e no animal do Balbosa. Que porra eu fiz?

Então vou até o computador de Lena, que não é protegido por senha ou qualquer tipo de segurança, abrindo diretamente na página da sua conta de e-mail.

26

CONTATO 10

Para: lenadiannesorenson@thebluegallery.com
De: mollyrennesorenson@gmail.com
Assunto: Você recebeu os bombons de caramelo?

Lena

Por favor, me responda. Sei que você tem uma vida movimentada e ocupada aí em Miami, mas nós gostamos de ter notícias da nossa garota!

Dizem os boatos que a Lynsey Hall vai ter um bebê... eu sei.

Os bombons de caramelo são os seus favoritos. Espero que você goste! Não deixe de me avisar se eles chegaram, porque o serviço de correio anda meio irregular ultimamente.

Papai manda todo amor.

Amor
bjs
Mamãe

Meu Deus, olha a dona Molly Sorenson. Que fracassada maluca! Isso me leva a verificar meus próprios e-mails no iPad.

Para: lucypattybrennan@hardass.com
De: michelleparish@lifeparishioners.com
Assunto: Sucesso!

Não sei se eu usaria os mesmos termos, mas você precisa ser determinada e não se desviar do seu curso de ação! Ternura e firmeza acima de tudo! Assim como as Páginas Matinais!

Boa sorte com sua cliente difícil.

Bjs
M

Para: michelleparish@lifeparishioners.com
De: lucypattybrennan@hardass.com
Assunto: Fui direta demais sobre minha sexualidade?

Michelle

Você tem total razão quando fala que a mídia se volta contra as pessoas. Tenho medo de ter sido franca demais sobre a minha bissexualidade (com uma forte preferência pelas gatas). Você tem razão, eu deveria ter optado pela postura de "não é da porra da sua conta", que você e Jillian Michaels adotam com tanto êxito. Quer dizer, é só ver o que os escrotos fizeram com a coitada da Jackie Warner!

Sim, você está certa ao se manter discreta. Diante da opinião pública, é difícil vir à frente e dizer o que se pensa, com uma mídia hostil tão pronta a demonizar uma mulher gay forte e independente. Mesmo assim, acho que seria ótimo se você assumisse o tom "orgulho de ser bi". Acho que muitas mulheres na América se sentiriam empoderadas por isso.

Amor, respeito e sororidade,

bjs
Luce

P.S.: Agora vou ver a vaca da minha artista. Espero que ela tenha escrito as Páginas Matinais, para seu próprio bem, porque vou passar para ler as porcarias dela AGORA!

27

PÁGINAS MATINAIS DE LENA 3

Uma manhã ensolarada, com um céu vermelho se fundindo com o azul. Chego na cobertura e encontro Sorenson rabiscando algo no bloco que tem no colo. Então ela arranca um maço de folhas que estende para mim.

– Obrigada – digo.

Seus olhos parecem sombrios, e ela está com um aspecto de merda. O balde também está cheio de merda. Melhor assim.

– Preciso tomar café da manhã – resmunga ela. – Você não trouxe comida?

Eu ignoro a pergunta e rumo para a cozinha estreita. Coloco a papelada na bancada, sento na banqueta e começo a ler:

Acordei deitada de bruços em uma escuridão sufocante e total, sem saber onde estava. Lutei para respirar, porque havia alguma coisa me cobrindo. Fiquei de joelhos e avancei engatinhando, mas bati com a cabeça em algo. Então meu estômago ficou embrulhado, e eu senti que ia vomitar. Tentei afastar o peso que cobria meus ombros e minhas costas, mas minha mão ficou presa, e senti um puxão dolorido no pulso, seguido de um clangor. A percepção de onde eu estava voltou feito uma torrente doentia, como aconteceu nas duas últimas manhãs. Lutei mais um pouco, até sentir um metal afiado cravar no meu pulso. Estou acorrentada. Só que minha outra mão está livre. Afastei do rosto o edredom áspero que faz cócegas, e pisquei, vendo um aposento fracamente iluminado por luzes distantes que jorram pelos janelões. Tentei dar meu berro matinal, "Olá", mas mi-

nha garganta estava em carne viva, toda dolorida. Parecia que eu engolira uma bola de tênis.

Senti uma torção na barriga quando peguei a garrafa de água desajeitadamente com a mão esquerda, lutando para endireitar o corpo com o pulso direito ainda preso à longa corrente pesada, de quatro a cinco metros de comprimento, ligada a uma pilastra de sustentação por uma algema idêntica. Engoli a água, esvaziando metade da garrafa, e levantei. Puxei a corrente com ambas as mãos, como se estivesse fazendo cabo de guerra; ela resistiu, porque cada elo é de aço temperado. Fui me aproximando da pilastra ao longo da corrente, como numa escalada vertical, puxando com toda a força possível, jogando todo o meu peso. Foi absolutamente inútil.

Sabe por quê, sua burra? Para impedir que você alcance a comida e coma até morrer. É por isso que a corrente é forte. Precisa *restringir* a pessoa.

Fui até a janela, mais uma vez testando os parcos limites da minha liberdade. O aposento continua vazio, excetuando o tal aparelho de ginástica, uma esteira, um colchão inflável, um travesseiro, um edredom, dois baldes de água, alguns rolos de papel higiênico e um cooler de plástico azul e branco. Há também uma piscina infantil com uma ilustração muito bonitinha de um urso sorrindo, que é onde eu me lavo. Tudo isso está dentro do meu semicírculo de liberdade, que se irradia a partir desta pilastra, uma das três que sustentam a viga de aço lá em cima. Consigo chegar a uma das janelas, que dá para outro arranha-céu bem em frente, e que parece tão deserto quanto este aqui.

Olho pela janela para o bloco em frente. Então olho para baixo, pensando naquelas escadas que subimos. Não há gotas no vidro, mas a calçada deserta e reluzente me diz que andou chovendo. Então vou até o cooler e bebo um gole de água da garrafa. Como passo o dia todo presa na secura do ar-condicionado, preciso beber água continuamente para não ficar desidratada. À noite me obrigo a levantar para beber e urinar. É beber e mijar, beber e mijar. Minhas idas ao "banheiro" são horríveis: preciso me esforçar para me manter agachada, sem apoio, acima de um balde de plástico.

Tomar banho naquela piscina é uma tarefa incômoda. Eu giro o sutiã esportivo sem alças para frente, a fim de abrir o fecho (não deve fazer bem esmagar tanto assim os seios), tiro a calcinha, entro na piscina e me agacho, aliviada por ninguém testemunhar essa humilhação infantilizante. Então me lavo da melhor maneira possível com uma só mão livre, depois seco o corpo e me sento com o edredom reconfortante por cima dos ombros.

Penso em mim mesma como uma prisioneira em confinamento solitário, mas as minhas novas circunstâncias parecem desafiar qualquer analogia. Nada de relógio, além de um céu cerúleo, que esmaece escurecendo enquanto o sol cai atrás das torres vizinhas, ou do volume cambiante de carros semelhantes a brinquedos se cruzando na Interestadual 95 lá embaixo. A luz do abajur fica acesa durante algumas horas, antes de se autodesligar e me envolver novamente na noite. Eu grito com regularidade, mas minha voz, isolada no ar, soa estranha. Às vezes me encho de euforia. Converso comigo mesma. Rio em voz alta. E me pergunto se estou enlouquecendo.

Não há o que "perguntar" sobre isso. Comer até morrer? Sim, isto é enlouquecer.

Minha primeira noite aqui foi a pior. Uma tempestade se avizinhou, assobiando e sibilando em torno do prédio. Enquanto os últimos aviões sobrevoavam Miami, eu imaginava que eles haviam se desviado do curso, e já via sua irresistível e inevitável colisão com esta torre aqui, prontos para me esmagar ou incinerar. Eu, presa à pilastra e à corrente, pendurada pelo braço aos escombros do prédio que desabava. Minha mente não abandonava o roteiro sinistro e aterrorizante dos possíveis cenários da minha morte, de forma opressora, fazendo com que eu chorasse e gritasse até desmaiar. Só que o vento passou a noite inteira me acordando repetidamente, com enormes rajadas chocando-se contra o prédio, tão fortemente que imaginei que a estrutura estava se mexendo ao meu redor. Puxei o edredom por cima da cabeça e solucei.

A tempestade diminuiu duas horas antes do alvorecer. Então outra coisa me acordou: o silêncio implacável. A evidência irrefutável de que eu era uma prisioneira, sozinha neste arranha-céu. Eu sentei ereta e, por completa falta de opção, fui para a esteira.

– ESTOU COM FOME! – grita Sorenson pela porta. – Posso, *por favor*, tomar café da manhã?!
    Eu bloqueio mentalmente esses sons gordos e continuo a ler.

Mesmo exausta e insone, tenho feito isso todo dia, com os pés apertados pelos tênis, que esmagam meus dedos. Eles já começaram a exibir bolhas, e a sangrar. Ontem eu olhei, e vi sangue enegrecido ressecado em uma meia branca. Até fico feliz por ter a piscina infantil. Também experimentei o tal aparelho de ginástica; agora os músculos dos meus ombros e da parte superior das minhas costas estão tensionados, cheios de nós torturantes.

Hoje já comi a minha parca cota de comida insípida, e preciso esperar que Lucy volte trazendo mais. Enquanto o dia vai avançando, fico deitada neste colchão frágil, encharcada de suor, presa a um delírio ao mesmo tempo extasiante e torturado, em que visualizo cheeseburgers, baldes de frango frito, nachos, pizzas, biscoitos de chocolate e, acima de tudo, sorvete com torta de limão. Então bebo o restante da minha água.

Não sei quanto tempo passa, até que ouço o som temido daquela chave na fechadura. É isso mesmo: Lucy aparece, com uma expressão mal-humorada no rosto, mas é o brilho desequilibrado nos seus olhos que faz com que eu me cague toda.

Que bom! Só que qualquer coisa faz com que você se cague toda!

Como tenho feito desde que este pesadelo começou, eu tento argumentar com ela. Mas Lucy simplesmente cruza a sala, como se fosse uma catedrática dando uma palestra para seus alunos, e então faz um contato visual assustador comigo. "Nós vamos arrancar esse lixo do seu organismo", anuncia ela. Aquele ritmo enfeitiçante, austero, quase abstrato dos seus movimentos e o brilho mefistofélico nos seus olhos logo me silenciam. "A Coca-Cola não é só uma merda, como faz você querer consumir mais merda. Mesmo as pessoas que tomam refrigerantes diet são, em média, cinco quilos mais gordas do que as que não tomam."

E com esse sermão burocrático, ela me estende a aveia com amoras, e mais uma vez me deixa.

Jesus! Vejam só esta piranha! Que babaca pretensiosa pra caralho! Que porra é essa de "brilho mefistofélico"?

Eu devoro meu café da manhã, e então me lavo da melhor forma possível na água tépida da piscina infantil. Depois de algum tempo, faço o número dois, lutando para me agachar acima do balde, convencida de que estou defecando no assoalho, ou vou derrubar o balde, ou até ficar com a bunda presa dentro dele, em uma tragicomédia grotesca. Quando termino, eu me limpo com papel e empurro o balde até o limite externo da minha corrente, mas garantindo meu acesso a ele. Só que isso não é suficientemente distante: é horrível ficar perto do nosso próprio excremento, azedo e imundo, e eu sinto náuseas constantemente.

Estou tão cansada que volto ao colchão inflável vagabundo, coberto por um lençol com elástico e um áspero edredom branco. Se ao menos eu conseguisse dormir em cima disso. Toda vez que adormeço e me viro, durante a noite, meu pulso é puxado pela corrente, o que logo me traz de volta a uma consciência fraturada. Em vez disso, fico vendo a luz declinar, em um transe enevoado. Não há persianas nas janelas, e as luzes dos prédios vizinhos lançam um brilho alaranjado doentio dentro do aposento, criando toda sorte de sombras horríveis. No reflexo do vidro, eu estudo meu rosto, catalogando sem remorso os seus defeitos. Minha imaginação está desenfreada, e eu não consigo pintar ou desenhar! Em vez disto, minha única companhia é um medo constante, às vezes esmagador. Tenho muito medo desse silêncio empobrecedor, quebrado apenas pelo rugido ocasional de algum avião, ou pelo leve zumbido do elevador lá fora, que imagino subindo em sua jornada fantasmagórica. Quando começo a gritar, ou é nada, ou é apenas Lucy. Aqui o dia já é medido pelas suas visitas. Eu sinto expectativa, e depois pavor, enquanto me preocupo com as ideias psicóticas que possam estar passando por aquela mente doentia; depois, porém, sinto medo de que sua visita acabe, e que eu me veja novamente mergulhada nesta solidão aterrorizante.

Quando deixo meus olhos semicerrados, quase vejo Lucy ainda na sala. O jeito com que ela se move: arrumando tudo à sua volta feito uma máquina ágil, atacando o caos e impondo ordem ao todo. Dá para imaginar Lucy como uma mãe, tecendo aquela dança íntima de hábito e rotina. Nas paredes, desenhos a lápis de cor feitos pelas crianças. Recados colados na geladeira. Depois de supervisionar minha comida e meus exercícios, porém, e de registrar os resultados escrupulosamente no seu iPad, Lucy sempre me deixa sozinha. Durante o dia. A noite inteira. Só me visita pela manhã e ao fim da tarde, com diminutas porções de comida insatisfatória. Que ela chama de comida real, ou comida boa.

Estou tão faminta, cansada e solitária! Agora só quero comida de padaria: bolos, biscoitos, croissants, pães, mas também ovos, bacon, batatas fritas, waffles, filés, hambúrgueres, tacos...

– ESTOU COM FOME, LUCY! – Lá na sala ressoa um uivo estridente. Babaca gorda da porra.

Meus maus hábitos alimentares provavelmente começaram quando eu tinha cerca de 10 anos. Ainda em Potters Prairie, em Otter County, no Minnesota. O Meio-Oeste é uma vastidão de monotonia, pontuada por uma joia cintilante ocasional. Nós morávamos em um lugar que era o próprio coração dessa insipidez: longe demais de Minneapolis – St. Paul para ser classificado como subúrbio, mas perto o suficiente para eliminar qualquer coisa que pudesse estimular a imaginação.

Aos 10 anos, minha vida começou a ficar ruim. Antes não era assim. Eu era a filha milagrosa, aquela que aparecera exatamente quando mamãe e papai já haviam quase aceitado que jamais procriariam. Durante os sete primeiros meses da gravidez, mamãe até pensava que eu era um cisto. Mas estava assustada demais para ir ao médico. Repetia para quem escutava, e sem dúvida para muitos que não escutavam: "Eu só rezava, e minhas orações foram respondidas." Mas nunca especificou se rezava para que eu fosse um bebê, ou não fosse um cisto.

Ah, enfim descobrimos ouro! Obrigada, Michelle Parish! Obrigada, Julia Cameron!

Nós morávamos em uma casa pequena e confortável, com um jardim grande, bem na margem do lago Adley. O belo lago e a floresta circundante garantiram às minhas lembranças de infância um sabor decididamente idílico. Recordo longos verões quentes, em cujo ar pesado ressoava o zumbido de grilos e gafanhotos. Eu ia de bicicleta com minha amiga Jenny até a Kruz, uma loja na esquina. Comprava uma garrafa de Coca-Cola ou Sprite, e alguns doces. Então descobri na rua Galvin, perto da minha antiga escola de primeiro grau, o Couch Tomato Diner, um lugar onde podia-se comprar mais de trinta tipos de sorvete, e acompanhar tudo com mais Coca-Cola ou Sprite.

Os invernos eram vívidos e brancos. A neve parecia uma mortalha de silêncio estendida sobre a casa. Além do relógio grande, os únicos sons vinham da cozinha: de vez em quando, um caldeirão tampado chacoalhava, ou uma travessa era enfiada no forno, atestando a labuta de mamãe para cozinhar ou assar algo. Mesmo nos domingos que passava em casa (ele trabalhava na loja de ferragens pelo menos seis dias por semana), papai permanecia uma presença quase silenciosa. Se eu estava brincando ou lendo na sala de estar, ouvia-o respirando profundamente, virando a página de um livro, ou folheando o jornal. Os barulhos principais, porém, vinham da cozinha e envolviam o preparo de comida. Sempre havia mais comida.

Ainda assim, aos 16 anos eu continuava magra feito um varapau: 53 quilos. Depois, por volta do meu aniversário de 18 anos, *pronta para ir a Chicago a fim de me preparar para a escola de arte, eu já pesava 82 quilos.*

O que aconteceu nesses dois anos?

– LUCY! – grita Sorenson. Eu apanho a papelada na bancada e vou até a sala.
– O QUE É?!
– Onde está o café da manhã?
– Estou tentando ler o que você escreveu.
– Mas estou morrendo de fome!
– O que você quer que eu lhe diga? Lute contra essa merda!
– Não, não vou fazer isso. Preciso comer alguma coisa...
– Sabe o que eu vou fazer? Vou até um restaurante qualquer aqui na área, vou tomar o meu café da manhã, relaxar e ler a porra dessas páginas.
– Não, você tem de...
– E antes que você comece a gritar outra vez... a culpa é toda sua! – digo, agitando a papelada na cara dela. – Quem mandou escrever a porra de um troço do tamanho de *Guerra e paz*?
– Por favor, Lucy!

Sorenson se põe de pé e fica pulando ali mesmo, fazendo a corrente chacoalhar, enquanto eu me mando, saindo da porra do apartamento. Desço pelo elevador e entro no Cadillac. Há uma escassez de instalações sociais no centro morto de Miami, e isto inclui lugares decentes para se tomar café da manhã. Depois de passar por uns buracos de merda, eu encontro um local palatável em um shopping, onde tomo um chá-verde, acompanhado de pão integral, salmão e cream cheese com baixo teor de gordura. Encomendo o mesmo para a gorducha da Sorenson. Ela não pode comer aveia com amoras toda manhã. Uma TV no canto tira minha atenção do seu diário, pois está exibindo uma reportagem sobre as gêmeas. Não consigo entender o que está acontecendo, mas a coisa não parece estar indo bem, já que elas estão deliberadamente viradas de costas uma para a outra. Amy está chorando, o que lhe dá uma aparência humana, muito diferente daquele eu parasitário e mal-humorado que ela normalmente apresenta ao mundo.

Mas voltando às merdas de Sorenson:

Você via coisas, sentia coisas, enquanto crescia. A mágoa humana por trás de toda aquela tranquilidade aparente. Uma cidade onde as vidas públicas se cruzavam e se ligavam por puro costume; além disto havia uma civilidade e uma convenção estudadas e hipócritas, que nos cegavam para a pobreza, os laboratórios de metanfetamina, e as grandes extensões de nada cobertas de merda e estofadas com milho. Os silêncios que soterravam tanta dor dentro das paredes daqueles velhos lares familiares.

Mamãe.

Caraca!

Quando eu tinha uns 15 anos, nosso lar feliz ficou menos jovial. Mamãe e papai começaram a se portar um com o outro de forma diferente. E ela começou a engordar muito. Uma vez vi que ela estava pesando 122 quilos. O que eu não percebi é que ela queria uma parceira no crime. No crime da falta de amor, e de se tornar inamável para justificar essa falta de amor. Então pedíamos sorvete ao Couch Tomato Diner e pizza à You Betcha Pie. "Ora! Na sua idade, você pode comer qualquer coisa", dizia mamãe. Eu gostava de poder comer qualquer coisa.

Meu pai, Todd Sorenson, era um homem baixo, cerca de meia cabeça mais baixo do que mamãe, com uma expressão habitualmente ulcerada e um ar de santidade. Ele falava pouco. Quando alguma polêmica surgia em uma conversa, ou até no noticiário, ele reduzia o fato a "isso ou nada". Papai fazia pouco além de trabalhar e levar mamãe para dançar de vez em quando. Todo mês ele ia caçar com amigos: uns caras chatos do ramo de ferragens, cheios de platitudes entediantes. Papai me levou a algumas caçadas: mostrou como carregar, disparar e limpar um rifle. Eu adorava o que ele me deu, do mesmo tipo que papai usava, um Remington 870 Expresse Super Magnum. "Funciona muito bem com tudo, de pombos a cervos", dizia ele. Eu gostava de atirar em latas e garrafas, mas a ideia de tirar a vida de um ser vivo só por esporte me repugnava. Então eu vi quando eles mataram um jovem cervo. O bicho só olhou inquisitivamente e começou a vir na nossa direção. Eu pensei, na certa eles vão deixar o cervo ir embora. Vi os caras se entreolharem por um segundo, como que decidindo, e então meu pai atirou. O bichinho foi jogado um metro e meio para trás, caiu no chão, esticou as pernas e ficou imóvel. "Bem na zona mortal, Todd", gritou um dos seus amigos.

Eu sabia, pelos ensinamentos de papai, que a tal zona incluía a área dos ombros, e por trás dela o coração e os pulmões. Vista de lado, seu centro era mais ou menos atrás do ombro. Isto dava ao caçador a melhor chance de atingir órgãos vitais. Daquela distância, ele não podia mesmo errar. Aquilo não era "caçar", de jeito nenhum.

Fiquei enojada até o âmago. Ver algo tão vivo, inocente e cheio de confiança ser exterminado de forma tão grosseira por uns velhos burros, que só ganhavam um barato de curta duração e a ilusão fantasiosa de se definirem assim aos olhos do mundo... isto me parecia por demais grosseiro e patético em todos os níveis. Fiquei quieta, mas eles podiam ver minha raiva, e sentir o desprezo que eu tinha por eles.

Obviamente, eu resolvi que não ia mais acompanhar as caçadas de papai. Ele ficou calado, e ao mesmo tempo que em certo nível pareceu até aliviado, eu também consegui sentir sua decepção. Como tenho certeza de que ele e mamãe conseguiam sentir a minha. À medida que crescia, fui ficando menos à vontade naquele lugar onde nasci, desenvolvendo uma consciência de que eu não cabia naquela casa, naquela cidade, e que o sentimento era mútuo, já que aos olhos deles eu também não estava à altura.

Certa manhã eu estava me preparando para ir à escola, por volta das 7:45. O telefone tocou e mamãe ligou a TV. Vimos fumaça saindo de uma das torres do World Trade Center. Eles disseram que um avião tinha caído ali, e exibiram novamente as imagens. Eu olhei para mamãe e papai: todos nós pensamos que tinha sido um acidente terrível. Uns quinze minutos depois, outro avião bateu na segunda torre. Eu fiquei com medo, assim como mamãe, e nós nos abraçamos no sofá.

"Nova York", debochou papai, como se aquilo estivesse acontecendo do outro lado do mundo. "Isso ou nada."

Até hoje não sei se ele realmente acreditava naquilo, ou se estava apenas fingindo coragem, talvez na crença de que mamãe e eu pudéssemos cair na histeria. Eu permaneci em casa com ela, sentada no sofá, vendo o desenrolar dos acontecimentos, comendo balas nervosamente, até que a tragédia ficou demais e tivemos de desligar. Papai foi trabalhar normalmente na sua loja de ferragens em Minneapolis. Jamais teria lhe ocorrido fazer qualquer outra coisa. Ele recendia à loja: tinta, solventes, óleo, madeira serrada, cola e partículas metálicas que pareciam grudar nas suas mãos. Não havia sabão ou loção pós-barba que conseguisse disfarçar aquele odor.

Às vezes papai falava tão devagar que eu me sentia morrendo por dentro, com um desejo desesperado de que ele terminasse a frase para que eu pudesse retomar minha vida. Em algumas *ocasiões, ele até parava de falar e fazia uma pausa sofrida, como se estivesse analisando se valia a pena continuar falando.*

Enquanto papai trabalhava cada vez mais horas, mamãe e eu fazíamos tudo juntas, e este "tudo" envolvia comida. Ou o que Lucy descreveria como bosta: uma massa açucarada ou salgada. Nós comíamos tortas, pizzas e cheesecakes inteiros, até enjoarmos. Então deitávamos no sofá, imobilizadas, quase incapazes de respirar. Ficávamos quase bêbadas, quase afogadas de comida. Atormentadas por câimbras estomacais e refluxo ácido; muito além de satisfeitas, com dores físicas reais, sentadas em um ódio abjeto por nós mesmas que pulsava dentro de nós feito o lixo que havíamos acabado de comer, mas ainda querendo que aquela montanha que havíamos enfiado nas tripas diminuísse, para ser quebrada e processada por nossos corpos, com os quilos de gordura grudados no que já estava lá. Querendo apenas que isso acontecesse, para que pudéssemos começar tudo de novo. Porque quando acontecia, nós nos sentíamos muito vazias. Precisávamos da mesma coisa outra vez.

Coitadinha de mim! Papai era um idiota atarracado de coração frio, membro da Associação Nacional do Rifle, que matava bichinhos peludos com seu pau substituto! Mamãe era uma grande porca gorda que vivia se entupindo, porque não recebia uma boa vara. GRANDES MERDAS, LENA SORENSON! A força de vontade não conta no seu caso? Ou o respeito próprio? Existe alguma essência dentro de você? Uma pessoa aí?

Então eu me vi no grande espelho enfeitado com moldura de mogno no nosso corredor, pouco depois dos meus exames. Um balão. Eu já não podia comer o que quisesse. Por isto passei a me vestir de preto e virei gótica, uma gótica gorda. Sabia desenhar, e sabia pintar. Sempre. Mas já não podia comer o que quisesse, porque sempre queria mais do que qualquer pessoa podia comer.

Isso me causou problemas na escola secundária. Antes do meu ganho de peso, eu já não era exatamente popular, mas... mesmo quieta, pensativa, e um pouco baixa para a minha idade, eu até conseguia me safar nas costumeiras brincadeiras e estripulias escolares. De repente passei a me destacar demais na turma. Era estranho o modo como as outras garotas olhavam para mim: primeiro com desconforto, depois com crueldade nos olhos. Aquilo parecia o início lento de um pesadelo, onde por fora as pessoas aparentavam ser elas mesmas, mas estavam possuídas por uma força demoníaca. Eu já tinha, literalmente, crescido muito mais do que Jenny. Sabia que ela tinha vergonha de andar comigo. Então, no dia de uma aula de ginástica, um grupo de garotas começou a me atormentar, e ela se juntou às outras. Eu nem consegui ter ódio dela. Tal como minha mãe, eu já me convencera de que era inamável, e estava sofrendo uma espécie de retaliação justa.

Nem mesmo na aula de arte havia descanso. Eu estava trabalhando no retrato de um velho. Certa manhã, quando cheguei, o quadro fora atacado: o vulto do homem fora tornado gordo com tinta preta, e o rosto alterado até virar uma aproximação grosseira e caricata do meu próprio. A inscrição PIRANHA BUNDONA BANHUDA estava rabiscada em grandes letras logo abaixo da figura. Eu fiquei mortificada, e vi minhas colegas de turma rindo, mas não consegui mostrar a tela para a professora. Joguei aquilo no lixo discretamente, e comecei outro quadro, com a mão tremendo enquanto desenhava.

Outras pessoas conseguiam ver que eu estava ficando mais distante e retraída. Uma professora, a sra. Phipps, até recomendou que mamãe me levasse ao médico, pois possivelmente andava *deprimida. Fomos ao médico da família, o dr. Walters, que vinha me dando antibióticos e anti-histamínicos desde que eu era criança. Ele falou para minha mãe que eu estava sofrendo de "letargia". "Prefiro evitar termos pejorativos como depressão", disse ele para nós.*

Até mesmo eu sabia que não existia uma doença com esse nome. Só que eu mal conseguia me forçar a tomar banho ou escovar os dentes. Até os três minutos do zumbido da escova elétrica eram excruciantes, e eu rezava para que aquilo acabasse logo, contando cada segundo enquanto movimentava a escova dentro da boca.

Só que mamãe ainda me amava. Ela demonstrava isso me dando presentes. Nossa vida era uma longa rodada de presentes. O dicionário descreve esse substantivo como "evento ou item extraordinário que propicia grande prazer". Só que nada havia de extraordinário no nosso regime de "presentes". E todo prazer proporcionado era de curta duração, comparado com a dor lenta e pulsante que aquilo nos provocava.

Hum... Fique esperta, caralho! E o tal médico, lá na caipirice de Potters Prairie, Otter County, era a porra de um charlatão? Quem poderia ter previsto isso?

Um garoto esquisito chamado Barry King era o meu único amigo no segundo grau. Ele era tão magricela quanto eu era gorda, um garoto tímido e desajeitado, com óculos de Harry Potter. A ironia, como frequentemente ocorre nessas situações, é que hoje eu vejo com clareza que Barry, com sua esbelta compleição atlética e seus sombrios olhos escuros, só precisava de uma pequena mudança de atitude para ser reclassificado como um garoto de boa aparência em termos convencionais. A tristeza é que ele era incapaz de dar esse passo pequeno, mas gigantesco. Assim como eu, ele se aprisionara em sua autoconsciência: seus movimentos, seu andar, seus olhares, suas falas nervosas e inapropriadas... tudo isso incitava perseguição. Como reação, nós criamos nosso próprio mundo, que ao mesmo tempo nos sustentava e envergonhava. Nosso refúgio era a ficção científica. Éramos particularmente obcecados por Ron Thoroughgood, um escritor inglês, e pelas histórias em quadrinhos da Marvel. Trazíamos revistas, desenhando primeiro os super-heróis e vilões que havia nelas; depois criávamos nossos próprios personagens.

O mundo que construíamos com esses materiais não apenas definia nosso presente, mas também nosso futuro. Nós fazíamos planos; ele ia escrever aventuras de ficção científica, e eu ia ilustrá-las.

Frequentávamos o Cup of Good Hope Café e o Johnny's One Stop, comendo doces e batatas fritas, além de beber refrigerantes, sempre refrigerantes: Coca-Cola, Pepsi, Sprite e Dr. Pepper. Escondidos, sempre escondidos. Ele atrás daqueles óculos nada lisonjeiros, eu nos meus trajes de banha, espiando por trás da espessa cortina preta que deixara crescer por cima dos olhos, e que fazia meu pai se contorcer em fúria silenciosa. "É o meu estilo", dizia eu, dando de ombros, quando ele me questionava a respeito.

O tempo todo eu ansiava pelo barato reconfortante do açúcar, esperando, com um senso de antecipação sufocante, a sua promessa futura. Uma vez Barry e eu estávamos indo para o Cup of Good Hope, quando um grupo de alunos do colégio nos pararam e começaram a bancar os abusados. Chamaram Barry de panaca retardado e me chamaram de baleia encalhada. Disseram que estávamos fazendo sexo. Que ele era um pervertido magricela por foder com uma garota muito gorda. Um dos garotos deu um soco na cara dele, derrubando seus óculos no chão, mas sem quebrá-los. Todos riram quando Barry apanhou os óculos. Nós saímos andando e depois fomos até o Cup of Good Hope. Barry ficou sugando um refrigerante por um canudo com o lábio inchado. Lembro do que ele falou. "Ninguém aqui nos entende, Lena. Você precisa ir embora."

Suas palavras me deram um calafrio, já naquele momento. Foi o modo como ele falou "você", e não "nós". Como se já soubesse que ele próprio jamais conseguiria.

E não conseguiu.

Eu odiava os domingos mais do que qualquer outro dia, pois logo adiante havia a promessa de uma semana de opressão no colégio. A pavorosa expectativa disso já era, na realidade, até mais debilitante do que a realidade. Domingo também tinha todo o ritual da igreja, tão tedioso e arrasador para o espírito, que já parecia antecipar o massacre. Os pais da minha mãe, vovó e vovô Olsen, sempre vinham tomar o café da manhã lá em casa, e depois nós íamos juntos a pé para a igreja. Era uma caminhada horrível, entediante e cheia de uma expectativa pavorosa. Aquilo exigia andar constrangedoramente com a minha família ao longo de uma estrada exposta, mas nós nunca, jamais íamos de carro. Mesmo que estivesse frio ou chovendo, nós nos apinhávamos embaixo de guarda-chuvas. Quando eu protestava, papai explicava que aquilo era uma "tradição familiar". Vovó conversava com mamãe, enquanto vovô Olsen ficava em silêncio; quando conversava, era com papai, e sempre sobre o trabalho de cada um deles. Eu era obrigada por mamãe a vestir umas roupas alegres. Sentia-me uma retardada, como se aquelas cores atraíssem os olhos do mundo para mim, muito mais do que o preto que eu sempre preferia. Antes de sairmos de casa, eu me forçava a encarar minha imagem no espelho. Eu era igual a mamãe, gorda e burra. Uma versão mais jovem, porém com as mesmas roupas ridículas. Papai mal olhava para nós. Tinha vergonha de nós. Embora já fosse uma adolescente — uma adolescente baixinha, gorda e espinhuda que se escondia atrás de uma franja —, eu era arrastada junto com eles.

Durante as férias, eu ia até Minneapolis com papai, para trabalhar na loja de ferragens. Detestava aquele tempo em silêncio no carro, aquele deserto plano à nossa frente, e aqueles grandes céus ocos acima de nós. A loja propriamente dita era cheia de velhos piegas, tanto funcionários quanto fregueses, alguns dos quais eu reconhecia como cupinchas de papai nas caçadas, que iam até lá só para falar merda. Em geral eram homens entediados, velhos e já aposentados, com projetos do tipo Faça Você Mesmo que levariam anos para ser feitos, caso um dia fossem iniciados.

Vovô Olsen era como um deles. Ele morreu de repente: um enfarte fulminante ao volante de um dos seus caminhões de carroceria plana, no estacionamento atrás da sua loja. Por sorte, o veículo estava parado na hora.

No seu enterro, em um dia frio e varrido pelo vento, diante do túmulo aberto mamãe chorava e reconfortava vovó, que repetia sem parar, "Ele era um homem bom..." Notando o meu tédio e desconforto, papai me contou, em um tom rabugento e muito adulto, como se estivesse conversando com um amigo, que acreditava que vovô Olsen sabia que ia morrer, e por isso tinha entrado na cabine do seu caminhão.

Vovô e papai tinham uma espécie de laço sem alegria, já que ambos eram empresários bem-sucedidos. Então a sorte de papai mudou, quando a Menards abriu uma loja nova em um centro comercial a menos de dois quilômetros de distância. Papai ficou muito amargo. Aquilo era um sintoma do declínio nacional, dizia ele, que começou a dar voz a seu apoio a diversos políticos direitistas americanos, em uma gama que ia dos autoritários aos libertários. Acabou escolhendo Ron Paul, e chegou a participar ativamente de uma das suas numerosas campanhas presidenciais fracassadas.

Nós brigávamos por causa disso. Brigávamos o tempo todo por questões políticas e sociais. Papai debatia até certo ponto, mas sempre que eu estava levando a melhor (coisa que acontecia cada vez mais, já que eu andava lendo vorazmente), ele erguia a voz ameaçadoramente. "Eu sou o seu pai, e você vai respeitar isto", ordenava ele, e a discussão terminava.

Papai mandou que eu mantivesse distância de Cherie, uma atendente da loja. Ela era alguns anos mais velha do que eu, mas parecia uma garota alegre e normal.

— Ela não é o tipo de pessoa com quem você deve conversar.

— Por quê?

— Nunca se pode fazer amizade com funcionários. Isso me prejudica.

— Mas eles são trabalhadores. Eu só estou aqui na loja.

— Não me afronte. Você é minha filha, e um dia estará administrando a loja.

A ideia me enchia de pavor. Mas eu sabia que aquilo jamais aconteceria. Em vez disso, passei a adorar a Menards. Cada resmungo de papai acerca do progresso deles e cada revelação de que a sua loja estava em dificuldades deixavam meu coração incendiado de pura alegria. Sempre que via um grande anúncio da cadeia concorrente no jornal, eu me rejubilava diante do poder de fogo empresarial deles, já visualizando o momento em que nossa horrível loja de ferragens naquele centro comercial decadente de Minneapolis seria esmagada e literalmente posta no chão. Eu preferia ter uma vida privada de tudo a administrar a loja de papai.

Então algo terrível aconteceu. Foi na primavera seguinte, quando as coisas ainda estavam começando a reviver, depois de mais um inverno brutal. Eu estava sentada no jardim, lendo They Perish in Ecstasy, o último romance de Ron Thoroughgood. Mamãe estava aparando as ervas daninhas e escavando o solo, já se preparando para plantar algo. Alana Russinger, uma vizinha nossa, apareceu e contou para mamãe que Barry tinha morrido.

Eu congelei e abaixei o livro. Mamãe olhou para mim e depois de volta para Alana.

— Isso é terrível... o que aconteceu?

— Não sei dos detalhes, mas encontraram o corpo dele no quarto hoje de manhã.

— Como assim? — gritei, levantando da cadeira.

Alana olhou para mim com uma expressão sofrida, e então virou para mamãe, baixando o tom de voz.

— Estão dizendo que ele se enforcou.

Eu corri para dentro de casa e fui para o meu quarto. Sentei na cama. Tentei encontrar lágrimas em meio à dormência.

Nenhuma surgiu. Mamãe entrou. Sentou na cama ao meu lado. Disse umas palavras, acerca de Barry agora estar em um lugar melhor, com Deus, e que ele jamais voltaria a ser infeliz.

— Como você sabe que ele está com Deus? — eu disse, virando na direção dela. — Se ele se enforcou, foi suicídio, e isso não representa um pecado que nos impede de ir para o céu?

— Deus é piedoso — disse mamãe, apertando minha mão.

Eu olhei para ela, e nós nos abraçamos. Então pedi que mamãe me deixasse sozinha, o que ela fez. E peguei algumas das histórias de ficção científica escritas por Barry em uns cadernos espiralados que ele mandara encadernar na Kinko's. Mas eu ainda não conseguia chorar. Sentia-me morta por dentro.

Mais tarde descobri que Barry deixara um bilhete que dizia simplesmente: NÃO POSSO MAIS CONTINUAR ASSIM. NÃO HÁ LUGAR PARA MIM AQUI. Subsequentemente, vim a descobrir que ele também escrevera que toda a sua coleção de revistas em quadrinhos deveria ser deixada para mim. Seus familiares retiveram esta informação. Eles concordavam com meus pais que nós éramos "uma má influência um para o outro", e tínhamos "fixação pela morte". Eu até peguei minha mãe e meu pai dentro do meu quarto, examinando meus CDs e as músicas baixadas por computador, que jamais lhes haviam interessado antes: Nirvana, Sisters of Mercy, Macbeth, Secret Discovery, Theatre of Tragedy, PJ Harvey, This Mortal Coil, Puressence, Depeche Mode, Crematory e Tool. Talvez estivessem procurando nos encartes, nas letras, ou na arte das capas, indícios de algo que nos levasse a uma folie à deux suícida. Era quase como se eu estivesse sendo culpada pela morte dele: já os covardes que surravam, perturbavam ou atormentavam Barry todo dia foram, é claro, inocentados.

Eu passei praticamente mais da metade de um ano dentro do meu quarto, só saindo para ir ao colégio. Mas lá a coisa ficou mais fácil. Embora eu ainda fosse vista como uma fracassada esquisita, a perseguição aberta cessou. Não sei se o suicídio de Barry induzira uma culpa coletiva, ou se eles achavam que teriam mais sangue em suas mãos se também me empurrassem para o abismo, mas eu fui deixada em paz. E não comia, o que preocupava mamãe.

Então aconteceu a festa de 25 anos de casamento de mamãe e papai no Centro de Eventos. Eu fui forçada a comparecer. Tinha quase 17 anos. Mais uma vez, mamãe contou a todos a história da bebê milagrosa olhando para mim, enquanto eu corava, desejando estar em qualquer outro lugar. Não acredito que houvesse um só adulto em Otter County que ainda não escutara aquela história.

Fiquei surpresa por ver Tanya Cresswell, minha colega do secundário, ali na festa. Ela estava com os familiares, que conheciam mamãe de algum grupo religioso que ela frequentava. Tanya também era uma garota esquisita, mas não como eu. Ela era simpática, mas também distante e desdenhosa do pessoal que fazia bullying, que parecia ter um pouco de medo dela. Tanya falou comigo pela primeira vez. Nós conversamos principalmente sobre música. Eu peguei escondido um pouco de álcool, uma garrafa de vinho branco, que bebemos na viela lateral do centro, enquanto fumávamos um cigarro. Estávamos empolgadas e bêbadas. Meio que nos beijamos, tipo nos lábios. Ficamos nos entreolhando, com surpresa e medo. Nenhuma das duas sabia o que acontecera, nem o que fazer a seguir. Então ouvimos vozes, vendo um cara mais velho e uma garota sair ao ar livre para se agarrar encostados em uma das pilastras na entrada do centro.

Alguns dias depois, eu vi Tanya na aula. Nós nos encaramos com um constrangimento mútuo, depois desviamos o olhar. Ambas sabíamos que tínhamos feito algo errado. Tipo algo que faríamos novamente se continuássemos próximas, mas que realmente viraria a nossa vida pelo avesso se as pessoas descobrissem. E assim passamos a nos evitar. Mas eu nunca renunciei ao sexo, só me masturbava constantemente. Às vezes pensava em garotas, beijando-as ou agarrando, mas geralmente pensava em garotos. Eu realmente desejava que um garoto, um moreno magricela, viesse ao meu quarto à noite e me apalpasse, tocando os mamilos dos meus pequenos seios.

Sem Barry e suas distrações de ficção científica, eu me concentrei mais no meu trabalho escolar, "começando a desenvolver meu potencial", como dizia papai. Mas havia uma aula específica que me obcecava. A srta. Blake, professora de arte, repetidamente me informava que eu era a aluna mais talentosa que ela já conhecera em Otter County. Ela me contou que uma equipe do Instituto de Arte de Chicago estava buscando potenciais estudantes no nosso estado, e em breve faria uma espécie de apresentação em uma faculdade comunitária de Minneapolis.

Vovó Olsen morreu no verão seguinte ao falecimento de seu marido. Perdida e de coração partido, ela jamais se recuperou da morte dele. Isto ajudou as nossas finanças periclitantes, já dizimadas pela Menards. O casal Olsen também deixou algum dinheiro em um fundo para a minha faculdade, descrito por mamãe como uma "quantia considerável". Eu fiquei empolgada com esta notícia, mas lutei para me controlar, exprimindo uma tristeza pela morte da minha avó que na verdade não sentia. Isto parece insensível, mas eu só conseguia pensar no dinheiro. Sabia exatamente o que queria fazer com aquilo. Estupidamente, falei a mamãe e papai das minhas aspirações a estudar arte. Pela primeira vez em muito tempo, eles se uniram:

a faculdade de arte era um desperdício de dinheiro. Você não conseguia emprego. A faculdade de arte era cheia de esquisitões e pervertidos que viviam tomando drogas. Eu devia me concentrar em matemática.

A única coisa boa nessa conversa deprimente foi que papai nem sequer mencionou que eu deveria administrar a loja de ferragens em Minneapolis. Isto não era tanto um reconhecimento da minha patente inadequação a tal papel, e mais uma aceitação de que a longo prazo a vitória da Menards era inevitável. Por mais que eu fosse jovem e inexperiente, percebi imediatamente a inutilidade de argumentar. Simplesmente concordei com eles: fazia mais sentido estudar administração.

É claro que fui à tal apresentação do Instituto de Arte sem contar aos meus pais, levando meu portfólio comigo. Havia cerca de vinte jovens em uma sala da faculdade, todos com o tipo de envolvimento ávido e vibrante que eu nunca encontrava em outros na minha turma de arte na escola secundária. O cara do Instituto de Arte tinha uma cabeça raspada, e estava vestido de preto. Foi apresentado pelo membro do corpo docente da faculdade comunitária como um professor. E imediatamente corrigiu o sujeito, balançando enfaticamente a cabeça. "Eu não sou professor. Sou artista."

Assim que ouvi isso, eu percebi exatamente onde queria estar. Aquelas palavras simples eram as mais impressionantes que eu já ouvira alguém dizer. Como eram galvanizadoras e inspiradoras para alguém que se sentia esmagada pelo acúmulo constante de pequenas derrotas! Um fardo foi tirado das minhas costas, e eu <u>senti</u> minha espinha se endireitar.

Percebi <u>quem</u> eu queria ser.

Ligo a esteira. Já entrei em um ritmo forte demais, pois começo a suar e ofegar imediatamente. Cada passo é uma provação... mas eu ajusto o aparelho até chegar ao grau máximo de subida, saudando um novo inferno, mudando o fardo para outros músculos, que pulsam com intensidade implacável. Dentro de dez minutos uma voz na minha cabeça já está urrando: que diabos você está fazendo? Tento ignorar a voz. Logo some toda a sensação nas minhas pernas, é como se nada estivesse me sustentando, e sou tomada por um pavor trêmulo de que vou cair. Faço força para me concentrar no ritmo martelante dos meus pés na esteira de borracha, tentando obrigar meus pulmões resfolegantes a respirar na mesma batida. Tento olhar para qualquer outra coisa além daqueles monitores digitais que medem o tempo, a velocidade, a distância percorrida e as calorias queimadas. De repente, por si só a esteira começa a girar mais devagar. Então percebo, para minha euforia, que estou correndo a esta velocidade e com este grau máximo há trinta minutos ininterruptos!

Saio do aparelho cambaleando, com as pernas tão bambas que provavelmente teria caído, não fosse a corrente que prende meu pulso à pilastra. Vou me içando por ela feito um peixe, e caio sobre o colchão, enrolando os braços em torno das pernas, apertando o rosto sobre os joelhos desnudos, fechando os olhos e me enroscando toda em uma bola de mim mesma.

Bem, obrigada, srta. Sorenson. Esquisitona gorda, esquisitão magro, ambos desajustados, esquisitona gorda não fodeu com o esquisitão magro, e em vez disso foi se agarrar com a piranha da igreja no não evento. O esquisitão magro já tinha se matado, de qualquer forma, e a esquisitona gorda faz faculdade bancada por um fundo familiar. Bom, acho que é um começo. Mas também é só isso. Peço desculpas por não ficar muito impressionada! Também não estou muito convencida da confiabilidade de

Sorenson como narradora. Pessoas como ela, esses artistas, inventam um monte de merda. É isso que eles fazem.

Quando volto com o pão para o seu café da manhã, uma hora já passou e Sorenson não está feliz, mas fica em silêncio, seus olhos jamais se desviando da comida na minha mão. Eu enfio o pão nas suas patas sujas e agradecidas.

Enquanto ela come, apanho seu balde e dou a descarga na merda ali dentro. Faço o mesmo com o mijo, e então há a chatice de esvaziar a piscina do urso tarado, que exige arrastá-la até o banheiro e emborcá-la com destreza por cima da borda do box, deixando que a sujeira de Sorenson encha os ralos de Miami. Depois vem a tarefa entediante e mundana de encher novamente todos os recipientes.

Quando termino a porra desta missão horrível, volto para Sorenson, que surpreendentemente continua mastigando sua comida. Sim, ela está se forçando a comer mais devagar, erguendo o olhar para mim entre uma dentada e outra. Então sento na cadeira diante dela, com as Páginas Matinais na minha mão.

– Isto aqui é muito para absorver de uma vez só. Você foi bastante sincera. Bom trabalho.

Ela me lança um olhar esperançoso. – Eu realmente tentei ser o mais franca possível...

– O lado ruim é que estas *não* são Páginas Matinais.

– Como assim? Eu escrevi isso aí assim que acordei hoje de manhã. Escrevi sim, eu...

Ergo minha mão para silenciá-la. – As Páginas Matinais são apenas três. Há mais de vinte aqui!

– Quanto mais, melhor, não é? Isso aí vale por duas semanas!

– As Páginas Matinais devem ser escritas três por vez, para que possamos levantar problemas e lidar com eles em pedaços pequenos, digeríveis – digo, sacudindo o calhamaço. – Já isto aqui... este troço todo... é simplesmente esmagador.

– As Páginas Matinais são propriedade minha, Lucy. Leia a Julia Cameron, se não acredita em mim – diz ela calmamente. – Não são escritas para você fazer coisa alguma com elas. Você não é uma psicóloga formada, psicoterapeuta, ou conselheira...

— Mas *você* não é uma adulta. Não percebe isto? Não percebe o que está fazendo agora mesmo? Está tentando me manipular, como os fracos sempre tentam fazer, usando truques, sedução, subterfúgios...

Sorenson afasta a franja oleosa com a mão acorrentada. — Lucy, isto é burrice. É errado. Olhe, eu sei que tenho problemas, e valorizo a sua tentativa de ajudar, mas a resposta simplesmente não é me sequestrar e se autoincriminar!

— Sequestrar. Este é um termo interessante. Onde está o bilhete pedindo resgate? Para quem deve ir? Quais são as minhas exigências? Sequestro? Vai sonhando. Isto aqui é uma intervenção. Amor difícil — digo a ela.

— Amor? Como? Por quê? Você lá se importa!

— Figura de linguagem — rebato, sem me perturbar pela incisividade dela. — Estou fazendo a porra do meu serviço. Você é um desafio. Vou botar você em forma, mesmo que isso me mate.

Vejo o medo entrar nos seus olhos e enfatizo: — Só que não vai me matar. Você não vai ganhar esta porra. Porque *eu* não vou deixar você perder.

— Tudo isso é por causa daquele vídeo gravado no meu telefone — diz Sorenson, em tom de lástima. — Você está me punindo porque eu dei o vídeo para o canal de TV...

— Pare de falar nesse vídeo — rebato. — Já que você mencionou o assunto, aquilo realmente me prejudicou. Mas isto aqui tem zero a ver com aquilo lá. Isto aqui tem a ver com a sua obesidade, que é mantida por mentiras e negação.

— Não! — grita Sorenson. Depois ela faz uma careta e esfrega as têmporas. — Droga... esta dor de cabeça está rachando o meu crânio!

Eu vou até a cozinha, voltando com toalhas e sabão. Sorenson implora por uma aspirina.

— Não. Sem dor, não se ganha nada. Eu *quero* que você se sinta uma merda, e lembre deste momento, exatamente como é horroroso. Isso se deve à abstinência de Coca-Cola e Pepsi — digo, jogando mais algumas garrafas de Volvic dentro do cooler.

Com o rosto contraído de horror, ela diz: – Água parece ser a sua resposta para tudo!

– A Coca-Cola era a sua... uma resposta de merda!

Com os olhos fundos e assombrados me encarando por baixo da franja, ela diz: – Preciso de absorventes.

Eu meto a mão na bolsa e pego alguns, que estendo para ela.

Sorenson passa o dedo no sutiã esportivo sujo e olha para sua calcinha fedorenta. – Eu preciso tomar um banho decente! Preciso lavar o cabelo! Estou nojenta!

Tem toda razão, sua gorda.

– Você tem a piscina – digo, apontando para o urso sorridente. Que espécie de pai ou mãe deixaria seu filho ou filha sentar em cima daquela cara? É querer criar encrenca.

– Não consigo me limpar direito com... isso. – Ela faz um gesto desdenhoso, e depois passa a mão pelas mechas oleosas. – Eu realmente preciso lavar o meu cabelo!

Eu abano a cabeça.

– O suor não é nojento. O sangue não é nojento. A gordura *é* nojenta. Perca isso e depois veremos. Conquiste a porra desse direito!

E mais uma vez, eu deixo o apartamento sob uma serenata de urros que se dissolvem em pesados soluços de autodesprezo.

28
CONTATO 11

Para: lenadiannesorenson@thebluegallery.com
De: mollyrennesorenson@gmail.com
Assunto: Por favor, entre em contato

Lena

Isto já perdeu a graça. Quando eu ligo para você, cai direto no correio de voz. Por favor, me ligue. Está tudo bem? Você perdeu o seu telefone?

bjs
Mamãe

Ah, essa não. Vá se foder, mamãe Sorenson.

Para: lucypattybrennan@hardass.com
De: michelleparish@lifeparishioners.com
Assunto: ?!?

Mulher gay? Como assim? Para sua informação, eu sou mãe e planejo casar com meu namorado no próximo ano. Você é maluca. Por favor, chega de correspondência entre nós.

Para: michelleparish@lifeparishioners.com
De: lucypattybrennan@hardass.com
Assunto: Qual é!

Você é uma sapata enrustida, e isso transparece a um quilômetro de distância. Já saquei: deixar que alguma bichona engravide você é bom para os negócios na televisão. Afinal, a piranha precisa comer. Mas caramba, madame, quando foi que o navio do respeito próprio zarpou da porra do seu porto? Você realmente tem uns problemas sérios com a sua sexualidade, que precisa resolver urgentemente!

Levante a cabeça. Avance. Não se lamente, enfrente!

Sua na sororidade,

Lucy

PARTE DOIS

Reféns
Quatro semanas depois

29
CONTATO 12

Para: lucypattybrennan@hardass.com
De: kimsangyung@gmail.com
Assunto: Preocupada com nossa amiga em comum

Oi, Lucy

Você não me conhece, mas peguei o seu endereço em um e-mail que Lena Sorenson me enviou. Ela fala muito bem de você como amiga, e como uma *personal trainer* motivadora. Sou uma grande amiga dela, e fomos colegas de quarto na faculdade. Estou preocupada, pois não tenho notícias de Lena há séculos. Ela não respondeu meus e-mails, nem retornou meus telefonemas. Isto é realmente incomum, já que mantemos contato regularmente.

Tenho certeza de que você sabe que ela tem problemas emocionais, tipo problemas com homens, e que a sua cabeça não anda muito bem no momento.

Fico imaginando... você sabe de alguma coisa?

Bem que eu queria estar em Miami agora... os invernos em Chicago não são muito bons.

Sinceramente,

Kim Sang Yung

Esta é a escrota que vem enchendo de lixo a caixa de e-mail e de correio de voz de Sorenson.

Para: kimsangyung@gmail.com
De: lucypattybrennan@hardass.com
Assunto: Preocupada com nossa amiga em comum

Oi, Kim

Sim, Lena vem treinando comigo, e nós nos tornamos grandes amigas. A questão dos problemas com homens já se resolveu mais ou menos por si própria, e ela vem saindo com um bombeiro gostosão chamado Miles. Não é uma relação desafiadora, mas é exatamente do tipo que ela precisa, e acho que é o principal motivo que anda levando Lena a ficar fora do radar!

Só que isso também motivou Lena a voltar ao trabalho. Ela alugou um chalé bastante isolado nos Everglades, onde está tirando montes de fotografias dos pântanos a fim de construir uma paisagem para seus "humanos futuros" em um novo projeto artístico que elaborou. Lá o sinal é ruim, mas outro dia Lena ligou para dizer que está tudo bem, e que ela voltará a Miami dentro de duas semanas.

Portanto, tudo bem.

Se ela ligar novamente, falarei da sua preocupação e mandarei que entre em contato, mas você sabe como ela fica obcecada por um projeto, quando pega o freio entre os dentes! Eu mesma gostaria de ter um contato mais regular com ela, pois fico preocupada com a sua solidão lá nos Everglades. Só que estou muito feliz de ver Lena de volta ao trabalho, pois estava SERIAMENTE preocupada com seu estado mental há poucas semanas. Agora que ela saiu dessa, porém, prefiro não perturbar a sua energia.

Nunca fui a Chicago, mas ouço falar que é uma GRANDE cidade esportiva!

Um abraço,

Lucy Brennan

Para: lucypattybrennan@hardass.com
De: valeriemercando@mercandoprinc.com
Assunto: Isso está ficando sem sentido

Lucy

Não vejo como você pode esperar que eu continue a representá-la, se não responde meus e-mails, nem retorna meus telefonemas. Só para reiterar: Thelma, da VH1, agora está confiante de que Quist, o tal congressista recém-eleito, perdeu todo o interesse por nós. Ela e Waleena querem conversar seriamente sobre o programa.

Por favor, entre em contato comigo.

Abraços,

Valerie

Piranha falsa. Foda-se o programinha de vocês. Eu tenho o meu *próprio* programa, e esse eu faço longe das câmeras.

Para: lenadiannesorenson@thebluegallery.com
De: mollyrennesorenson@gmail.com
Assunto: Voando para Miami

Lena

Isso já durou semanas! Nós estamos doentes de preocupação!

Vou ligar para a polícia daí e fazer reserva em um voo para Miami se não tiver notícias suas imediatamente. Não sei que tipo de brincadeira você está tentando fazer, menina, mas seu pai e eu estamos doentes de preocupação, vivendo um inferno. ME LIGUE! ME MANDE UM E-MAIL! ME ENVIE UM TORPEDO!

Mamãe

PORRA! RETARDADA CONTROLADORA CARENTE DA PORRA!

Para: mollyrennesorenson@gmail.com
De: lenadiannesorenson@thebluegallery.com
Assunto: Estou farta

Mamãe

Eu perdi meu telefone e ainda não arrumei outro. Mas não foi por isso que andei afastada. Andei afastada porque cansei da sua BABAQUICE!

NÃO ME MANDE MAIS PELO CORREIO AQUELA BOSTA QUE VOCÊ CHAMA DE "COMIDA"... VAI DIRETO PARA O LIXO. NÃO QUERO AQUILO. VOCÊ ESCOLHEU COMER A SI MESMA ATÉ MORRER PORQUE ESTÁ DEPRIMIDA, JÁ QUE SUA VIDA E SEU CASAMENTO SÃO UMA MERDA.

ÓTIMO.

MAS PARE DE INTERFERIR COMIGO, CARALHO!

SE ME RESPONDER, ESQUEÇA TODAS AS MERDAS PASSIVO-AGRESSIVAS, MANIPULADORAS E PEGAJOSAS. ESTOU CANSADA DE SER A PORRA DA SUA MÃE. CRESÇA, CARALHO!

Por favor, note que eu estou muito bem – na realidade, melhor do que jamais estive. Vou regularmente à academia, tenho uma nova *personal trainer* FABULOSA, estou perdendo peso, e mal posso esperar para voltar ao trabalho. E também me sinto melhor do que já me senti na vida, porque finalmente disse o que queria dizer a você há tantos anos.

L

30
O HOMEM BARRACUDA

Como se uma Sorenson gorda não bastasse, uma segunda bolha já começou a perturbar minha vida lá da porra de Potters Prairie! Assediada por perdedoras! E Michelle também virou-se contra mim: a piranha tensa andou me ameaçando com policiais e advogados, e por fim mudou seu endereço de e-mail. Só me deixou com a porra das Páginas Matinais de Lena Sorenson!

Está quente lá fora, mas as ruas estão molhadas depois de um toró forte. Estou usando uma calça jeans de brim escovado, com um cinto de tachinhas e um top preto. Meu cabelo está solto, e como acessórios tenho uma corrente com um coração dourado e uma pulseira combinando. E estou usando esta merda porque ele comprou para mim.

Foi por causa dele que comecei a frequentar este ponto triste, uma espelunca pequena em uma rua transversal entre a Washington e a Collins. O lugar não tem fregueses, além de dois sujeitos que jogam bilhar, e ele, no seu lugar costumeiro. Sim, Jon Pallota está apoiado no balcão, conversando com a gata tatuada que atende no bar. Ele tem a barba por fazer e os olhos injetados, além de uma nítida pança de cerveja. É pavoroso pensar que, ainda no ano passado, ele era um dos caras mais gostosos que você podia conhecer. O sorriso ainda está lá, profundo, insinuante, mais inesquecível do que nunca, batendo em mim feito uma tonelada de tijolos, e fazendo com que eu, de forma reflexiva e patética, ajeite o meu cabelo. Ele dá uma breve olhadela nas minhas joias e depois volta os olhos para mim. Eu mantenho o contato visual durante um segundo, enquanto um universo inteiro de cansaço, dor e orgulho ziguezagueia entre nós. Não estou preparada para esta expressão. Não é do tipo que geralmente compartilhamos com outro ser humano em South Beach. Atordoada, eu peço uma vodca com soda.

Após uma breve troca de palavras, nossa conversa se volta, como sempre acontece, para o infortúnio de Jon. Nós nos reaproximamos recentemente, pois temos um inimigo comum em Quist, que surrou Thorpe na eleição.

– O processo de indenização não está avançando – diz Jon, balançando a cabeça, seu cabelo espigado anda ficando bem mais grisalho. – As grandes empresas dominam essa merda toda. A tal empresa botou o puto do Quist como uma espécie de consultor especial.

Ele brinca com o seu Jack Daniel's duplo, sem gelo, tentando resistir à bebida por mais alguns segundos. Para sondar seu poder de atração sobre ele.

– Mas você sobreviveu, Jon – digo, deixando minha mão cair sobre a dele. – E continua lutando.

Como sempre, parece que ele está a milhões de quilômetros no espaço sideral. Ou talvez esteja a apenas alguns, na praia de Delray na costa atlântica.

– Sabe, eu ainda ouço os gritos dos nadadores e banhistas. Ainda me sinto lutando na parte rasa, pensando em meio à dor... *o que é isto?*... enquanto aquela nuvem em forma de cogumelo criada pelo meu próprio sangue se erguia à minha frente no mar. Depois baixei o olhar e vi os olhos horríveis da porra da barracuda entre as minhas pernas.

Ele estremece e solta uma gargalhada amarga. A bartender se encolhe um pouco e finge estar vendo TV.

As gêmeas Wilks concordaram em ser operadas por uma equipe de cirurgiões especializados, que acreditam poder separar seus corpos com êxito. "Quando eu estava esperando as duas, nos disseram que era possível interromper a gravidez", explica Joyce Wilks. "Só que isso não era para nós. Deus quis que Annabel e Amy fossem assim, e o que Ele queria bastava para nós. Então nos deram a opção de separar as duas enquanto bebês, mas nos recusamos. O risco era grande demais."

Eles mantêm a câmera em Joyce por um tempo desnecessário, até que ela é compelida a dar uma tragada nervosa no cigarro. Depois vão recuando, para mostrar que a entrevista está acontecendo em uma varanda, o que coloca Joyce indelevelmente na psique do povo da Costa Leste como lixo branco do sul.

No entanto, as meninas pediram que o tribunal e os pais consentissem na operação, embora as chances de sobrevivência de Amy não estejam estimadas em mais do que uma em cinco. Já Annabel tem uma probabilidade de levar uma vida normal após o procedimento estimada em 82%. Agora eles começam a mostrar em plano aberto as gêmeas andando juntas, estranhamente harmoniosas, até graciosas, em seus movimentos sincronizados, antes de cortar para um plano fechado de Amy. "Eu sei dos riscos", diz ela. "Mas quero fazer isto pela minha irmã. Se uma de nós pode levar uma vida normal, é um risco que vale a pena correr."

Cara, eu meio que quero ficar escutando isso, mas Jon não está a fim.

– Vinte quilos de peixe de olhos mortos dando um boquete nas minhas coisas – lamenta ele, erguendo o uísque à boca e bebericando. Depois prossegue, em tom melancólico. – Eu estava nadando nu. Catriona e eu estávamos de sacanagem... ela havia tirado o meu short e pendurado em uma boia, junto com a parte de cima do biquíni. Provavelmente foi o anel que atraiu a atenção do bicho... lembra daquele anel que eu tinha?

Vejo a bartender se desligando das gêmeas Wilks e se interessando pela nossa conversa. Lanço um olhar para ela, que se encolhe e começa a encher a geladeira de garrafas.

– Deixe isso pra lá, Jon – digo, pondo a mão no seu ombro e esfregando a sua nuca.

Ele me encara outra vez e vejo que seus dentes, antes uniformes e brancos, agora estão rachados e amarelos.

– Como posso deixar isso pra lá? Não dá nem pra dizer quantas visualizações teve no YouTube. Mas você é uma heroína no YouTube, mostrou coragem – diz ele, em tom quase acusatório. – Meus quinze minutos de fama não foram assim. A minha humilhação é obrigatoriamente vista por todo universitário babaca do mundo inteiro. – Ele dá uma risada de deboche antes de continuar. – Catriona aparece depois de vestir a parte de cima do biquíni, e aí ficando parada ali até os médicos chegarem. Sabia que ela nem entrou na ambulância quando eles me levaram para o hospital? – Ele solta um muxoxo e dá um gole no uísque.

– Ah, Jon – digo, esfregando suas costas com mais força.

É tudo verdade, e confesso que eu mesma já vi aquele vídeo de horror. Foi tudo muito bem filmado por um banhista tipo Sorenson, outro espectador, e não criador, e com uma câmera, não um telefone. Dá para ouvir as pessoas gritando de horror enquanto Jon urra e depois sai mancando do mar com o peixe gigantesco agarrado à sua genitália. O sangue mancha suas coxas, enquanto ele desaba na areia. A barracuda se contorce delicadamente, enquanto as mãos de Jon agarram sua cabeça, com o rosto de perfil, os olhos fechados e a boca aberta. É como se ele estivesse forçando o peixe a fazer a felação.

O pau de Jon era enorme e bonito, mas provavelmente foi uma sorte ele ser do tipo que cresce, sem ser grande quando flácido, e uma boa parte do membro estava retraído naquela água fria, oculto da vista do peixe no momento da mordida. Então, ele está segurando a barracuda ao baixar dolorosamente os corpos dos dois na areia, simplesmente repetindo sem parar: "Ah, meu Deus..." Ao fundo, a voz de uma mulher berra: "Ajudem o homem!" Um outro sujeito informa a multidão: "Um peixe grande pegou ele."

Então a barracuda começa a corcovear e se contorcer, feito um jacaré com sua presa, arrancando parte do pau de Jon e um dos seus testículos. Mais gritaria, uma toalha de praia passada para Jon, que nunca desmaia, só segura a toalha saturada de sangue bem perto do corpo, com os olhos cheios de medo. Um plano fechado do peixe exausto, com metade do sangrento pau cortado de Jon na boca (provavelmente o culhão foi engolido), a cauda se agitando lentamente, as guelras se abrindo e fechando, e um frio olhar de assassino.

É claro que o vídeo viralizou. Muito mais do que o meu.

– Sabe o que meio pau, um culhão só e 163 pontos fazem com a aparência dessa parte do seu corpo? Sabe que até as putas mais duronas se encolhem quando botam os olhos nessa porcaria maldita? Catriona não ficou para ver – diz ele, focalizando os tristes olhos esperançosos em mim. – Queria que eu... eu queria que nós... – Ele balança a cabeça, incapaz de terminar a frase, girando na banqueta e voltando a encarar seu drinque.

Eu faço uma careta e abaixo a mão ao lado do meu corpo. Jon e eu trepávamos de vez em quando, ao longo dos anos. Às vezes estávamos à beira de algo muito maior do que isso, e ele ainda me lança um olhar quase esperançoso, mas eu realmente *parei* de foder por piedade. Principalmente quando metade da mercadoria está ausente. Além disso, eu não quero me ralar nas cicatrizes do coitado. Porque eu nunca deixo um homem ficar suando em cima de mim. Gosto de montar no cara, acolhendo seu pau, fodendo o pau, fodendo o cara. Jon sempre entendeu isto. Até Miles, confessadamente apenas por causa de suas costas ruins, sacou que eu precisava ficar por cima. Mas Jon... cara, eu realmente adorava foder com ele. Ainda lembro com tesão de fazer com que ele fosse baixando aquele saco de frutas alto e duro até a minha boca, mas agora sobrou apenas metade daquele doce tesouro, tudo porque o puto de um peixe ficou guloso pra caralho. Portanto, eu peço licença, deixo Jon olhando de volta para o copo e tomo um rumo familiar pela Washington.

Já entro na Uranus ao som de uma batida forte o suficiente para arrancar as obturações dos seus dentes. O fator de loucura, que aumenta exponencialmente enquanto o relógio avança, parece ter atingido um novo patamar hoje à noite. Totalmente bêbada, a Foda Lipoaspirada me avista imediatamente e começa a despejar uma arenga delirante no meu ouvido. Eu olho para os seus olhos enevoados e digo, "Agora não, gata", e me enfio na multidão no meio da pista, desaparecendo da sua vista. Saio girando junto com um negro musculoso, mas ele logo dá uma pirueta direto para os braços de um viado branco, que me lança um olhar enervante.

Sinto que voltar ali foi um erro, e que já é hora de dar o fora daquela porra. Valerie me aconselhara para sempre sair de uma boate pela porta da frente. Todos os paparazzi ou aspirantes a celebridade escolheriam a saída dos fundos, por onde estes últimos sairiam cambaleando, bêbados e idiotizados. Todos sabiam onde estava a foto que daria grana.

Àquela hora da noite escura feito breu que eles chamam de manhã, em que não há lugar para ir que não esteja cheio de pessoas intoxicadas, com olhos injetados, delirando pelo álcool ou drogas, e berrando merda nos ouvidos umas das outras, eu faço o que sempre faço, e simplesmente saio dirigindo. Adoro dirigir escutando música. Sempre Joan Jett: quando descobri Joan, ainda adolescente, minha vida subitamente caiu na realidade, feito *alguém* que me pega de jeito. Mas também Motörhead, AC/DC e INXS. Recentemente passei a ficar *totalmente* obcecada pela Pink.

Acho que eu devia subir e ver Sorenson. Nós já não temos muito tempo de sobra. Mamãe e Lieb devem estar de volta em dez dias. Já se passaram quatro semanas e ela perdeu 20 quilos, apenas cinco a menos do que a meta de 25. Primeira semana: quatro. Segunda semana: oito. Terceira semana: cinco. Quarta semana: três. O mais importante: a putinha finalmente entrou no jogo. *Ela* largou as Páginas Matinais, dizendo para *mim* que já tinha cansado "de merdas frívolas, autorreferentes, que fodiam com a cabeça das pessoas, e que estava pronta para dar de tudo". Como eu queria ter o e-mail novo de Michelle Parish para lhe mandar esta informação! Sim, Sorenson soluçou muito, decepcionada diante dos números da última semana. Eu precisei consolá-la, dizendo que os números seriam menores à medida que o seu corpo se ajustasse e houvesse menos massa a ser reduzida. O lado ruim é que isso torna a minha vida mais difícil, pois o seu cérebro está se aguçando junto com seu corpo, e isso dá a ela uma perspectiva mais volátil. Que esforço hercúleo para aparar e salvar aquela bunda. A piranha pode estar se curando agora, mas foi uma tonelada de trabalho, e que fodeu todo o resto. No começo, a vaca até passou uns dias recusando comida. "Você? Em greve de fome? Até parece que isso vai durar!", eu disse a ela.

A vaca gorda me desafiou e jogou a gororoba no chão.

Obviamente, quando voltei na noite seguinte, o verniz do assoalho praticamente sumira, de tanto ser lambido. Eu olhei para ela.

– Acho que nós duas estamos começando a entender que porra você é.

Ela simplesmente ergueu o olhar para mim.

– Você não está querendo dizer que porra *nós* somos?

– Não fique se achando – eu disse, mas ela me pegou nessa, e nós duas sabíamos disso.

Houve outro incidente ontem à noite, de modo que no momento não vou falar com ela. Então me esgueiro para dentro do apartamento e vou em silêncio até o quarto. Exausta, adormeço no chão mesmo.

31
DECISÕES IMEDIATAS

Pouco importa o que ela lhe diga, ou o que você diga a si mesma: toda noite solitária em que você olha para o seu reflexo naquele janelão, e examina o seu eu encolhido, tudo simplesmente parece uma porcaria.

A dor e a frustração do confinamento corroem você, como que pingando ácido no seu núcleo. Toda vez que sinto a algema e a corrente tilintando junto à pilastra de aço, eu morro um pouco. Nunca consigo escapar delas; mesmo quando descanso no colchão, vendo a TV portátil que Lucy me trouxe, uma percepção constante, tanto vestibular quanto visceral, vai se insinuando na minha consciência.

Eu não tinha entendido quão pequeno pode ser o canto de um aposento. E quão vasto se constitui o restante dele, feito uma pradaria, em que a porta representa algo que poderia estar a um quilômetro de distância, graças a esta corrente inibidora e frustrante. Antes, eu podia correr. Minnesota, Chicago, Miami, Nova York. Eu podia me esconder. Doritos, KFC, Boston Market, Taco Bell. Agora estou sem trabalho, além do que Lucy me dá. Sem comida, além da que *ela* me traz.

Meus únicos alívios são a esteira e o aparelho Total Gym. Sim, eu aceitei totalmente o programa de Lucy. Meu corpo está perdendo gordura, e endurecendo. Assim como a minha mente. Comecei a pensar no meu trabalho de um jeito menos abstrato, e mais prático. Projetos especulativos que eu vinha considerando foram abandonados por mim, expostos como frívolos ou supérfluos. Coisas reais endurecem feito pedra na minha consciência, ficando mais definidas. Já larguei as Páginas Matinais, que até estavam me fazendo bem, mas também davam a Lucy mais poder sobre mim. E não quero que *ninguém* tenha mais poder sobre mim. Eu me sinto forte. Mas preciso dormir na minha cama e trabalhar no meu ateliê!

QUE PUTA MALUCA!

Ainda vivo constantemente com fome, mas minhas fantasias alimentares mudaram completamente. Já não penso em ovos moles sobre bacon frito, pois isto agora me parece gorduroso, tóxico e repulsivo. Atualmente visualizo grossos grãos de aveia, com a quantidade prescrita de mel deslizando sobre a sua superfície, por cortesia daquele pequeno urso de plástico na mão de Lucy, e as amoras, que explodem com seu sumo na minha boca. São as frutas naturais da Flórida, saturadas de sol, que hoje excitam a minha imaginação: laranjas incendiárias, ou pêssegos de néctar exótico. O café da manhã de Lucy é outra gostosura, bagel integral geralmente acompanhado de bananas e manteiga de amendoim.

E também há o meu trabalho: o trabalho que Lucy me deu.

Estou no limiar do que promete ser um período pesado: várias espinhas pulsam proeminentemente no meu rosto, meu cabelo está oleoso e sem vida, e um inchaço de elefante em torno do meu estômago parece anunciar uma regressão terrível em termos de peso. Preciso ficar me lembrando: trata-se apenas de retenção de líquidos. Sumirá quando eu começar a menstruar. Então subo na esteira, para fazer uma sessão de quarenta e cinco minutos.

Quando termino, porém, eu não descanso. Vou até o Total Gym, trabalhando até meu corpo e meu espírito não conseguirem me dar mais coisa alguma. Então me limpo com os lenços de bebê que Lucy deixou aqui. Ela me fez passar por um grande teste, mas agora também precisa ser testada. É esta a minha tarefa. É claro, sem nada para fazer além de pensar, você só tem duas opções: ou fica completamente louca, ou chega a algumas conclusões. Primeira conclusão: eu já estava enlouquecendo, então isso não funcionaria. Segunda conclusão: venho agindo feito uma banana há tempo demasiado. Tenho o hábito de ceder diante das pessoas, pensando que isto facilitaria minha vida, quando vem provocando o efeito contrário, como sempre faz. E essas pessoas não eram fortes. Não mereciam tamanha subordinação. Eram fracas, vãs e assustadas. Portanto... obrigada, Lucy, mas agora eu vou fazer você trabalhar, sua psicopata de Boston. Porque se eu conseguir quebrar uma fodona feito você, nunca mais algo ou alguém barrará o meu caminho.

Então ela entra aqui, vindo lá do quarto, onde obviamente passou a noite. Pensa que eu não consegui ouvi-la, esgueirando-se por aí feito um rato ardiloso. Acha que só uma de nós é a prisioneira aqui.

Nesta dança maluca, nós duas já conseguimos nos conhecer bastante bem. Até nossos ciclos menstruais se sincronizaram, então nem preciso perguntar se ela está se sentindo inchada de fluidos, com uma cólica menstrual forte, ou ardida por causa de uma infecção no trato urinário. O tom da voz ou o movimento do corpo de cada uma já ficou facilmente discernível pela outra. Só não sei do que ela é capaz, nem, por falar nisto, do que eu sou. Uma de nós tem, ostensivamente, o poder (mas quanto poder, nessas circunstâncias, a outra pode realmente ter?), embora nós estejamos inventando tudo enquanto avançamos. E então eu a desafio..

— Ah, você passou a noite aqui novamente.

Lucy faz uma pausa, como se fosse mentir, mas em vez disto dá a desculpa patética de que chegou aqui muito tarde e queria me dar o café da manhã cedo. Tudo porque teve um dia ocupado.

— Pode me perdoar se eu não demonstrar empatia alguma? – rebato.

Ela aparenta estar prestes a dizer algo, mas fica calada. Parece na defesa. Eu percebo que ela anda mais isolada: o único assunto que temos além do meu peso é nossa discussão sobre as gêmeas siamesas do Arkansas. Só que não posso ser muito combativa no momento, pois ela parte para a cozinha a fim de preparar a comida, e logo depois volta com claras de ovo mexidas, salmão defumado e torradas de pão integral, que eu adoro.

— Eu realmente reconheço e valorizo o que você fez aqui – digo a ela, entre um bocado e outro da nossa comida. Sentada na cadeira, ela me dá um sorriso generoso, enquanto come com um prato equilibrado no colo. Seus olhos parecem encovados e cansados. – Agora você não conseguiria me tirar daqui, nem que tentasse. Isto salvou... está salvando a minha vida.

– Fico feliz por você se sentir assim – diz ela, pousando o garfo no prato e afastando o cabelo para trás. – Você está realmente progredindo, e já tem uma aparência muito melhor. Vinte quilos é bom. – Ela mastiga uma fatia de torrada.

– Sim, mas agora eu sinto que preciso começar a assumir mais responsabilidade – digo, vendo suas sobrancelhas se erguerem. – Preciso chegar a um equilíbrio. Se você me desse meu telefone, eu poderia registrar no Lifemap meus exercícios, minha comida e meu peso...

Lucy solta um bufo. – Não insulte a nossa inteligência.

– Eu preciso sair daqui. Preciso voltar ao trabalho.

Vejo voltar aos olhos de Lucy aquele brilho afiado que negocia contra a razão, enquanto ela balança a cabeça, baixando o prato até o chão.

– Você não está pronta.

Sinto algo morrer dentro de mim, mas ainda tento manter a compostura.

– Lucy, o que lhe dá o direito de tomar essa decisão?

– Eu conquistei a porcaria deste direito – diz Lucy, levantando depressa e avançando na minha direção. Avultando acima de mim, ela ergue o top, exibindo a verdadeira muralha que é seu abdome. Tenho a sensação de que posso agarrar aquilo, feito os degraus de uma escada, e ir escalando até chegar à liberdade. Então ela diz rispidamente: – Isto me dá o direito! Agora tome logo o seu café da manhã.

Eu ouço um trinado de menina na minha voz, enquanto retruco pateticamente: – Então me traga alguns livros!

Só que ela já girou nos calcanhares com um floreio, partindo e me deixando apenas com a comida e meus pensamentos.

Eu precisava sair de Potters Prairie. Aquela cidade parecia uma prisão aberta. As ruas largas, os lotes grandes cercados por pinheiros e abetos, os infindáveis céus cinzentos. As pessoas viviam ávidas para lhe contar o quanto estavam comprando e rezando... espalhando a estupidez, passando-a feito um bastão para a geração seguinte. Essa era a moeda corrente do Meio-Oeste da América. A uma hora e meia de distância ficavam as cidades gêmeas de Minneapolis e St. Paul. O cantor Prince era de Minneapolis. Ninguém era de Potters Prairie. Eu precisava ir para outro lugar, um lugar que me deixasse ver as coisas de forma diferente, que me deixasse virar o tipo de mulher que eu desesperadamente queria ser.

No centro de Minneapolis, em uma filial do Chase Bank não muito distante da loja de papai, o fundo de 65 mil dólares que vovó Olsen destinara para a minha faculdade só acumulava poeira. Era a cota a que eu tinha direito, como garota mimada, do negócio de caminhões do vovô Olsen, aquele velho arquejante e de punhos ossudos que eu mal conhecera, e com quem não tinha relação alguma. Contudo, por ele ter comprado um caminhão em outra época, outro mundo, dirigido o caminhão por todo o Meio-Oeste, depois ter comprado outro e contratado alguém para dirigi-lo, e assim por diante, sua neta (uma garota pequena, gorda e preguiçosa que morava em um subúrbio e precisava lutar para executar tarefas mínimas) seria capaz de esculpir e pintar. Desde que vim para cá, tenho pensado nele, aquele homem frugal de poucas palavras. Enquanto percorria estoicamente aqueles quilômetros na estrada, será que ele imaginava que estava fazendo tudo aquilo só para isto?

Certamente tratava-se de um anátema para meus pais. Eu precisava ser ladina nesta questão. De modo que pesquisei na internet opções de cursos de administração e escolhi a Faculdade de Administração Driehaus, na Universidade DePaul. Tinha a vantagem de se situar no centro de Chicago, perto do Instituto de Arte. Falei para meus pais que estava planejando me matricular lá.

— Qual é o problema de uma escola nas Cidades Gêmeas, querubim? Certamente uma faculdade estadual seria mais barata — disse mamãe. Ela me chamava muito de "querubim", porque os querubins são pequenos e gordos.

Falei para meus pais que a DePaul tinha um dos melhores históricos do Meio-Oeste, quando se avaliava os diplomados naquele curso que conseguiam emprego. Papai aplaudiu a minha iniciativa e me deu sua bênção.

— Há uma cabeça em cima desses ombros, afinal.

— Mas eu vou sentir tanto a sua falta — exclamou mamãe.

Eu parti, claro, mas não para fazer a faculdade de administração. Meu destino era a escola de arte. Peguei um ônibus para Chicago e me instalei em uma hospedaria barata em Uptown. Fiquei com medo: a hospedaria e as ruas próximas pareciam cheias de pessoas perturbadas, ou até claramente malucas. Eu mantinha a porta do meu quarto trancada o tempo inteiro. Felizmente, logo descobri na Craiglist um quarto para alugar no subsolo de um apartamento na avenida Western. Arrumei um emprego em uma videolocadora da região e sobrevivia à base de café com cigarros. Rapidamente meu peso baixou para sessenta quilos, diminuindo com a velocidade de quem sofre de uma doença terminal.

Eu era jovem demais para frequentar bares, e não tinha coragem suficiente para tentar usar uma carteira de identidade falsa, portanto minha vida social se limitava a tomar café com colegas de trabalho. Comecei a sair com um cara chamado Mikey, que trabalhava em meio expediente na loja. Ele era dois anos mais velho do que eu, e estudava escrita criativa na Faculdade de Columbia. Com um rosto cheio de espinhas e um pomo de adão que quicava feito um porco na barriga de uma cobra, Mikey não se parecia nem um pouco com Barry, mas de alguma forma fazia com que eu me lembrasse dele. Era um cara sincero e doce; talvez um pouco cheio de si, mas essencialmente inofensivo. (Mais tarde eu viria a perceber que possivelmente esta é a coisa mais ofensiva que se pode dizer de alguém.) Nós conversávamos muito sobre cinema e íamos ver uma tonelada de filmes no Gene Siskel and Facets. Ele insistia em ler para mim os contos que escrevia, que eu achava bobos, mas nós ficávamos nos agarrando e logo ele estava me ajudando a me livrar da minha virgindade, como se esta fosse um pesado sobretudo velho.

O clima era tão brutal que eu tinha vontade de chorar sempre que punha o pé fora de casa. Fazia frio em Potters Prairie, mas aquele primeiro inverno em Chicago, com as nevascas gélidas exacerbadas pelo vento que soprava do lago, parecia me perseguir implacavelmente. Assim que punha o pé lá fora, eu literalmente conseguia sentir meus globos oculares congelando e meu queixo rachando. Dava para ver por que as empresas de energia elétrica e gás eram proibidas de interromper o fornecimento para qualquer residência durante janeiro, fevereiro e as duas primeiras semanas de março. Seria o equivalente a cometer assassinato. Chegar ao ponto de ônibus, fazer o curto trajeto até o trabalho, e depois voltar, tudo era uma provação diária, apavorante e punitiva. Por ter sido criada em Minnesota, você conhecia neve. Você mergulhava na neve, esmagava a neve até formar uma granada para lançar, tirava neve das portas com uma pá, e até dirigia um carro sobre a neve, embora de forma hesitante. Ficava vendo a neve cair, por trás de um vidro dentro do tanque aquecido que era o seu lar, durante dias, formando grossas camadas que permaneciam congeladas por meses a fio na terra árida. Já a neve urbana era diferente: depois de uma chegada benigna, aquilo só oferecia desolação e sujeira. Quando vinha a primavera, porém, parecia que um botão fora apertado. A cidade parecia derreter instantaneamente, com brotos se abrindo nas ruas arborizadas, quase que diante dos seus olhos.

Seguindo as instruções do falecido vovô Olsen, o dinheiro para a faculdade foi transferido para a minha conta bancária no dia em que completei 19 anos. Antes disto, eu vinha contando só com meu contracheque da videolocadora e uma mesada que papai e mamãe me mandavam de casa, na crença equivocada de que eu estava na Faculdade de Administração da DePaul. Eu insistira em pagar o primeiro ano com minhas economias, "gesto" este que fizera papai olhar para mim com verdadeiro assombro, como se eu fosse uma empreendedora nata.

Eu fazia de tudo para manter o engodo, chegando até a ir ao campus da DePaul, comprar papel de carta com a logomarca da faculdade, e obter cópias dos diversos programas semestrais. Contudo, só estava esperando aqueles dois dias primaveris vitais que eu já sabia, mesmo nas profundezas de um inverno que fazia meus ossos estremecerem, que determinariam o meu destino. Na semana anterior a eles eu mal dormi, de tão abalada que estava.

Então chegou o momento: eu fui até o Instituto de Arte me candidatar ao que eles chamavam de "decisão imediata".

O processo acontecia ao longo de quarenta e oito horas: em termos de oportunidades educacionais, era uma versão do Black Friday após as vendas do dia de Ação de Graças. Eu levei meu portfólio até o salão de baile do Instituto, e lá recebi um número: 146. Então me juntei aos outros candidatos; éramos 250, todos sentados em torno de várias mesas redondas. Quando seu número era chamado, o candidato levava seu portfólio até o segundo andar e apresentava-o a um membro do corpo docente. O professor se afastava e fazia com que uma outra pessoa concordasse ou discordasse. Então você estava dentro, ou fora, conforme fosse o caso. A decisão realmente acontecia ali mesmo na hora.

E eu passei por esse processo terrível, sentada nervosamente, às vezes olhando em torno para todos os demais candidatos esperançosos. Alguns engatavam conversas; os tranquilos, os arrogantes, os ansiosos e os deferentes. Na maior parte do tempo, eu mantive a cara enfiada em *Spores of Destiny*, o último romance de Ron Thoroughgood.

Então o número 146 foi chamado: meu esqueleto pareceu sair do meu corpo, apanhar o portfólio e ir até uma baia de trabalho. Quando o resto de mim chegou lá, eu vi que estava diante de um cara de olhar preguiçoso, com cerca de 35 anos, que usava uma jaqueta de couro. Ele parecia muito (mas não era) o tal "artista" que fora fazer a palestra lá na faculdade em Minneapolis. Eu estava tão nervosa, no início, que simplesmente não conseguia falar. Fiquei olhando para os olhos fatigadamente compassivos dele. Então, quando comecei, achei que nunca mais ia parar. Falei sobre os meus desenhos de super-heróis de histórias em quadrinhos. Que eu adorava desenhar e pintar tudo que via, reproduzindo. E que isso não bastava, eu precisava transformar tudo, e que todos os meus quadros, desenhos e modelos precisavam ter por trás não só uma ideia, mas uma história. Eufórica, eu fui me perdendo na narrativa, mas depois fiquei inibida outra vez e meu gás acabou. Impassível, o cara da jaqueta de couro examinou o meu portfólio. Eu senti a força da gravidade puxando minha cabeça para baixo, tentando aparafusá-la na mesa. Senti os tendões no meu pescoço quase arrebentando com o esforço de manter a cabeça aprumada. Então ele ergueu o olhar e eu ouvi sua voz. "Interessante. Posso pedir que você espere um pouco aqui?"

Ele me deixou ali e não voltou. O relógio na parede continuou tiquetaqueando. Minha tendência à autossabotagem estava a mil por hora; fiquei pensando que tinha bancado uma idiota irredimível, tagarelando daquele jeito. Fui ficando nervosa. Queria ir embora, simplesmente sair dali. Estava com uma menstruação forte, e precisava trocar o absorvente. Então fui ao banheiro. Depois, por alguma razão... não, não foi por "alguma razão", foi porque eu já estava louca de ansiedade, peguei meu portfólio e saí ao ar livre. Imediatamente vi o cara da jaqueta de couro lá fora, nos grandes degraus da entrada do prédio, fumando um cigarro e conversando com uma garota bonita. Eles estavam rindo, e obviamente eu pensei que era o alvo do humor dos dois, que ele estava falando para ela dessa tolinha gorducha de Otter County, no Minnesota (embora eu já não fosse mais gorda), que desenhava personagens de histórias em quadrinhos, e que tinha a arrogância de achar que era uma artista. Eu estava prestes a passar me esgueirando por eles e simplesmente fugir correndo, absolutamente derrotada, quando ele me viu e exclamou meu nome.

– Lena!

Eu nem sequer ia parar. Ele gritou outra vez, já com mais formalidade.

– Srta. Sorenson!

Eu só tinha a opção de virar de frente para ele. Podia ver seu rosto através da minha franja, mas não conseguia erguer o queixo, cuja ponta sentia pressionada com força sobre o meu peito. Nunca na minha vida tinha tido uma consciência tão dolorosa da passividade incapacitante desse reflexo.

– Onde você se meteu? Achei que tinha fugido de nós. Acho que não vai ser tão fácil assim – disse ele. Eu ergui os olhos e vi no seu rosto um sorriso irônico. – Estamos lhe oferecendo uma vaga aqui.

— Sério? — arquejei, erguendo o olhar outra vez.

— Sim, é sério.

Eu mal conseguia acreditar. Entrar no Instituto fora para mim uma fantasia inebriante, que me consumia desde a tal palestra na faculdade. E agora toda a minha vida ia mudar, devido a uma avaliação casual e um par de frases burocráticas pronunciadas por um total desconhecido. Então eu surpreendi aquele artista, que mais tarde descobri chamar-se Ross Singleton, ao prorromper em lágrimas.

— Obrigada — solucei. — Obrigada por esta oportunidade. Não vou decepcionar ninguém.

— Não — disse Ross Singleton com um sorriso seco. — Acho que não vai. Há mais alguma coisa em que eu possa ajudar você?

— Pode me dar um cigarro? — perguntei, arriscando um sorriso para a outra garota. Seu cabelo era louro, com um corte assimétrico. Com suas roupas caras, ela era a epítome da modernidade, e instantaneamente lembrei das antigas líderes de torcida do meu colégio, a quem até então eu dava essa mesma designação, como umas caipiras sem sofisticação. Em vez de um sorriso debochado ou um olhar de frieza constrangida, o que eu recebi foi um caloroso sorriso aberto e uma mão estendida.

— Eu sou a Amanda. Também consegui uma vaga aqui.

— Lena — disse eu, enquanto Ross me estendia e acendia o melhor cigarro que eu já tinha fumado na vida. Minha cabeça girava, enquanto eu olhava para o outro lado da rua, em direção à placa que indicava o começo da Rota 66. Ainda meio tonta, fiquei vendo os turistas e os possíveis alunos zanzando sob o sol. Infindáveis possibilidades dançavam à minha frente. Ross Singleton me deixou ali com a outra garota, Amanda Breslin, que era de Nova York, e voltou aos seus entrevistandos. Nós fomos tomar um café, conversando entusiasticamente sobre a escola de arte. Então Amanda ergueu as mãos para as laterais do rosto e começou a bater os pés no chão feito uma maníaca.

— Ah, meu Deus! Isto pede uma comemoração *agora*!

Ela me levou ao bar do hotel Drake, pedindo uma garrafa de champanhe e duas taças. Espantosamente, nem pediram nossos documentos de identidade. Enquanto o champanhe borbulhava e efervescia no meu crânio, nós conversávamos sobre nossos respectivos planos. Eu nunca me sentira tão feliz na vida, e queria que aquele momento durasse para sempre. Senti um baque surdo quando chegou a hora de Amanda ir de trem até o aeroporto O'Hare a fim de pegar seu voo de volta a Nova York. Nós trocamos endereços de e-mail. Ela voltou para casa, a fim de levar uma vida que eu imaginava como abastada, cosmopolita e sofisticada; eu voltei ao meu quartinho e à videolocadora. Mal conseguia esperar que as aulas começassem.

Enquanto isso, Mikey ficou mais apegado, aparecendo constantemente na minha casa na Western e falando em "planos". Obviamente, ele sentia que meus objetivos na escola de arte iam formar uma cunha do tamanho de uma geleira entre nós. "Nós dois vamos estar no centro da cidade! Podemos nos encontrar na hora do almoço!"

Eu assentia com um entusiasmo forçado, já que a Faculdade de Columbia ficava perto do Instituto de Arte, mas no íntimo sabia que não veria Mikey muito. Tudo que eu faria teria a ver com a escola de arte. Mikey era como o namorado que eu deveria ter tido em Potters Prairie, e que largaria lá mesmo. Parece banal e cruel dizer que ele era o Barry King que sobrevivera, mas ficar trancada aqui me ensinou a ser honesta comigo mesma, e isso é exatamente o que ele era.

Larguei a videolocadora, decidindo que a maior parte do meu tempo, antes de virar estudante, seria gasta lendo, desenhando e pintando. Estava ansiosa para me afastar da vizinhança da avenida Western. Embora fosse um lugar barato, e tecnicamente dentro do bairro ucraniano, ficava perto do Humboldt Park, na fímbria de um bairro latino, onde não eram incomuns gangues e tiroteios. Então eu pegava o trem da linha azul até o centro, onde ficava perambulando entre a biblioteca Harold Washington, os cafés e, acima de tudo, o próprio Instituto de Arte. Lá eu via muita gente que parecia importante vendo os quadros, as esculturas, as instalações multimídia e os artefatos antigos. Enquanto aquelas pessoas examinavam as obras de arte, ou discutiam o assunto nos cafés e livrarias, eu sentia vontade de gritar para elas: EU SOU LENA SORENSON E TENHO UM LUGAR AQUI. VOU ESTUDAR PARA TORNAR-ME UMA ARTISTA.

O mais importante, porém, é que ali eu via duas coisas que constantemente me atraíam, e que viriam a inspirar minha própria arte, mudando assim a minha vida. A primeira era o quadro *Figura com carne* (1954), de Francis Bacon, que inicialmente chamou minha atenção pela justaposição do sobrenome com o tema da pintura. Devido às minhas obsessões mórbidas, fui atraída pela visão que Bacon tinha de todos nós como carcaças em potencial. A segunda obra que realmente me tocou foi a escultura de um homem semelhante a um morcego, feita pela artista francesa Germaine Richier. Eu lia tudo sobre estes artistas e outros mais. Estudava todas as escolas, épocas e grandes obras. Ia ver todas as exposições novas que chegavam à cidade, e explorava todas as galerias. À luz débil do abajur naquele meu quarto no subsolo, eu lia, desenhava e pintava até cair exausta na cama. Depois levantava, cheia de entusiasmo e gratidão, para fazer tudo novamente.

Passei um período de volta a Potters Prairie, ostensivamente para ver meus pais antes de começar meu segundo ano na Faculdade de Administração da DePaul. Minha verdadeira motivação, porém, era fotografar e desenhar minha cidade natal.

Minha mãe olhava para aquele versão magra de mim com uma espécie de terror perplexo. Era como se ela estivesse sempre prestes a começar uma frase, mas não soubesse o que dizer. Papai simplesmente me perguntava sobre as aulas, meio que brincando que em breve eu estaria administrando a sua loja de ferragens, pois o movimento parecia ter aumentado um pouco. A ideia fazia meu sangue congelar. Eu amaldiçoava a incompetência da Menards: como diria Lucy, eles tinham as Cidades Gêmeas nas cordas havia muito tempo, mas não pareciam ser capazes de desferir o golpe do nocaute. Só que papai estava claramente satisfeito comigo: a única vez em que gritou foi quando me pegou vendo um antigo programa de Pee-Wee Herman na TV. "Que bobagem! E esquisito ainda por cima! Desligue isso!"

A única coisa esquisita que eu sentia é que eles eram gente de cidade pequena. Eram pessoas capazes de conversar sobre coisas absolutamente mundanas: como andavam seus filhos, o que estava acontecendo com seus carros, ou os artigos banais que haviam comprado nas lojas, e facilmente desperdiçar meia hora em cada assunto. Eu tinha vontade de gritar: querem me deixar em paz, caralho. Não consigo ficar escutando vocês desperdiçarem a própria vida! Então me via inundada por sucessivas ondas de culpa, pois eu sabia que a maioria ali era de pessoas decentes, e eu não tinha o direito de me sentir superior.

Voltando a Chicago, eu comecei a pintar as cenas da cidade a partir das fotos que tirara e dos desenhos que fizera. Então povoei as cenas com figuras semelhantes a zumbis, cuja pele descascada e já decomposta revelava a carne irritada por baixo.

E aqui, encarcerada nesta torre mundana, mas também absolutamente bizarra, eu consigo sentir minha própria carne, não afrouxando e pendendo, mas tensionando e enrijecendo.

32
CONTATO 13

Para: lucypattybrennan@hardass.com
De: kimsangyung@gmail.com
Assunto: Obrigada!

Lucy

Muito obrigada pelo seu e-mail: isto me deixa tranquila! Fico tão aliviada por saber que Lena virou essa página (aposto que em grande parte isto se deve ao seu incentivo), e agora está feliz na vida e no trabalho.

Sim, eu sei como essa garota fica quando mete algo na cabeça, por isso vou parar de bancar a mãezona e deixá-la prosseguir com seu projeto. Caso a srta. Sorenson se digne a vir à superfície, porém, para nos agraciar com sua presença, por favor, me avise!

Abraços,

Kim

P.S.: Talvez uma noitada só de garotas em Miami Beach na primavera?

Para: kimsangyung@gmail.com
De: lucypattybrennan@hardass.com
Assunto: Parece uma boa!

Kim,

Seria ótimo!

Abraços,

Lucy

Jesus Cristo!

Para: lenadiannesorenson@thebluegallery.com
De: mollyrennesorenson@gmail.com
Assunto: Estou farta

Não consegui acreditar nas palavras cruéis que você escreveu mostrei para papai e ele ficou tão magoado quanto eu o que aconteceu com a nossa menininha que mal reconhecemos você eu passei o dia inteiro chorando dentro de casa.

Pode acreditar, caralho!

Para: mollyrennesorenson@gmail.com
De: lenadiannesorenson@thebluegallery.com
Assunto: Estou farta

Ah, que terrível tragédia para você, tão pequenina! Escreva de volta para mim quando acabar com toda a gordura e essa babaquice de se fazer de coitadinha. E aprenda a usar vírgula e ponto.

L

Que babaca!

33

APARTAMENTO

Estou embaixo do chuveiro quando uma coisa marrom e pegajosa jorra sobre mim. Recuo, cheia de asco, tremendo e deixo a água correr até ficar clara outra vez. Enxáguo o corpo para tirar aquela porcaria, esperando nervosa outra saraivada de bosta, que felizmente não se materializa. Quando saio e me seco, fico olhando para as grandes manchas negras de mofo que sobem pelas paredes do banheiro; meu apartamento está caindo aos pedaços. Não posso ficar aqui. A porra da Sorenson, *a quem vivo servindo*, está vivendo no maior luxo! Então vou até o carro – ultimamente não há paparazzi na rua – e ligo o rádio, procurando algo que não me enjoe demais, mas nada encontro.

Após ser alvo de sua contínua insistência, eu concordei em conversar com Valerie Mercando na Soho Beach House. Encontro Valerie sentada no bar do pátio, bebendo café. Recebo uma bicota tensa no lado do rosto, sem devolver o favor. Após os prolegômenos furados de sempre, ela começa a falar sério.

– Não consigo entender, Lucy. Você não está mais no radar da equipe do Quist. Então, por que não fazer isto?

– Prefiro evitar a porra do assédio.

Valerie me lança um olhar triste, balançando a cabeça.

– Acho que nunca vi você como uma desistente.

Sinto uma fúria arder nas minhas entranhas.

– Não estou desistindo de porra nenhuma. Não tente me manipular.

– Eu não estava...

– Estava, sim – digo, vendo a piranha fritar sob o meu olhar. – Não enfeite a porra da sua cobiça pessoal como se fosse um discurso motivacional fajuto para mim. Eu sou uma autoridade na porra deste campo!

A cabeça da piranha balança de um lado para o outro, enquanto ela fala.

— Desculpe se pareceu isso — diz ela, com aquele olhar envergonhado da agente escrota que sabe que sua cliente percebeu que será devorada por bocas salivantes se for quente, e descartada feito um absorvente velho se não for. — Olhe, obviamente, você está sob estresse.

— Sim, estou. E você quer aumentar isto.

— Você parece cansada — ronrona ela, com uma preocupação falsa. — Anda dormindo o suficiente?

— Não, por causa de uma piranha gorda — digo a ela. — São elas que fodem as coisas pra gente. Duas gatas... uma acaba sendo currada por uma gangue, mas a gorda escapa livre... pois quem vai querer foder com uma piranha gorda?

Ela fica piscando, sem entender, ao meu lado. — Eu realmente não acho que ser agressiva comigo seja...

— Eu não estava falando de *você*. Nem tudo gira em torno de você...

— Você está me confundindo, Lucy...

— Por falar nisso, você realmente parece ter ganho bastante peso...

— O quê?!

— Em volta do rosto, da cintura e das coxas — insisto.

— Acho que andei trabalhando muito...

— Exatamente o que pensei, e é isto que me preocupa. Você está cuidando de muita gente — digo, baixando a voz. — Mas quem está cuidando de Valerie Mercando? Filhos, parceiros, clientes, todos fazem exigências. E você... tem tempo de ser *você*?

— Olhe, Lucy...

— Eu preciso ir — digo, já levantando. — Tenho uma cliente para ver. Mas entro em contato.

E assim dispenso esta botocada mensageira da sordidez midiática. Ela e sua laia não passam de privadas: superficialmente lisas e imaculadas, mas em última análise imundas, cheias de mijo e merda. Eu desço até o serviço de manobristas, que trazem o Cadillac DeVille. Volto de carro para a Bodysculpt, qua atualmente anda muito devagar. Muitos clientes estão se afastando; em vez de renovarem suas matrículas, andam comprando novos tênis de corrida e aparelhos da Total Gym. Uma economia falsa; essas academias caseiras sempre acabam acumulando poeira. A maioria das pessoas não tem iniciativa na vida. Precisam que alguém lhes diga o que fazer. E é aí que entra gente como eu.

Na academia de ginástica, a bancada de monitores de TV continua despejando merda. Parece que Balbosa, o tal pedófilo que matou o garoto e fugiu, era um imigrante ilegal.

– Jesuuus Cristooo – brinca Lester.

Eu não rio. Quist já está de volta à TV, enlouquecido. Não consigo ficar olhando para aquela carona avermelhada. Então dou uma olhadela para uma tela em outro canal, que está mostrando o programa de uma revista de bosta. Mal consigo acreditar: aquela porra de aspirante a celebridade, Miles, está sentado no nojento sofá forrado com pele de leopardo do seu apartamento.

– Ela curtia gatas, e eu não reclamava. Transávamos a três o tempo todo. A vida era bastante boa.

Olho por cima do ombro e vejo o branco dos olhos de Lester, arregalados para mim. Saio correndo da Bodysculpt, empurrando duas clientes que entravam, e vasculhando meu iPhone até encontrar o número de Miles. Ele atende imediatamente.

– Seu babaca! Eu nunca transei a três com você! – berro ao telefone, repuxando o cabelo.

– Licença poética, gata... esses cães farejadores da mídia precisam de um pouco de gás. Num sei por que você está tão magoada, que diabo... retratei você como um verdadeiro foguete sexual. Devia estar cobrando comissão de publicitário! Fiz um grande favor a você: de agora em diante, tanto os caras quanto as gatas vão fazer fila em volta do quarteirão em busca de um pouco de ação com você!

– Sim, todos os escrotos feito você! Como se eu precisasse da sua ajuda para arrumar alguém!

– Olhe, desculpe, gata, mas eu precisava da grana. Já falei a você das minhas circunstâncias financeiras.

– Vá se foder com as suas circunstâncias financeiras – digo, desligando o celular. Olho em torno, para ver se algum babaca bisbilhoteiro testemunhou a minha angústia. Não. Dois caras latinos estão descarregando um caminhão de cerveja, deslizando barris até o porão do bar do outro lado da rua. Então ouço outro ringtone no telefone, "Bad Reputation", de Joan Jett. É uma ligação do meu pai. Deixo tocar até esta versão telefônica de uma das minhas músicas favoritas tornar-se insuportável e depois aperto o botão verde. Conto a papai como estou me sentindo e, para ser justa, ele demonstra comiseração, antes de inevitavelmente trazer o assunto para si mesmo.

– Estou em South Bend, Indiana, no campus da Universidade de Notre Dame, mas estarei em Miami no próximo fim de semana, para aquele evento da Books & Books no Biltmore.

– O que está acontecendo em South Bend?

– Nada de muito importante, mas a leitura da noite passada foi boa. Nós fomos tomar umas cervejas com Charlie Reagan, o *quarterback* da Notre Dame. Ele ficou jogando para cima de mim aquela babaquice de "maior fã", mas é um garoto legal. Tem uma bolsa de estudos aqui e ainda será convocado para a NFL, mas quer ser escritor. Vá entender. De qualquer forma, bebemos umas e outras.

– Ninguém pode jogar futebol eternamente. Isto mostra que ele tem cabeça.

– Ah, sim. O garoto é de boa cepa. Berço de ouro de Boston, e uma boa origem irlandesa. Agora está atolado neste cu do mundo aqui em Indiana.

– Você sabia que, além de Ohio, Indiana é o único representante nortista entre os quinze estados mais gordos da união? Tem 29,1% de obesidade.

– Continue firme nos números, garota. Adoro isso. Pois é, a cidade é uma chatice, mas o campus parece bem vibrante. Só não entendo por que ainda chamam os times de "The Fightin Irish". Acho que é porque "Le Pussy French" não teria o mesmo apelo.

– Lógico... e como anda o resto da turnê do livro?

– Está legal, mas eu vivo encontrando aquela tenista sapata, Veronica Lubartski, porque ela também está no circuito, promovendo a sua biografia.

Apesar de tudo, eu fico interessada. Sempre tive uma queda por Lubartski. Lembro de sair me esgueirando da escola e voltar para casa a fim de ver o US Open em Flushing Meadow, e tocar umas das melhores siriricas clandestinas da minha vida.

— Eu li *Game, Set, and Snatch*, que é bastante bom — digo a ele. E era mesmo. Tinha uma história ótima, em que ela fodia com uma tenista holandesa na quadra, e *depois* traçava a mesma jogadora no vestiário. Eu ficava toda molhada e escancarada lendo aquela filhadaputa!

— Bom, disso não posso falar. Mas ela faz exigências impossíveis aos organizadores, e geralmente só está uma cidade na minha frente ao longo da turnê. De modo que, quando eu chego, eles já estão de mau humor.

— Como é ruim ser você. Ligue para mim quando chegar aqui. Amo você — grito em tom de despedida, já desligando. Tenho outras preocupações além dessas babaquices. Mamãe e Lieb devem voltar daqui a nove dias, e antes disso eu preciso fazer Sorenson atingir o peso estabelecido como meta.

Quando volto à academia, Toby cicia algo acerca de gente que está me procurando.

— *Ninguém* está procurando *você* — digo a ele. — Ninguém jamais fará isto.

Toby retruca algo, mas eu só percebo um silvo vago e impotente, pois já estou concentrada em Sorenson.

Quando chego ao apartamento no centro, ouço as passadas dela na esteira, já parecendo mais leves do que minha memória indica, e a corrente arranhando um ritmo tilintante na lateral do aparelho. Entro e vejo Lena se mexendo bem, e até suando direito.

— Três... sete... cinco... calorias — arqueja ela. — E duzentas hoje de manhã.

— Está indo bem, Lena Sorenson — digo, ouvindo minhas próprias palavras saírem sem humor algum.

Ela percebe imediatamente o meu estado de espírito. Coloca o aparelho para reduzir o ritmo gradativamente, passando de corrida a trote, e depois a caminhada, dentro de trinta segundos. Depois, afasta o cabelo dos olhos com a mão livre.

– O que foi, meu bem? Qual é o problema?

Eu conto a história da traição de Miles.

– Babacas são babacas – diz ela, virando para cima a palma algemada e continuando a caminhar. – Eles sempre existirão. Você mesma já disse isto.

Não curto muito a atitude displicente dessa puta e digo: – Você sabe o que é ser traída, ser violada assim?

– Sim, eu sei – diz ela, ainda caminhando na esteira, mas virando a cabeça para mim. – Que porra você acha que esta merda aqui é?

Ela agita a algema, sacudindo a corrente de encontro à pilastra de aço.

– Eu só faço isto visando ao seu bem, não o meu. Experimente só quando alguém fizer isso pensando no seu próprio bem. Quando você descobrir o que é isso, volte aqui! – digo. Enquanto falo, percebo que desejo que ela me conte a história de sua própria traição pelo babaca do tal Jerry. Estou pensando naquele pacote que ela recebeu, e que não pude deixar de abrir. Só que revelar o conteúdo daquilo para ela agora seria baixar seu astral e atrasar seu progresso. – O tal do Jerry realmente sacaneou você, não foi?

– Sim, mas nós já deixamos isso para trás – diz ela, virando para o painel de controle.

– Eu sei que tem mais coisas, Lena.

– Já contei tudo a você – diz ela. Depois solta um suspiro cansado e desliga a esteira, descendo do aparelho. Morde o lábio inferior, sem saber que ao fazer isto está visivelmente ajustando as engrenagens em seu cérebro. Não é de surpreender que o escroto do Jerry tenha dado voltas e mais voltas nela. – Olhe, Lucy, eu posso ajudar você. Vamos parar com tudo isto...

Ela ergue a mão algemada e começa a merda de sempre.

– Deixe que eu me livre disto, e nós podemos passar um bom tempo juntas. Devíamos estar nos apoiando mutuamente. Eu já estou no caminho certo – diz ela, alisando o estômago. – E não vou voltar atrás. Não há mais necessidade de tudo isto...

Ela sacode a corrente outra vez e arremata: – Eu quero trabalhar no meu ateliê novamente!

Por uma fração de segundo, eu fico quase pronta a aceitar. Mas então vejo a centelha de duplicidade nos seus olhos.

– Já percebi o que você está fazendo. Pode voltar para aquela esteira!

– Eu não estava...

– Sem chance! A porra da esteira!

– Isto não passa de tortura pela tortura! Você é uma sádica!

– ESTEIRA!

– Eu quero fazer a série do Chuck Norris – diz ela em tom petulante, olhando para o Total Gym. – Já fiz aeróbica suficiente!

– Pare com isso. Quantas vezes preciso dizer isto a você? Nós mantemos separados os dias de aeróbica e os dias de musculação. Um aquecimento ou relaxamento de vinte minutos é um trabalho de aeróbica aceitável se você está fazendo musculação, mas não mais do que isso. Uma coisa aumenta os ácidos láticos, a outra diminui.

Lena olha para mim e assente com relutância, mas sobe de novo na esteira.

– Ótimo – digo, balançando a cabeça e partindo.

Porra de piranha ardilosa.

34

CONTATO 14

Para: lucypattybrennan@hardass.com
De: valeriemercando@mercandoprinc.com
Assunto: Uma separação de caminhos

Querida Lucy

É com grande pena que preciso reconhecer o que você falou durante nosso encontro na Soho House ontem, e aceitar que seu coração não está mais neste projeto. Portanto, lamento, mas encerro oficialmente o nosso relacionamento profissional.

Desejo a você todo o sucesso no futuro.

Sinceramente,

Valerie Mercando

Para: lenadiannesorenson@thebluegallery.com
De: mollyrennesorenson@gmail.com
Assunto: Deus está vendo tudo que você faz

Lena

Papai e eu estamos de coração partido. Ontem à noite sentamos e rezamos por você. Depois tivemos uma conversa franca sobre onde foi que erramos. Eu olho para trás e vejo que foi um erro tentar impedir você de se mudar para Chicago, a fim de seguir sua vocação como artista. Mas nós estávamos preocupados com você, indo para aquela cidade, com suas drogas e seus guetos, cheia de gente que só tentaria se aproveitar de uma menina sozinha. Queríamos que você estudasse em Minnesota, mas aceitamos Chicago porque o curso de administração manteria você longe de problemas. É crime se importar com uma filha? É tão pecaminoso assim querer protegê-la? Se um dia você for abençoada com uma filha... e você ainda é, apesar de tudo, a nossa bênção... tenho a esperança de que seja poupada de sentir o que nós estamos sentindo agora!

Que Deus esteja com você.

Com amor,

Mamãe

Para: mollyrennesorenson@gmail.com
De: lenadiannesorenson@thebluegallery.com
Assunto: Deus está vendo tudo que você faz

Blá merda blá merda blá merda

35
UM INSTITUTO DE ARTE

Tanto a escultora quanto a *personal trainer* atuam no ramo da modelagem. Para Lucy, eu sou um pedaço de barro. Por que, então, ela precisa ver a gordura queimando embaixo da minha pele, sendo substituída por músculos e tendões definidos? Posso entender suas motivações por intermédio das minhas? Uma coisa que certamente sei: aguentar esta merda toda fez minhas provações do passado parecerem menos árduas, e menos intimidadoras as que virão no futuro.

Por sorte já me despreocupei se hoje me sinto minimamente mais magra do que me sentia na véspera. Isto aconteceu porque minha jornada parece cheia de paradoxos: enquanto sinto minha musculatura se fortalecer a cada dia, percebo também meus tendões e minhas juntas se rompendo. Minhas panturrilhas e meus joelhos doem, enquanto a musculatura enodoada dos ombros, das costas e dos braços arde. A maior tortura está nos pés inflamados, cobertos de bolhas, irritações e feridas escuras, onde a pele se rompeu devido à fricção com os tênis. Graças a Deus tenho a piscina infantil com o urso para medicar as bolhas dos meus pés cansados, que apoio naquele rosto sorridente e feliz!

A segunda corrida na esteira, de sessenta minutos a doze quilômetros por hora, realmente me arrancou o couro. Eu me sento recostada no colchão, esticando as pernas demasiadamente doídas para assumir a posição de lótus. Estou exausta demais para fazer qualquer coisa além de regularizar minha respiração arquejante. Percebo que provavelmente me deixei desidratar, coisa facílima de fazer em um ambiente com ar-condicionado. Pego uma garrafa de água no cooler ao lado do colchão. Por que estou aqui? Você olha para as causas, mas nada na vida é linear. Em nossas redes sociais psicóticas, fingimos que podemos ser reduzidos a uma linha do tempo, mas somos um ensopado, uma mistura constantemente borbulhante em processo de cozimento. E eu estou pensando em um dos meus ingredientes principais.

As esculturas de Germaine Richier (1902-1959) evocam a destruição e a atmosfera de violência na Europa depois da Segunda Guerra Mundial. As superfícies escalavradas e esburacadas de suas figuras, bem como seus traços faciais mutilados, falam com eloquência do sofrimento humano. Ao mesmo tempo, a solidez desses personagens e sua forte presença expressiva afirmam a sobrevivência final da humanidade apesar do legado da guerra. Um modelo para suas esculturas foi um velho que, cinquenta anos antes, posara para a representação de Balzac feita por Rodin, um arquétipo de potência e criatividade masculinas que Richier agora representava como já gasto e decadente. Quando eu vi a exposição da obra de Richier no Instituto, fui levada diretamente de volta àquele dia em Potters Prairie em que vi as imagens terríveis do ataque ao World Trade Center.

Germaine Richier, nascida em Grans, no sul da França, era verdadeiramente original. Nem acadêmica, nem modernista, ela seguiu um caminho único, partindo para Paris e trabalhando com Bourdelle nos últimos anos de vida dele. O impacto devastador da guerra teve um efeito profundo na sua paisagem imaginativa. Suas figuras femininas, até então grandes, foram se tornando cada vez mais semelhantes a insetos, mas ainda assim continuavam decididamente mulheres, enquanto outras formas grandes e intimidadoras (tanto masculinas quanto femininas), tal como *A tempestade* e *O furacão* pareciam representar as forças brutais e indiferentes da natureza.

Pode-se especular que as inequívocas escolhas artísticas desta mulher vibrante e cheia de força de vontade, que não teve outros filhos além de suas esculturas, eram um meio de expressar sua própria feminilidade. De fato, a silhueta pessoal de Richier evoca as figuras robustas que ela decidiu pintar.

Esteticamente, Richier rejeita o maneirismo barroco dos surrealistas. Enquanto claramente domina o idioma deles, ela o utiliza com rudeza, sem excessos de afetação ou circunlocução ritual. O paradoxo é que a obra de Richier é ao mesmo tempo amplamente aclamada e negligenciada, principalmente devido à sua falta de congruência com qualquer movimento artístico estabelecido, seja conservador ou progressista. Tanto em relação à forma quanto ao conteúdo, a obra de Richier exibe uma autenticidade sem afetação, que merece ser valorizada acima de tudo.

Autenticidade.

Que porra de palavra estranha para uma artista usar.

O que foi "autêntico" na minha vida?

Que merece ser valorizada acima de tudo; eu escrevi isto. Eu disse isso. Lembro de Nick Vassiliev, meu tutor, corando quase sexualmente quando leu essa frase. Lena Sorenson, pomposa e arrogante, que logo viraria uma superestrela no mundo da arte. Eles já farejavam isso em mim. Ninguém em todo o planeta era mais perfeita para o Instituto de Arte. E o Instituto de Arte foi feito para que eu brilhasse.

Autenticidade.

Eu queria uma vida social, e queria uma vida sexual, tanto quanto qualquer outra aluna do primeiro ano no Instituto de Arte. Mas não estava ali para ficar de curtição, ir a festas, dar umas trepadas e ser simpática. Estava ali para aprender o máximo que pudesse e me tornar uma artista. Eu era impelida por uma fome pelo sucesso mais voraz do que qualquer estudante de administração poderia ter exibido. E era muito, *muito* mais determinada do que qualquer outro aluno do Instituto. Sentia que tinha grandeza dentro de mim. Queria aprender a ser suficientemente boa para ser grande.

Havia duas exigências principais para alguém cursar o Instituto de Arte. Você precisava comprar um Mac da Apple e precisava morar nas residências da rua State. Elas ficavam em um prédio interessante junto à livraria Borders e perto do Gene Siskel Film Center, o que era maravilhoso para mim, apesar do possível constrangimento de esbarrar com Mikey.

Os quartos brancos e claros, com janelas grandes e iluminação moderna, eram compartilhados com alguma outra aluna, e eu tive a sorte de dividir o espaço com uma adorável garota coreana chamada Kim. Junto com Amanda, ela virou minha amiga mais próxima. Mas eu tive de pagar adiantado o aluguel do dormitório: quase vinte mil dólares. Aquela caixa compartilhada acabou sendo o aluguel mais caro que eu e muitas outras pessoas teriam em Chicago. A enorme rotatividade nas turmas significava muito dinheiro para a escola. Cada quarto tinha um banheiro e uma cozinha. Cada estudante tinha a sua bancada de desenho, sua cadeira e seu armário, mas as camas ficavam em uma espécie de jirau, oferecendo muito pouca privacidade. Havia uma lavanderia comunitária e espaços recreativos como uma sala de TV ou uma academia. Além disto, todos nós tínhamos cofres individuais. A melhor característica dos quartos era ficarem a uma curta caminhada da escola.

Eu adorei todos os tutoriais e todas as oficinas, mais obviamente 2D (pintura), mas 3D (escultura) foi uma revelação para mim. Gostei até de 4D (arte performática/vídeo), embora não tivesse a menor empatia por aquilo. E também havia história da arte, que eu adorava. Outros alunos mal podiam esperar para ir embora após um dia cheio de trabalho. Já eu sempre sentia um baque oco no meu peito quando um tutor insistia que era hora de ir para casa, ou até de almoçar.

Embora estivesse longe de ser uma aluna de arte sofisticada, eu sabia o que andava acontecendo. Ali todos os funcionários precisavam ser artistas profissionais, e a maioria seguia uma estética marxista, que rejeitava distinções elitistas entre arte alta e baixa. Isto frequentemente produzia resultados estranhos; quando eu cheguei ao Instituto, encontrei em ascensão um movimento artístico com elementos infantis. Nessas obras, prevaleciam representações estéreis de unicórnios e afins. Arte que hoje é considerada ridícula e débil, tal como as copiosas representações de personagens de cartuns como Garfield, tinham uma pseudocredibilidade warholiana. Eu sabia que não queria participar do movimento; estranhamente, porém, acabei conseguindo me beneficiar daquilo, pois minhas imagens de futuros humanos degradados logo seriam atribuídas a essa escola populista.

Também descobri que socializar com membros do corpo docente, e trepar com eles, era normal, na realidade considerado quase *de rigueur* para alunas mais ambiciosas. Se nas escolas de arte havia algo chamado de torpeza moral repugnante, certamente ali era aplicado com menos rigidez do que em outros ramos da academia.

O que mais eu aprendi na escola de arte? Certamente, que havia crueldade na crítica. Em geral, as aulas pareciam ser uma competição para se determinar quem podia ser mais sutilmente frio e impiedoso, quem conseguia justificar melhor seu veneno em termos intelectuais, e tudo se resumia a uma questão de alianças. Eu logo percebi que, embora não produzíssemos grandes artistas em quantidade, aquele lugar era uma fábrica de gente que conseguia exibir sadismo verbal com *aplomb*.

As lições mais importantes que eu rapidamente aprendi, porém, foram duas: como é importante a curadoria, e como é crucial conhecer as pessoas certas.

Foi então que conheci Jerry.

Quando todas essas coisas se encaixaram, eu achei que tinha tudo. E *realmente* tinha tudo. Agora tenho o quê?

Um avião passa rugindo lá em cima, vindo do oceano, pronto para ir até os Everglades antes de fazer a curva e voltar à cidade para pousar no Aeroporto Internacional de Miami. Às vezes, enquanto eles voam, eu penso novamente naquelas imagens do World Trade Center desabando, e então me imagino sendo esmagada por escombros ou queimada pelo fogo, até ficar enjoada e tonta, com palpitações.

Vou cautelosamente em direção à fria janela de vidro, já toda suja com as marcas da minha testa, minhas impressões digitais e meu hálito. Olho para o desenho de ruas e faróis de automóveis que emerge lá fora, enquanto o dia vai esmaecendo. Esta é a única janela ao meu alcance; já aprendi instintivamente a perceber os limites da minha liberdade, antes que aquela implacável pulseira metálica torça e repuxe o meu braço. O aço temperado da algema atravessa o forro macio, causando um vergão admoestador no meu pulso, quando me agito demais. Então penso no que Lucy pode ter feito com aqueles grilhões, que podem já ter sido usados em outras, antes de mim. Estou presa a esta corrente terrível, sem elos fracos. Tão inegociável.

Pela janela, olho para o bloco de apartamentos adjacente. Em um dos andares, uma luz se acende às 8:15 e se apaga outra vez às 12:30. Funciona mediante um temporizador, feito as luzes daqui, servindo a um apartamento fantasma. Uma vez eu vi dois homens dentro daquela unidade, engajados em uma discussão bastante animada. Acenei (berrar é inútil, mas irresistível), mas sabia que não havia esperança; mesmo que eles olhassem para cá, só veriam mais uma janela negra e fria.

Em geral Lucy volta para cá à noitinha, e sempre tenho esperança de que ela me traga o luxo de uma comida quente. Se for fria, meu ódio por ela é profundo. Em outros aspectos, meus sentimentos são mais complexos. O pequeno televisor que ela trouxe depois da primeira semana em que perdi um peso significativo foi uma verdadeira dádiva. Fico sabendo que horas são, e o que está acontecendo no mundo lá fora. Também significa que posso conversar sobre as gêmeas siamesas com ela.

O papel de Stephen como protagonista desse drama foi usurpado por Troy Baxter, um cirurgião jovem, bonito e simpático à mídia. Ele vai liderar os trinta profissionais da equipe médica que separará as meninas. Está no Canal 8 novamente, aumentando sua estimativa sobre as chances de sobrevivência de Amy após o procedimento de separação para até 40%, com as de Annabel em torno de 90%. "As garotas compartilham um fígado, mas têm corações separados e, o que é crucial, não compartilham o trato biliar, um dos aspectos mais vitais na separação de gêmeas siamesas."

Eles cortam para a mãe das duas, que mais uma vez defende, roboticamente, a oração como única estratégia de ação. Eu costumava desprezar esta inconsciência deliberada, mas agora sei como ela se sente. Só que também isso se deve muito ao desespero e ao medo, porque assim tem sido minha vida aqui. O aspecto mais perturbador é que eu ainda não sei quais são os planos de Lucy a meu respeito, depois que eu atinja a perda de peso almejada. Só fico dizendo a mim mesma, *ela não é uma assassina*.

Lucy deixa meu telefone dentro da cozinha. Consigo ouvir o aparelho vibrando e tocando sobre a bancada. Ela mantém a bateria sempre carregada, mas nunca diz quem está tentando me ligar ou mandando um e-mail. Eu invento cenários sobre quem poderia estar ligando, longas narrativas pungentes envolvendo mamãe, papai, Kim e Amanda. Na maior parte do tempo, porém, penso em Jerry; é uma coisa tão burra e patética, mas não consigo me livrar da fantasia de que ele ainda arrombará esta porta para me salvar, abraçar e ser outra pessoa: a pessoa que suas palavras sempre prometeram.

Vou passando minha mão ao longo do parapeito inferior, e lá está: uma manivela embutida! Minha pulsação acelera, enquanto eu puxo e começo a girar a manivela, fazendo a janela se abrir até uns cinco centímetros. O ar frio que sopra do mar entra rapidamente, e seu contraste bem-vindo com a porcaria reciclada que passa pela ventilação instantaneamente me deixa tonta. Esta pequena abertura é inútil para mim; mesmo que fosse suficientemente larga para que eu passasse, porém, do alto de quarenta andares, eu continuaria tão prisioneira quanto antes. Então viro para o meu edredom e meus baldes, sentindo meu ânimo se elevar euforicamente.

36

CACHORROS

Mona: juro pela porra de Deus que um dia ainda vou marretar a xota de plástico dessa piranha! Estou indo de carro pela ponte Julia Tuttle até Midtown, quando o torpedo dela aparece no meu celular, dizendo alegremente que Carmel Addison, uma bruxa botocada com cara de vinil, mas boa pagadora, é a mais nova cliente minha a aparecer lá para cancelar sua matrícula.

Vá se foder sua bunda falsa, vá se foder.

Ando correndo tanto de um lado para o outro, percebo com desespero, que não registro meus dados no Lifemap há dias. Febrilmente, tento recordar o que comi e fiz, mas estou passando pelo ponto em que o incidente ocorreu, e no meio do calor pegajoso um calafrio perpassa as minhas costas. Quando chego à casa de Miles, ele está saindo do prédio e entrando no jipe. Usa um óculos Ray-Ban do tipo que envolve as laterais do rosto, uma jaqueta que parece feita de couro de novilho e uma calça jeans azul baggy. A reboque está uma loura do tipo eurotrash, já bem caída, com mechas frisadas que aparecem por baixo da porcaria de uma boina. Ela aparenta ter acabado de sair do avião e recebido do namorado gângster mil dólares para torrar em roupas, mas apenas se gastar tudo na butique russa dele mesmo, que é mal abastecida e só serve para lavar dinheiro.

A loura vê que estou me esgueirando pela rua na direção deles e cutuca Miles, que se vira para mim.

– Seu babaca filhadaputa! – grito.

Ele entra em pânico, empurrando para dentro do veículo a puta loura, cheiradora de green card. O para-brisa do carro ainda tem aquele adesivo irritante dos jipemaníacos: "IT'S A JEEP THING. YOU WOULDN'T GET IT."

A piranha olha para mim e, com um sotaque de comuna, diz: – É ela! Aquela kung-fu pirada!

– Entre aí, gata – diz Miles. – Eu cuido disso.

Chico, o cachorro, está mijando em uma árvore. Miles, que tem o cachorro preso na porra daquela coleira elástica, avança para mim com os braços abertos e as mãos viradas para cima.

– Lucy... a gente precisa conversar...

Essa é uma postura ruim para ser adotada, já que eu chuto mirando os culhões, mas ele se esquiva, e eu só acerto sua coxa. Ele pula para trás.

– Sua louca!

– MENTIROSO FILHADAPUTA!

Ele corre para o jipe, entrando, batendo a porta e apalpando a ignição, enquanto eu chuto a carroceria do veículo, fazendo uma mossa.

– PIRANHA! – berra ele, arrancando velozmente e esquecendo Chico, sem notar que a coleira está presa na porta e que a corda vai se desenrolando. Quando o carro se afasta, eu ainda grito para que ele pare, mas não há jeito, e quando a corda chega ao limite, o cachorro mijão é puxado para longe da árvore, voando feito um míssil, ainda preso à coleira. Miles ouve os ganidos e freia derrapando, enquanto Chico passa feito um foguete pela janela do carona, batendo na rua e quicando no pavimento feito uma bola de borracha antes de ser detido pela coleira. Miles salta do jipe.

– Chico... parceiro...

Milagrosamente, Chico ainda está vivo. O pobre coitadinho se arrasta pelas patas dianteiras, puxando atrás de si as duas pernas traseiras quebradas. Vai até a calçada e se enfia embaixo de uma moita. Miles prorrompe em lágrimas, implorando que o bicho saia dali, mas cada puxão na coleira suscita um rosnado que dá uma sensação de enjoo.

– O QUE VOCÊ FEZ? – diz ele, virando para mim com o rosto marcado pela agonia.

– O que *você* fez?

– A polizia... precisa ligar para polizia – exige a russa, que já saltou do carro.

Miles consegue segurar o cachorro que solta rosnados graves, e carrega o bicho até o jipe. A comuna entra no banco do motorista e os dois se afastam velozmente, rumo ao veterinário. Com os nervos em frangalhos, eu pulo para dentro do Cadillac DeVille e parto. Paro em um posto de gasolina e compro uma lata de tinta preta na loja de serviços. Então, voltando ao apartamento de Miles, entro no prédio após apertar todas as campainhas. Na sua porta branca escrevo em maiúsculas: *É UMA COISA DE BROXA E EU ENTENDO A PORRA TODA!*

Rumando para o centro, minha cabeça está uma desgraça. Eu não queria que o seu cachorro se machucasse, mas é culpa dele próprio ser a porra de um babaca tão covarde. Registro a salada de ovo que esqueci ontem, lembrando também de uma série tripla de flexões para aliviar o estresse. Enquanto vou controlando o Cadillac com uma das mãos, um babaca em um caminhão troca de pista na minha frente, sem ao menos indicar...

CARALHO.

Enquanto freio e diminuo a velocidade na Interestadual 95, ergo o olhar para o prédio e tenho a sensação de estar afundando de pavor no banco rígido do Cadillac. Há uma bandeira pendurada na janela da cobertura... do nosso prédio. Do nosso apartamento!

Uma palavra em um edredom branco, rabiscada grosseiramente com o que parece... não pode ser, caralho...

SOCORRO

A PORRA DA SORENSON!

Eu entro na Bayshore Drive e estaciono diante do prédio, correndo e pulverizando o botão do elevador. *ANDA!* O elevador vem batendo pelos andares vazios e a porta enfim se abre. Eu aperto o botão da cobertura, sentindo meu coração disparar enquanto a porta se fecha e o elevador sobe, ganhando velocidade. Tenho a esperança de que os motoristas, ao passarem pela Interestadual 95 e avistarem a bandeira, pensem que aquilo se trata de uma espécie de humor urbano chique: um prédio vazio gritando por socorro no deserto imobiliário. Na certa ninguém teria parado e investigado. Já a polícia... há quanto tempo aquela porra estava ali?

Entro no apartamento e vou me esgueirando pelo corredor, assaltada por um fedor terrível assim que chego à sala. Sorenson está sentada sobre o colchão no chão, mas os baldes revirados jazem em um lago de mijo estagnado e grotescos cagalhões derretidos que escorre pelo piso de madeira de mamãe.

– AH, MEU DEUS! SUA PUTA NOJENTA!
– VÁ SE FODER!

Sorenson parece um duende malévolo, uma pessoa gorda real, torta e odiosa como eles sempre são, por trás daquela enjoativa fachada de bobo alegre. *Esta escrota pode até ter perdido alguns quilos, mas sua alma de escrota continua corpulenta.*

Corro direto para a janela, puxando pedaços do edredom para dentro. Está tudo coberto de merda; a piranha escreveu com sua própria bosta. Eu começo a gritar, "Sua porca da porra", mas então há um farfalhar metálico no ar e algo se enrola rigidamente no meu pescoço. Minhas mãos vão até lá, com os dedos agarrando um metal frio e irregular. A piranha gorda enrolou a corrente ali, e está me estrangulando... Eu estendo as mãos para trás a fim de agarrar seus pulsos, puxando-os para mim, enquanto apoio os pés na vidraça, fazendo força contra seu corpo, e depois dou uma cabeçada para trás, ouvindo seu nariz rachar. A estridência animalesca do seu berro me diz que ela está sofrendo, e que logo entrará em estado de choque. Sinto que sua força já está diminuindo. Dou uma cotovelada na sua barriga e sinto que ela me solta. Então giro e vejo-a desabando no chão em etapas espasmódicas. A corrente em volta do meu pescoço, a gravidade e o seu corpanzil me puxam em sua direção, e eu aproveito esse impulso para me posicionar em cima dela, com a palma da mão no seu peito, forçando-a para baixo. Com a mão livre, afasto de mim a corrente já frouxa.

– Quer jogar duro, gorducha?

Para minha surpresa, Sorenson já recuperou sua fúria. Sangue e muco jorram de suas narinas, mas seus olhos cintilam desafiadoramente, enquanto suas mãos agarram meu pulso.

– Vá se foder!

Começo a socar sua cara gorda, encaixando um gancho de esquerda e, quando ela solta meu braço, prossigo com um forte direto de direita no nariz. O sangue espirra e lágrimas cegam os seus olhos. Consigo sentir o espírito de luta esmaecer dentro dela.

– Quer que eu acabe logo com você? Hein?

– Não... desculpe – gane ela.

Eu saio de cima dela e puxo seus cabelos, arrastando-a feito uma cachorra até uma pilha de sua própria merda nojenta.

– NÃOOO! ME SOLTA, CARALHO!

Lena está com a corrente toda esticada e fica esperneando à medida que eu forço seu rosto em direção à merda, enfiando sua cabeça mais profundamente ali dentro, enquanto ela engasga e quase vomita.

– EU TIVE UM DIA RUIM PRA CARALHO, SORENSON! TIVE UMA VIDA RUIM PRA CARALHO DESDE QUE CONHECI VOCÊ! VOCÊ E A PORRA DO SEU VIDEOCLIPE!

Sufocando e engasgando, Sorenson vomita no excremento, fazendo com que eu a solte. Ela se afasta e olha para mim, com o rosto coberto de sangue, merda e vômito, de olhos esbugalhados.

– BEM-VINDA À PORRA DO MEU MUNDO! *EU* TIVE UMA VIDA RUIM PRA CARALHO! MINHA MÃE...

Ela arqueja rapidamente, fixando em mim um olhar demente através daquela máscara facial de merda e vômito. Depois, continua falando:

– Ela e meu pai desaprovavam tudo que eu fazia, minha arte, quando todo mundo dizia para eles que eu era boa... minha mãe me enchia de comida para tentar me deixar gorda e triste feito ela própria ... o Jerry... e agora... VOCÊ, SUA MERDA!

Seus olhos brilham. Então ela força seus pulmões a se encherem de ar e pula à frente feito uma lutadora de sumô, agarrando meus ombros. Juro que a vaca poderia ter me derrubado, se não fosse a corrente que a obrigou a recuar feito um buldogue de desenho animado. Ficamos nos debatendo no chão, lutando no meio daquela porcariada podre e fedorenta, até que eu aplico nela uma chave de braço de jiu-jítsu. Estou pronta para arrancar do seu corpanzil bamboleante a porra daquele presunto, mas ela berra por piedade, novamente ficando imóvel em meio a uma cacofonia declinante de soluços e engasgadas.

Coberta pela sua merda fedida, digo a ela: – Estou tentando melhorar a sua vida, Lena, estou mesmo.

Ela balança a cabeça coberta de imundície, com soluços pesados e raivosos. – Você é ridícula... tudo isto é ridículo pra caralho...

– Sim, eu sou, e você também é!

Vou até o banheiro, tirando a roupa e pulando para dentro do chuveiro tépido. Limpo aquele merda e outras porcarias rançosas do meu corpo, lutando para controlar a náusea involuntária diante do fedor tóxico. Seco o corpo, enrolando uma grande toalha de banho em torno de mim. O termostato está em uma temperatura alta, mas eu fico tremendo após o confronto. Vou até a cozinha e ponho minhas roupas dentro da lavadora. Depois, apanho uma tesoura grande em uma gaveta e volto a Sorenson.

Ela está sentada em transe no meio das suas porcarias; silenciosa, exceto pelo som de sua respiração semelhante à de um touro bufando. Ergue o olhar para mim, com o rosto coberto de merda exibindo um sorriso debochado. Então vê o instrumento afiado na minha mão e recua, implorando. – O que você vai fazer? Por favor... eu não quero morrer!

– De que porra você está falando, Lena? – rebato. – Quero as suas coisas sujas aí. Vou botar na lavadora. Ia cortar algumas para tirar de você, porque elas estão cobertas com a sua merda, caralho.

Estendo a mão, mantendo distância caso a puta imunda tente outro ataque.

Lena obedece, tirando o sutiã imundo e se encolhendo temerosamente quando eu agito a tesoura, indicando que ela deve colocar o sutiã na ponta da lâmina. Depois, baixo o sutiã até um saco plástico. Então ela tira a calcinha, livra as pernas e a coloca no saco plástico, sem tirar os olhos da tesoura.

– Pensei que você ia...

– Apunhalar você? Com isto aqui? – digo, erguendo a tesoura. – Jesus Cristo, dá um tempo! Foi você quem começou a violência...

Eu esfrego minha nuca e viro, partindo para a cozinha e continuando a falar, enquanto ando.

– A gente tenta ajudar uma gorda sem-vergonha e ela, assim que fica mais forte, ataca a gente! Inaceitável!

O lugar está uma sujeira. Fico aliviada que a piscina do urso por acaso esteja vazia, pois isso poderia ter estragado as coisas seriamente.

Pego roupas íntimas limpas para ela na bolsa e jogo suas roupas sujas na lavadora, junto com as minhas e o edredom rabiscado de merda, iniciando o ciclo. Depois de me recompor fazendo uma série de exercícios com respiração profunda e uma rotina de alongamento, eu volto a Sorenson, enchendo a piscina do urso com água ensaboada. Então entrego a ela umas toalhas de papel.

– Faça o melhor que puder – digo.

Sorenson entra na piscina e começa a se limpar, tirando com esponja do rosto as fezes e o vômito. Ela parece uma criança. Quando me pega olhando para ela, seu olhar esquisito me eletrifica, e eu viro de lado. Agarro seus cagalhões com toalhas de papel e jogo tudo privada abaixo. Depois passo um esfregão no resto da merda nojenta que ficou no piso de madeira. Mamãe e Lieb ficariam muito putos se soubessem que estavam sendo tão sacaneados. Vou fazendo um movimento circular com o esfregão e depois espremo a água com merda e vômito dentro do balde. De repente, ouço um arquejo e quando viro vejo Sorenson no colchão, fazendo uma série de abdominais frenéticos.

Eu me apoio no esfregão feito uma sentinela cansada. – Não faça isso. Só vai conseguir lesionar as costas, e os únicos músculos que vai desenvolver ficarão enterrados sob camadas de gordura!

Nenhuma resposta. Sorenson continua ofegando até o fim da série. Então ela gira o corpo e começa a fazer flexões de braço. Eu fico silenciosamente impressionada ao ver que ela já consegue tirar do chão o corpo inteiro, em vez de se levantar apoiada nos joelhos como uma menininha.

– São os quadríceps, Lena. Os agachamentos – digo, abaixando o corpo na frente dela para demonstrar, e tendo a satisfação de agarrar minhas próprias coxas, que parecem feitas de cabos de aço. Inventando uma estatística ali na hora, minto. – Estas são as suas armas. Queimam 115% mais calorias do que qualquer outro grupo muscular.

– Trinta e um – arqueja Sorenson. – Trinta e dois...

– Sabe por que aquelas piranhas magricelas das revistas fazem flexões de braço e agachamentos com abdominais? Deixe isso para quando você estiver parecida com uma delas... depois podemos pensar em ralar mais!

– TRINTA E CINCO! – ruge ela. – TRINTA E SEIS...

– Bom, vá se foder! Arrebente suas costas e banque a mártir – digo, girando o esfregão e voltando a trabalhar no assoalho. – É a brincadeira já consagrada das mulheres da família Sorenson...

Eu me controlo e rapidamente paro de falar. Lena percebe minha reação, olha para mim horrorizada e dá um pulo à frente, mas é detida pela corrente.

– De que porra você está falando? Você anda... anda lendo os meus e-mails? – Ela repuxa a corrente outra vez, frustrada, usando as duas mãos. – AQUELA MERDA COM MINHA MÃE?!

– Você já foi avisada – digo, rumando de volta para a cozinha.

– O QUE VOCÊ QUIS DIZER COM AQUILO?! O QUE QUERIA DIZER QUANDO FALOU AQUILO?!

Eu ignoro a porra do seu lixo verbal, mas noto que, ao preparar sua recente extravagância, ela colocou no canto a TV portátil, a salvo de danos. Há calculismo na alma desta piranha: tudo ali é puro ardil. Sinto vontade de tirar o aparelho dessa caipira traiçoeira, mas não vou me rebaixar ao seu nível. Verifico as mensagens no telefone: sim, há outra série histérica por parte da mamãe. Não é de surpreender que Sorenson seja como é, sempre sacaneada por essa piranha maluca. Pelo menos a babaca da Kim, em Chicago, percebeu que era hora de ficar na dela.

– ME FALE! O que você quis dizer? Fale...

Enquanto escuto os ganidos de Sorenson esmaecerem, verifico os e-mails no meu próprio iPhone. Papai me mandou a foto de uma cidade qualquer que ele está visitando na turnê; um primo obscuro, com cara de panaca, está ao seu lado para ter o livro autografado. Mamãe me mandou uma foto com Lieb no deque do barco, em um pose amorosa clássica, encenada e esquisita. Ela está aninhada ao lado de Lieb, com o olhar erguido para ele, que fita o horizonte com aquele ar arquetípico do homem-com-um-destino. Essa dupla é campeã de cafonice. Ainda assim, sempre me impressiona a sincronia deles, mamãe e papai, mesmo após tantos anos. Eu recebo um e-mail, ou uma ligação de um deles, e algo semelhante invariavelmente aparece da parte do outro. As associações de longa duração devem fazer algo com os seus biorritmos de que você não consegue se livrar. Simplesmente é uma pena que, para Sorenson e sua mãe, essa conexão só pareça se resumir a enfiar porcarias nos seus corpos.

Eu tiro as roupas da máquina e boto tudo na secadora. Enquanto vejo as roupas girando, ouço outros barulhos feitos por Sorenson e vou investigar. Espantosamente, ela já está de volta à esteira, correndo, suando lentamente rumo à doce liberdade. Meneio a cabeça à guisa de aprovação, mas ela se recusa a fazer contato visual, e simplesmente continua correndo. Foda-se esta piranha mal-agradecida; eu volto à cozinha e envio mais alguns e-mails.

As roupas ainda estão um pouco úmidas quando são tiradas da máquina, mas lá fora está muito abafado, então visto logo as minhas e jogo as de Sorenson ao lado do seu colchão.

– Já estou indo, Lena.

– Não estou nem aí. Vá pra puta que pariu – ofega ela, sem olhar para mim. – Você é uma perda de tempo.

– Vá se foder! – digo, mostrando o dedo médio para ela e saindo. Com quem a porra daquela piranha pensa que está falando... *eu* desperdiçando o mísero tempo *dela*? Se não fosse eu, ela não teria mais tempo algum, caralho!

Quando chego em casa, tomo outra chuveirada, vestindo uma saia curta de couro com um top vermelho. Faço um rabo de cavalo no cabelo, que prendo com um grampo em forma de rosa. O escroto do Quist está na TV novamente. Ao menos não está falando de mim, e sim defendendo um encrencado ex-parceiro de negócios, Bill Philipson, um incorporador imobiliário acusado de subornar várias autoridades locais. "Sem os Bill Philipsons deste mundo, o nosso estado, hoje um paraíso encharcado de sol, santuário de oportunidades para milhões de trabalhadores americanos, ainda seria um pântano infestado de mosquitos!"

A raiva chacoalha meu corpo: hoje alguma filhadaputa vai sofrer. Então passo para o Canal 8, onde há outro programa sobre as gêmeas, enquanto coloco meu pau na bolsa, optando por ainda não colocá-lo na cinta, que ficaria visível demais nesta saia curta. Prefiro deixar que aquelas machonas pensem que sou um ímã de carne, antes de meter o meu American Excess nas suas xotas duras e mandonas.

Um cirurgião mais velho aparece na tela: um bebum com ar arrogante e irritadiço, que mira em Troy Baxter, o menino de ouro, criticando suas estimativas de que as chances de sobrevivência de Amy chegam a 40%. A barra no rodapé da tela anuncia que ele é Rex Convey, professor na Faculdade de Medicina da Universidade Northwestern. "É sempre perigoso brincar com os números, mas essas estimativas loucamente otimistas, de que Amy Wilks tem 40% de chance de sobreviver, são de um absurdo completo e, francamente, de uma estupidez que parte o coração", rosna ele. "A probabilidade esmagadora é de que esta garota esteja sacrificando a própria vida para que a irmã possa levar uma vida supostamente normal."

Então, fodeu, mas se as duas putinhas já assinaram um acordo para serem serradas em duas, a porra da decisão só pode ser delas, dr. Country Club.

Eu desligo a TV e examino minhas opções. Hoje tenho o suficiente para algumas calorias alcoólicas vazias. Vinho tinto: alto teor de antioxidantes, 640 calorias por garrafa, ou quatro taças grandes a 180 cada, ou seis pequenas a 116 cada. Resolvo que vou beber três taças pequenas, 350. Podem ser calorias vazias, mas vão me manter na trilha, já que preciso ter mais de 200 hoje, a fim de manter a semana em equilíbrio.

Os saltos nem são tão altos, mas serão mais do que suficientes para jogar minhas panturrilhas, que parecem cobras depois de engolir duas bolas de futebol americano, na cara do mundo. Claro que ouço assobios de um carro que passa na rua 9 assim que saio de casa, respirando o ar quente. Uma irritação, sim, mas, no frigir dos ovos, seria uma merda total viver sem isso: o silêncio seria o selo da inviabilidade. Então seria a hora de sair da porra de South Beach e ir esperar Deus em algum condomínio fechado na Flórida Central.

Um meneio de cabeça tímido, mas também fatal, para os porteiros e já vou abrindo caminho até o bar apinhado da Uranus, provocando o gemido óbvio de uma bicha ciciante que, ao receber uma pequena cotovelada minha, diz: "Com licença também se usa!"

Já estou prestes a responder algo, quando uma gata com uma cabeleira acobreada dá um sorriso debochado para o cara e, com aquelas vogais alongadas de Massachusetts que eu conheço tão bem, diz: "Banque a porra do homem aí, cara. O bar está cheio!"

A bicha dá a impressão de que vai responder, mas simplesmente faz um biquinho e sai deslizando, impotente, pelo meio da massa.

– Babaca – murmura a gata.

– Se é – digo com um sorriso, já gostando do estilo da vagaba e dando-lhe como recompensa uma vodca com soda. Em meio à costumeira guerra de atrito junto ao bar, nós conseguimos botar nossas bundas em duas banquetas e começamos a conversar. Apesar da saraivada de sardas irlandesas salpicadas na sua pele clara e luminosa, sinto que todo aquele seu estilo desbocado de moradora de trailer não passa de afetação, e que esta gata poderia citar Henry James à vontade. A impostura é denunciada pelo cabelo que bate na gola, repartido ao meio e preso do lado por um grampo de plástico em forma de borboleta. Minha mãe é mais macha do que esta tolinha com perfume de fancha. A gata se vestiu como se soubesse que poderia ser chamada de volta a uma ocasião familiar, e que os parentes se cagariam todos se ela aparecesse com tintura preta no cabelo, que dirá um corte de rapazinho.

Henrietta James, você vai sentir o meu enorme pau de plástico. Então sugiro que nós saiamos e ela rapidamente me acompanha, empurrando para o lado todos aqueles corpos suados. Perto da área da porta, o ambiente está tão apinhado que ser ejetada para o ar da noite parece um renascimento. Um vagabundo sentado diante da Walgreens ergue o olhar para mim e dá um grito.

– Algum trocado?

– Vamos deixar que a balança do banheiro julgue isso – digo, largando um cartão meu no colo dele.

Henrietta olha para mim um tanto surpresa. – Uau... qual foi o lance do cartão?

– Eu sou uma *personal trainer*.

– Mas com certeza um cara daqueles não é bom negócio!

– O importante não é o negócio – digo, balançando a cabeça. – O importante é o confronto. A esperança é que você plante uma semente e ele troque completamente de vida. Uma vida humana vale o preço de um cartão.

– Nossa, acho que nunca pensei sobre isso assim – diz a srta. James, olhando de volta para o vagabundo.

Então falamos em ir para o hotel Blenheim, mas não consigo encarar aquele carpete fedorento, nem a bicha enrustida do recepcionista, ao descer a escada da vergonha pela manhã. Henrietta tem um apê na Meridian, não muito longe do meu próprio apartamento, de modo que vamos para lá. Embora obviamente não seja uma tonta, a srta. James é uma garota de poucas palavras, o que eu adoro, mas enquanto estou olhando seus pôsteres de cinema, *Metrópolis*, de Lang, e *Janela indiscreta*, de Hitchcock, a porra da putinha me agarra! Sua mão se enfia sob minha saia e dentro da minha calcinha, mergulhando feito um submarino abatido na minha xota, com o dedo indicador já aguilhoando a porra do meu grelo! Antes que eu consiga pensar no pau de plástico dentro da minha bolsa, minhas coxas já se abriram feito um saco de batata chips. A srta. James estabelece um ritmo rápido, pulverizando feito uma boxeadora o meu clitóris. Seus olhos estão incendiados, há uma insistência áspera na sua voz.

– Você está armada?

– Estou – gemo. – Mas está na minha bolsa...

Ou ela é realmente uma novata, ou alguma merda crucial se perdeu na mudança de Boston para cá, mas uma coisa é certa: ela está a fim pra caralho. Só que agora ela não é mais a única que está pedindo um pau. Eu viro e agarro minha bolsa, tomando cuidado para deixar que ela continue trabalhando em mim, agora tocando uma longa e deliciosa siririca. Então, pego meu pau e mando que ela vista a cinta.

– Meta em mim. Coma a minha boceta com o meu próprio pau – ordeno a ela.

A srta. James fica feliz em obedecer, prendendo com destreza o artefato no corpo, girando o pau pra frente com a mão e roçando a base do membro em seu osso púbico.

– Você quer muito isto aqui, não quer?

– Meta *agora mesmo*, sua puta, ou eu tomo isso de você e meto tudo nessa sua bunda irlandesa branca!

Ela não precisa ouvir isso duas vezes.

37
CONTATO 15

Para: lenadiannesorenson@thebluegallery.com
De: mollyrennesorenson@gmail.com
Assunto: Por favor, fale comigo

Estou tentando falar com você, aqui, Lena. Você não atende o telefone, nem responde os meus torpedos ou e-mails! Estou tentando falar com minha própria filha sobre algo que nos afeta enormemente, mas você não responde coisa alguma!

Para: lenadiannesorenson@thebluegallery.com
De: toddpaulsorenson15@twincityhardware.org
Assunto: Isso já foi longe demais!

Lena

Quero que você saiba que não apenas perturbou mamãe, como partiu seu coração. Espero que isto faça você se sentir bem, além de ser uma fonte de diversão para você e seus sofisticados amigos artistas aí em Miami. Nós tentamos lhe dar tudo. É assim que você nos retribui?

Queremos você aqui em casa. Não sei com que tipo de turma você tem andado nesse buraco infernal infestado de vodus pseudocaribenhos, mas para mim é óbvio que você vive drogada. Aqueles e-mails são odiosos e vingativos. Você nunca foi criada assim!

Fale com sua mãe!

Papai

38

O PACOTE

Ainda não falei com Sorenson sobre o pacote, que mantenho na prateleira superior do closet. Ele contém uma carta, um caderno pequeno e trinta e seis fotografias de alto contraste em preto e branco.

A carta é de uma mulher chamada Melanie Clement.

Querida Lena

Seu ex-namorado – agora também meu ex-namorado – é um psicopata perverso, malévolo e manipulador: uma ameaça constante para mulheres, que devia estar na cadeia. Ele já desperdiçou, roubou e extorquiu uma boa parte do meu dinheiro. É mais (ou menos) do que um parasita absolutamente sem valor, ou que um chato sem talento, delirante e obcecado por si mesmo; é também vigarista e ladrão. Se você ainda tem dúvidas acerca deste fato, o conteúdo deste pacote deve convencê-la.

Não o aceite de volta, se você tem alguma inteligência básica, e/ou um fiapo de amor-próprio. Tanto você quanto eu sabemos que ele vai tentar.

Lamento muito que ele tenha largado você por mim. Lamento por mim e comemoro por você.

Um abraço,
Melanie Clement

P.S.: As fotos e os negativos são para você, faça o que quiser com eles.

Todas as fotografias mostram Sorenson nua, em três poses diferentes: de frente, de costas, e de perfil esquerdo. Há doze conjuntos dessas três imagens, todas tiradas no mesmo lugar, sob uma iluminação idêntica. O que mostram é Sorenson em diferentes estágios de transição no espaço de um ano: de uma mulher esbelta e *petite*, a uma gorda obesa. Sob cada imagem vê-se o mês, começando em março, e o número de quilos que ela pesava, de 58 a 102.

A transição mais impressionante e assustadora não está no corpo de Lena, que incha feito um balão, mas na expressão do seu rosto. Na primeira série de imagens, embora obviamente ela tenha sido instruída a manter um olhar neutro, vê-se um sorriso fantasma, como se uma espécie de jogo conivente e sensual estivesse em andamento com um parceiro. Esta expressão domina os três primeiros meses. Então, no mês quatro, um esmagador ar de constrangimento se insinua ali, seguido pelo surgimento de raiva, depois frustração e desespero (do quinto ao oitavo mês), antes que a luz se apague dos seus olhos, e ela se mostre derrotada (do nono mês em diante). Graças a essa tal de Melanie, Lena agora tem todo o trabalho desse maluco no seu "projeto". Ou melhor, eu tenho.

Resolvo ler alguns trechos do caderno.

O PROJETO LENA SORENSON
de Jerry C. Whittendean

Conheci Lena no Instituto de Arte. Ela ainda estava começando seu primeiro ano lá, enquanto eu já estava prestes a me formar, no fim daquele ano. Era a tradicional semana de "coma uma caloura", em que os supostos garanhões vasculhavam as festas e os eventos em busca de novas perspectivas.

Lena não era o tipo de garota que normalmente eu curtia. Bastante bonita, mas cronicamente tímida, com apenas um dos olhos ocasionalmente espiando por trás daquela longa franja preta, que funcionava como um escudo. Quando, porém, ela chegava a olhar para você, podia ser com uma ferocidade constante e desafiadora.

Nós sempre pensamos que podemos mudar as pessoas, moldá-las. Às vezes eu acho que ela sempre foi um projeto meu, mesmo naquela ocasião, quando me aproximei dela, que ficou parada ali, tremendo feito um camundongo na borda da cozinha. Talvez, porém, isto seja um pouco fantasioso demais.

Eu já sabia quem ela era. Estava atraído pelo seu trabalho; outros alunos e professores falavam dele, e eu precisava conferir o que era. Então ia até as salas de aula dela durante os intervalos e ficava contemplando as obras. Embora fosse uma garota tão tímida, na arte ela mostrava uma coragem do caralho: telas imensas, cores radiantes e paisagens marcantes, apocalípticas. Depois me senti atraído por ela, pelo mistério do seu talento, por seu brio destemido, às vezes até um pouco arrogante. Seduzir Lena foi um meio de tentar resolver esse enigma. Mas nada do que ela dizia ou fazia conseguia responder a pergunta que ardia dentro de mim: por que ela? Por que aquela garota pequena e morena, nascida em um buraco de merda caipira e temente a Deus no Meio-Oeste tinha o talento e o ímpeto para ganhar um reconhecimento tão sem precedentes?

A princípio, as conversas que tive com Lena me interessaram. Depois ficaram repetitivas, e eu percebi que estávamos entrando em uma rotina. Logo comecei a me ressentir dela e de suas afetações tolas, que no começo foram até novidade para mim. Depois, a pletora de expressões e sotaque caipira começou a me dar náuseas. Ela era uma cabeça oca, uma dona de casa suburbana e careta, sem um só osso boêmio no corpo, mas abençoada com o talento, o ímpeto e a crença de um Andy Warhol.

Quando você se ressente de alguém com quem tem muita proximidade, a pessoa logo começa a agir de forma recíproca. Como se tratava de Lena, porém, tal ressentimento era sutil e comedido, envolto em uma culpa por demais aparente. Só que ela começou a dominar o panorama. Já aprendi que na vida as pessoas tendem a ser atraídas pelo carisma a curto prazo, mas em nível mais profundo sempre amam e admiram o talento. Os amigos começaram a cochichar que eu estava atrasando o lado de Lena. Isto me deixou arrasado. Eu acredito em mim mesmo como artista. Sem essa autocrença, qualquer artista vira um nada. Sem mim, Lena jamais teria se autopromovido, jamais teria extraído o máximo de seu talento.

Miami foi ideia minha. Lena teria suportado os invernos do Meio-Oeste eternamente, com aquela sua alegria estoica, nauseante e folclórica de Minnesota. Mas não foi só porque eu desejava mais luz para a minha fotografia. Eu queria Lena longe de Chicago. Ela estava indo bem demais. Toda vez que eu entrava em um bar qualquer, os <u>cognoscenti</u> exclamavam a uma só voz: "Onde está Lena?" Cheguei a ponto de quase vomitar diante dessa pergunta. Nós detestamos que nossos amigos façam sucesso, como já observaram Wilde, Vidal e Morrissey; quando se trata de nossos amantes, então, o desprezo é total!

Ninguém sabia como era humilhante estar constantemente na sua sombra. Lena brilhava demais, e eu tinha ódio dela e de mim mesmo por isso. O único jeito de me livrar desse sentimento era ficar por cima dela. Então eu a deixaria gorda, repulsiva. Incentivava Lena a comer demais: Pizza Hut, McDonald's, Taco Bell e Gyros. "Vamos parar no Starbucks para tomar um <u>latte</u> com muffins. Você deu duro na academia. Queimou cerca de 150 calorias. Merece uma gostosura de 600 calorias", todo este tipo de merda. Era como arrombar uma porta aberta: a mãe dela já cumprira seu dever.

E então comecei a fotografar Lena. Fazia com que ela se pesasse na primeira manhã de sexta-feira a cada mês. Ela não percebeu que era um projeto: <u>A Transformação de Lena Sorenson</u>. Com exceção de matá-la e deixar a câmera enquadrando o cadáver, vendo os vermes devorarem tudo (o que cheguei a considerar, concluindo depois que o homicídio é um hobby dos fracassados), isso era a melhor coisa que eu podia fazer. Tirei fotos de Lena nua, de frente, de costas e de lado, virada para a esquerda. Fiz isto uma vez por mês durante um ano, e cada vez produzia três exposições de alta resolução em preto e branco, com iluminação idêntica. Um projeto completo de trinta e seis imagens, com a data e o peso dela escrito em cartões anexados.

A questão é o consentimento de Lena. Nenhuma galeria abrigará a exposição, a menos que ela me dê permissão por escrito para usar as imagens. Portanto, ao mesmo tempo que ela jaz inchando em um canto escuro da casa em Miami, eu fico assando aqui em Nova York, pensando em um jeito de fazer com que ela simplesmente assine a porra desse contrato.

Enquanto isto, tento convencer Melanie do potencial de uma exposição dos sem-teto do centro de Chicago. Mulheres talentosas, mulheres ricas, o que posso fazer para

Bom, a porra deste maluco é altamente perverso. Dá para ver isso pelo conteúdo ardiloso dos e-mails que ele vem mandando para ela, a fim de fazer Lena assinar a porra do contrato. Os e-mails também me informam que ele parece ter descoberto que ela recebeu suas fotografias desaparecidas. Isto mostra como Sorenson é fraca, patética e fundamentalmente incapaz, já que se deixou ser manipulada e dominada por um fracassado. Essa piranha é abençoada por ter entrado na minha órbita. Ainda vou empoderar aquela bunda flácida! No entanto, tal como a equipe cirúrgica no caso das gêmeas do Arkansas, você precisa arrancar fora um monte de merda ao fazer a renovação e, se o paciente morrer na mesa de operações, bom, ao menos você tentou a porra da sua melhor jogada.

39
CONTATO 16

Para: mollyrennesorenson@gmail.com; toddpaulsorenson15@twincityhardware.org
De: lenadiannesorenson@thebluegallery.com
Assunto: 29 graus neste inverno

Estou lhes mandando um e-mail conjunto, já que os meus anteriores aparentemente fizeram com que vocês dois falassem um com o outro. (Não é preciso me agradecer.) Também estou enviando aos dois qualquer e-mail que eu mande a um só, para que vocês não possam mais fazer seus joguinhos idiotas, manipulativos e autoilusórios em que ambos se tornaram tão peritos.

Primeiro papai:

Obrigada pelo primeiro e-mail seu em QUATRO ANOS e TRÊS MESES. Fico feliz por saber que você ainda se importa.

1. Lamento que mamãe esteja perturbada, mas certamente você deve ser capaz de ver que ela tem obesidade mórbida. Qualquer pessoa gorda e isolada como ela obviamente tem problemas de depressão/saúde mental e de negação extrema. Você e eu somos parcialmente culpados; tornamos possível essa depressão. No meu caso, por cumplicidade. No seu, por negligência emocional. Bom, eu estou fora. Portanto, que tal bancar a porra do homem e dar à mulher que você alega amar um pouco de atenção? E até... vamos sussurrar a coisa... um pouco de afeição?

2. Sim, falar a verdade realmente faz com que eu me sinta bem, embora isso seja um assunto a discutir apenas entre nós, e NÃO com qualquer outra pessoa, inclusive

meus supostos "sofisticados amigos artistas", que só existem na sua imaginação. Queria eu ter essa sorte. Se tivesse o tipo de rede social que você imagina, eu não teria passado a maior parte da minha vida me sentindo uma merda tão completa.

3. Eu não estou tomando drogas – nunca fui chegada nisso, fosse em Potters Prairie, fosse estudando arte em Chicago. Se você quer achar evidências de abuso de drogas, verifique o seu próprio armário de remédios. Mamãe vem abusando seriamente das drogas com receita há anos.

Acho que o que estou querendo dizer é VÁ SE FODER.

Agora mamãe:

Quer saber onde você errou?

1. Quando me entupia de junk food, fazendo com que eu ficasse tão gorda, deprimida e pouco saudável quanto você. Eu já estava rumando para o diabetes tipo 2, e presumo que você já esteja bem dentro dessa zona, vivenciando os problemas de saúde associados a ela. Mas ainda dá para consertar as coisas: VÁ SE EXAMINAR ANTES QUE EXPLODA!

2. Quando reprovava todas as amizades que eu fazia enquanto crescia. Até mesmo aqueles "amigos" limpinhos que você escolhia a dedo para mim nos grupos da igreja acabavam não sendo suficientemente bons. Belo jeito de fazer uma garota se sentir tão mal quanto você, sua vaca!

3. Quando tentou me impedir de fazer aquilo que fui colocada aqui para fazer. Todos os especialistas, desde aquela professora no ensino fundamental, disseram a você que eu era um talento prodigioso, excelente em arte. O que havia de errado em me deixar pintar e desenhar? Que porra de brincadeira é essa comigo?

4. Quando tentou me impedir de deixar Potters Prairie, Minnesota. Pode ser o lugar certo para você, mas nunca foi para mim. CRESÇA E RESPEITE ISSO, PORRA.

5. Quando tentava me encher de culpa em relação a Deus. Não sei se existe um Deus. Na realidade, tenho esperança de que não exista, para o seu próprio bem, porque no dia do Juízo Final ele vai ficar realmente emputecido com você POR ENCHER O SACO DELE COM QUALQUER COISA TRIVIAL NA PORRA DA SUA VIDA, e botar palavras na Sua boca. Fico feliz por você ter fé... agora vá se foder e gozar sua fé (silenciosamente), sem usá-la como desculpa para controlar/manipular/dominar/perturbar os outros.

Miami Beach está linda e quente, com 29 graus. Como está a merda de Otter County?

bjs
L

40

A LENA DE WEST LOOP

Sentada em um arranha-céu de Miami, deitada na minha própria merda. Sentindo o nariz e a maçã do rosto pulsarem de dor quando sento na piscina de urso para lavar do meu rosto quase todos os fluidos corporais possíveis. Movimentos apenas rotineiros. Estranhamente, não fico nauseada. Assoando o nariz dolorido suavemente em uma toalha de papel; ainda um pouco de fezes, vômito e sangue seco misturados ao meu muco. As cores, a textura e a sujeira que vejo nessas toalhas criando uma pulsação de excitação mórbida. Chafurdando estranhamente nessa provação ridícula: a sensação selvagem, confusa e oscilante que isso produz. Querendo chorar e ganir de dor, e depois simplesmente rindo de tudo. Vendo o conteúdo do meu rosto pingar na água tépida marrom-cocô da piscina. A TV, que não consegui me obrigar a destruir, está ligada sem som no canto. Meu único estímulo, minha única companhia.

E como artista, você precisa encarar coisas desfavoráveis sobre si mesma. A merda. No começo a morte de Barry King me deixou arrasada, mas o tempo todo havia uma euforia fantasmagórica. Aquilo me colocava no centro de um drama irresistível.

Eu sou como uma exposição. Um show. Uma exposição humana: humana futura, humana passada. A Lena passada, a Lena futura. A que emerge implacavelmente daquele reflexo no vidro da janela. Mas isso é uma coisa que eu sempre consegui fazer: eu sabia como dar um show.

Em Chicago, eu me enturmei com o pessoal supostamente descolado, principalmente por intermédio de Jerry. Olivia e Alex eram seus acólitos (uma palavra bem Jerry), embora eu tenha trazido Amanda e Kim para o nosso cenário. Nós íamos muito a festas, mas sempre respeitávamos o horário das aulas, principalmente por instigação minha, mesmo que quase sempre esticássemos a corda. Atravessávamos correndo o Instituto de Arte, passando pelos artefatos medievais e pelas exposições de armaduras, empurrando membros do público, só para chegar às nossas oficinas e palestras nos fundos do prédio.

Então, Jerry. Por onde começar?

Eu estava em uma festa em Wicker Park, segurando a garrafa de um tinto chileno barato na cozinha e tentando decidir se me embebedava ou não. Tinha a esperança de que beber me daria a confiança necessária para interagir com as pessoas normais. Hoje vejo como era tola por pensar assim. É mais provável que sejamos todos alienígenas – ao menos aqueles com quem vale a pena se importar. E cada um de nós comete um grave erro ao tentar se disfarçar como ser humano.

E claro que eu já notara Jerry mais cedo, mas nisto estava longe de ser a única. Jerry estava em seu último ano, e era tido em alta conta por muitos primeiro-anistas, bem como pelos professores mais populares. Todos aqueles murmúrios reverenciais que soavam nos corredores, como "Jerry vai vir hoje à noite?", "Em que Jerry anda trabalhando", ou "Jerry tem alguma merda decente?", parecem ridículos agora.

E então ele estava ali, olhando para mim, realmente olhando, como se eu fosse um exótico objeto de curiosidade. Emoldurado pelo umbral da porta. Bonito: uma figura forte e ágil, com uma cabeleira negra e emaranhada. Seus olhos eram piscinas escuras que eu não conseguia encarar. Mas já conseguia sentir a confiança e a força impetuosas que emanavam dele por cima da bancada no centro da cozinha, e cheguei a me sentir murchando por dentro quando ele se aproximou de mim.

Então Jerry fez uma coisa estranha. Ele se apresentou e, enquanto eu murmurava "Lena" em resposta, tirou a minha boina, afastou a franja do meu rosto e depois recolocou o chapéu no lugar, prendendo meu cabelo. Notei então que os seus cílios eram extraordinariamente longos, feito os cílios falsos de uma garota. "Eu gosto de ver com quem estou conversando, Lena. E esses olhos não são do tipo que devem ser cobertos", disse ele, com um sorriso amplo que desarmou minha raiva diante da sua presunção. Pateticamente, eu também dei um sorriso, daqueles de menininha. Estava entorpecida demais pela sua presença para conseguir me detestar por isso. (O autodesprezo só viria mais tarde.)

Ficamos conversando durante séculos, bebericando vinho; mais e mais vinho. Então, devido à estranha alquimia da intoxicação, nós nos vimos andando pelo preto e branco das ruas quase desertas, passando pelos carros cobertos de neve que ladeavam as calçadas feito dentes gigantescos, até chegar à casa dele, que felizmente ficava perto. Ele morava na parte superior de um velho casarão que fora dividido em dois apartamentos. Era um lugar espaçoso, até luxuoso. Eu pensei que faríamos sexo então, e realmente queria, mas em vez disto apenas conversamos, demos uns agarros e tomamos café. A luz matinal surgiu, revelando os poros de Jerry, além dos ângulos agudos de seu maxilar e das maçãs do rosto. Ele sugeriu que pegássemos o trem até o centro para voltar ao meu alojamento estudantil. Queria ver o meu trabalho. Lembro do calor do seu corpo perto do meu naquele trem apinhado, simplesmente querendo que a viagem durasse para sempre.

O trem nos devolveu às ruas vazias e congeladas do centro da cidade. Quando chegamos à minha residência estudantil, felizmente Kim já estava de pé e vestida. Jerry cumprimentou-a educadamente, antes de ficar vendo minha série de esboços e desenhos, além das duas peças que eu mandara montar e pendurar no magro espaço de parede do dormitório. "Você é boa", reconheceu ele. "E o que é até melhor... é prolífica. Precisamos fazer com que as pessoas vejam esse material."

Ele confessou que já ouvira falar do meu talento, e que vinha me monitorando havia algum tempo. Eu fiquei adequadamente lisonjeada. Não, eu fiquei é totalmente fascinada. Algumas noites depois, estávamos de volta ao apartamento dele, na cozinha, e começamos a nos agarrar outra vez. Percebi que era o nosso momento e fui escorregando parede abaixo, até que ficamos sentados de costas para a fria geladeira nos beijando com uma intensidade que alternava entre um contato provocante e uma entrega selvagem. Quebrei o encanto para fazer avançar a coisa, abrindo o zíper da calça de Jerry, enfiando minha mão lá dentro e sentindo a dureza dele. Jerry começou a fazer um suave barulho de assobio, como se estivesse soprando ar comprimido entre os dentes dianteiros. Era estranho, mas então ele me fez levantar e tirar a calça. Eu não precisava de qualquer incentivo. Quando fiz isso, porém, ele ficou simplesmente olhando para mim, como que preso a alguma *stasis* esquisita. Eu reassumi o comando, puxando Jerry delicadamente para o chão da cozinha, consciente apenas fugazmente da sujeira que ele pareceu registrar com um leve dissabor. "Será que podemos...", ele começou a dizer, mas eu o silenciei com outro beijo e abri seu cinto, afastando a cueca para o lado e vendo pular para fora o seu pau cheio de veias, que bateu na minha barriga. Então montei em cima dele, com uma das mãos agarrada à sua velha e pesadona geladeira Kenmore.

A mão larga de Jerry sustentava a minha nuca, enquanto começávamos a nos mexer de forma lenta e desconfortável. Meus joelhos ficaram pressionando o chão, até que ele ergueu um pouco o corpo, recostando-se na Kenmore e acariciando minha bunda (ainda através da calcinha) com a outra mão, além de beijando, e depois mordendo, o meu pescoço. Eu dei um beijo fundo na boca de Jerry. Suas mãos agarraram os meus quadris, puxando meu corpo para baixo em cima dele, enquanto eu afastava a calcinha para o lado, e de repente senti Jerry todo dentro de mim, com um fogo ardendo em algum lugar perto da base da minha espinha. Quase que imediatamente comecei a me contrair, fodendo Jerry cada vez mais depressa, e com força, até que suas mãos apertaram meus quadris mais ainda, enquanto ele tentava me empurrar para cima e para longe dele, resfolegando, mas eu gritei, "Espere", já me sentindo transportada para outro espaço e outra dimensão, enquanto Jerry gemia. Com um ímpeto final e determinado, consegui me colocar exatamente onde eu queria estar, e, quando acabamos, fui afastando lentamente meu corpo esgotado do dele. Enquanto desabávamos no chão, vi que ele ejaculara no assoalho de madeira, por cima da minha calcinha (que eu não tirara completamente), das minhas coxas, e da sua própria calça amarrotada. Vi Jerry bater com a cabeça duas vezes na geladeira. Depois ele respirou fundo e soltou o ar com uma eufórica risada que me aqueceu, enquanto eu me aninhava junto ao seu corpo e adormecia.

Fui acordada por uma friagem cortante, sem saber se apagara por alguns segundos ou uma hora, e sentindo que estava voltando à consciência depois de uma submersão profunda, sensação esta que eu sempre associaria a sexo satisfatório. Jerry se afastara de mim e colocara uma almofada sob a minha cabeça. Já partira, e uma das janelas estava escancarada. Embora aquela fosse a casa dele, fui tomada por uma onda de pânico e vergonha, ao lembrar da única tentativa de educação sexual por parte de minha mãe. "Não faça. Eles só estão atrás de uma coisa, e depois de conseguirem isso vão embora. Deus fez os dedos para alianças!"

Estas palavras devem ter calado fundo, já que, cada vez mais consternada, eu estreitei os olhos à luz do luar, tentando encontrar minha calça, que consegui vestir. Ao endireitar o corpo, percebi com grande alívio que Jerry ainda estava ali. Vi-o através da janela acima da pia da cozinha, parado na escada de incêndio, fumando um cigarro. Estava escuro, mas a luz baixa das luminárias o iluminava. Tinha o braço apoiado no parapeito da janela, e estava de perfil, olhando para algo lá fora. Seu cabelo parecia uma ruína, os lábios estavam entreabertos, e naquela friagem o hálito saía da boca quase tão densamente quanto a fumaça azul do cigarro. Eu me juntei a ele e notei que Jerry usava uma camiseta; nem sequer vestira seu suéter ou um casaco. Era como se fosse indiferente àquele frio de cortar os ossos. Tinha os olhos fechados, com os longos cílios apoiados nas faces. Eles se abriram quando eu cheguei perto. "Oi", disse ele, puxando meu corpo para perto do seu, e fazendo um barulho de motor no meu ouvido, "Brrrrrrr!"

Eu ri e olhei para ele. Flocos de neve se desintegravam no seu cabelo. Tive vontade de estender a mão para tocá-los, mas em vez disto ficamos parados cara a cara, enquanto eu me aproximava mais dele, já agarrando sua camiseta. Fui chegando ainda mais perto do seu calor, até enfiar o queixo no seu peito. Sentia a brutalidade nua do prédio de tijolos vermelhos, a esqualidez das árvores no inverno, o céu cinzento e as ruas brancas abaixo de nós, pressionando o nosso drama.

Com Jerry, qualquer coisa parecia possível. Ele exalava um poder intoxicante. Tinha a confiança e a autoridade que me faltavam, e que eu queria desesperadamente. Ao longo das semanas seguintes, fui sentindo parte disso passar para mim. Logo parei de pensar em mim mesma como Lena, a atarracada de Potters Prairie. Eu era uma artista. Era a namorada de Jerry Whittendean.

Mas o que eu trazia à mesa? Na época eu não via isso, porque, como quase todo mundo, tinha muita reverência por ele. Mas o que eu trazia era o talento. A tragédia de Jerry era que, parafraseando-o, ele nem era bom, nem prolífico. Tinha paixão e ambição, mas pouca habilidade para ampará-las. Tampouco possuía o que todos os artistas bem-sucedidos precisam ter acima de tudo: um motor. Isto jamais fora desenvolvido, talvez devido à origem relativamente privilegiada de Jerry: um pai na indústria petrolífera, uma mansão em Connecticut e uma formação em escolas particulares. Já para mim, não existia qualquer tela em branco. Eu mal podia esperar para deflorá-la com minhas pinceladas. E mal podia esperar que Jerry me deflorasse com as suas. Não conseguia tirar minhas mãos de cima dele. E para minha surpresa descobri que, no amor como na arte, eu era de longe a mais faminta de nós dois. Embora não percebesse isso na época, parecia que com Jerry tudo se resumia à sedução inicial. Depois disso ele ficava entediado e complacente, mais depressa do que eu podia imaginar que qualquer outro homem ficasse.

Minhas campainhas de alarme, porém, deveriam ter começado a soar quando ele anunciou que ia largar o seu foco em multimídia e passar a se concentrar somente na fotografia. Até mesmo seus acólitos mais sicofânticos, como Alex, resistiram a isso. Qualquer escola de arte funciona baseada em uma hierarquia. Os pintores ocupam o primeiro lugar em termos de prestígio e credibilidade, seguidos bem de perto por quem se dedica à escultura. O pessoal multimídia é mais difícil de classificar, já que na época a disciplina era nova e amorfa demais para ser enquadrada adequadamente. Já quem se especializa em fotografia, porém, tende a virar uma estirpe muito confusa. Além da questão central, se a fotografia pode mesmo ser considerada arte, no Instituto de Arte de Chicago toda a relação era pobre. Francamente, minhas instalações no segundo grau lá em Potters Prairie, Minnesota, eram superiores. Pela metade do valor das taxas do Instituto de Arte, você podia ir para a Faculdade de Columbia, ou até alugar um estúdio fotográfico. No entanto, os clicadores não estavam exatamente no final da fila, pois tal honra ia para os alunos de comunicação visual (por que alguém pagaria tanto dinheiro para se formar em design gráfico?), mas estavam bem perto disso. E Jerry não era um cara para ficar no final da fila.

Ao mesmo tempo que minha vida social estava em ascendência, as visitas de Jerry ao meu dormitório, onde fazíamos amor na minha cama de solteira (enquanto a coitada da Kim fingia estar dormindo, ou saía para ir até a Dunkin' Donuts no frio), eram indubitavelmente os seus pontos altos.

Naquela época, as acomodações estudantis não ofereciam um panorama de lazer invejável. Ficávamos isolados da cidade, presos a um centro que então era morto, e ocasionalmente hostil. Considerando o número de estudantes com matrícula em diversas faculdades, havia muito poucas instalações sociais para nos servir. Basicamente, você precisava inventar algo para se divertir. Grande parte do meu primeiro ano lá eu passei parada ou sentada, geralmente fumando cigarros do lado de fora das residências, nos degraus do Instituto de Arte, ou então de curtição na Dunkin' Donuts, onde competíamos por donuts gratuitos com os vagabundos locais. Não havia praticamente qualquer outro local para se comer, e isto significava que a viagem semanal pela linha vermelha do trem do centro até um supermercado qualquer era uma aventura bem-vinda.

De certa forma, porém, o tédio espartano desta vida estudantil facilitava a criatividade. Os artistas (professores) e os alunos tinham bastante convivência social, e Jerry me apresentou à cultura da boemia.

Isso fazia sentido, já que os professores tinham status e apartamentos fora do centro fantasmagórico de Chicago, com fardos de cerveja e garrafas de vodca nas geladeiras. E também era útil. Supostamente, você precisava cumprir doze créditos por ano, e eu fiz vinte e um, sendo que provavelmente oito conquistados só por ficar saindo com os professores. E não precisei trepar com nenhum deles: eu já estava trepando com Jerry, e havia a compreensão tácita, até por parte dos maiores predadores, que eu era a sua namorada.

Dou uma olhadela na TV sem som. Stephen, o pretendente das gêmeas, aparece lá. Eu pego o controle remoto, com uma urgência que me envergonha, e aumento o volume. Ele virou uma celebridade, este garoto pobre do Arkansas; já tem o status que Jerry Whittendean, oriundo da Costa Leste, educado e boêmio buscava tão desesperadamente. Antigamente eu desprezava a grosseria da nossa sociedade, dominada por reality shows doentios e sensacionalistas. Agora me vejo agradecendo a democracia grosseira, niveladora e bizarra que ela oferece.

Stephen já mostra mais aspereza em torno dos olhos; seu gestual e tom têm uma certa petulância. Ele abraçou a narrativa de sua fama com um senso de propriedade, usando bem o manto da arrogância.

— Eu falei para a Annabel, nada de vocês se separarem por minha causa.

— Mas se você diz que ama Annabel — diz a voz incorpórea.

A câmera se aproxima e Stephen se finge de tímido diante dessa colocação, mas há uma malícia tensa nos seus traços. Então ele dá de ombros em sinal de reconhecimento. Na realidade, trata-se de um grande, embora intimidador, momento televisivo: ele sabe que foi denunciado, mas já está inebriado demais pelo próprio poder para se importar.

— Você dará continuidade ao seu relacionamento com Annabel depois que ela se separar de Amy?

— Acho que sim.

Cortamos para o estúdio, e após um resumo banal dado pelo âncora, a matéria passa a ser sobre uma tramoia imobiliária local, e eu tiro o som. Queria saber quanto Stephen está recebendo por isso. Reflito amargamente que é demais para esse imbecil, mas depois dou uma reviravolta completa, temendo pelo rapaz, preocupada que ele esteja sendo explorado. Irritada que sua história seja arrancada dele e transmitida ao mundo, e que ele não tenha outra recompensa além de seus quinze minutos de fama. Já o vejo daqui a cinco anos, meio de porre em uma banqueta de bar, baixando no smartphone seus clipes do YouTube e enfiando-os na cara de quem quiser escutar.

A necessidade de reconhecimento que Jerry tinha era muito diferente disso?

Ao fim do meu primeiro ano nós fomos morar juntos em um apartamento. Ou não tão juntos: alguns de nós, Kim, Alex, Olivia e Amanda, alugamos um imenso espaço industrial. No bairro de West Loop estavam surgindo várias galerias novas para rivalizar com as mais antigas em Near North, e resolvemos que aquele era o lugar para nós. Cobrimos com um branco brilhante o bege das paredes, e usamos painéis de exposição para dividir o espaço em "aposentos".

West Loop era uma área pós-industrial, com fábricas antigas, mercados de carne, fornecedores de varejo e galpões diversos. Parecia tão desolada, do outro lado daquela agourenta tríplice barreira formada pelo rio Chicago, pelos trilhos, e pelo viaduto de concreto na rodovia, que pareciam clamar "fiquem longe".

Só que os pioneiros não queriam ouvir ninguém. Restaurantes sofisticados abriram na rua Randolph, e galerias de boa reputação, como a McCormick, foram se instalar na Washington. Nosso loft no segundo andar ficava perto da Washington, da Halstead, e de um surto de novos espaços para exposições.

Jerry e Alex mandaram botar na janela uma placa de néon azul que dizia apenas: Blue. E assim nós fazíamos a curadoria e expúnhamos os nossos trabalhos. Eu era a mais prolífica, mas Alex, Amanda e Kim também produziam. Jerry passava a maior do tempo bebendo, e falando. Nós panfletamos os grupos que vieram percorrer a área das galerias na primeira quinta-feira do mês. O boca a boca funcionou, e nossas três primeiras exposições lotaram, embora a maioria ali fosse de amigos e pessoas atraídas pelas cervejas gratuitas que boiavam em grandes baldes plásticos com água gelada. Nós sabíamos dar festas. Éramos a turma estudantil antenada, privilegiada e exaltada. Embora fôssemos secretamente odiados por muitos, eles também estavam desesperados para entrar no nosso círculo. Possivelmente eu era a única do nosso grupo a ter plena compreensão dessa dinâmica. Uma loura esguia chamada Andrea Colegrave era bastante insistente. Ela tentou conquistar a minha amizade, depois a de Kim, de Amanda, e de Olivia, acabando por dormir com Alex. Sua carência era patética. O mais ameaçador, porém, era o petulante olhar particular que ela me dava, um olhar que dizia, "Eu sei quem você é". E esse "quem" era aquela nerd gorda que eu pensava já ter deixado para trás em Potters Prairie.

Então, para a nossa quarta exposição, um dos nossos professores, Gavin Entwhistle, trouxe um visitante. Até então eu não fazia muita ideia da aparência que um colecionador de arte teria. Jason Mitford nada tinha a ver com o velhote endinheirado, gomalinado, encasacado e engravatado que eu imaginara. Ele estava vestido todo de preto, contrastando com uma elétrica cabeleira branca. Parecia um roqueiro famoso, ou melhor, o que ele era, um garoto rico que fracassara como artista.

Enquanto ele examinava minhas telas, eu não conseguia ignorar a atenção com que as pessoas, até mesmo cínicos profissionais como Jerry, davam ao seu escrutínio das pinturas. A linguagem corporal de Jason era intensa e incrível. Ele jamais estreitava os olhos ou alisava o queixo. Encarava a tela, ficava totalmente imóvel, e deixava os braços caírem ao lado do corpo. Parecia um boxeador pronto para lutar. Depois dava um passo atrás, seguido por um à frente, oscilando sobre a planta dos pés, e então dançava para trás ou se movia para o lado subitamente. Eu andava produzindo telas imensas, influenciada por Damien Shore, o ilustrador das capas dos romances de ficção científica de Ron Thoroughgood. No início não percebera que Shore, assim como tanta gente que trabalhava naquele gênero, fora inspirado pelo pintor inglês John Martin e suas gigantescas pinturas apocalípticas. Jason foi desfilar pela galeria, e depois me puxou para o canto.

— Sabe, eu vou voltar aqui na próxima semana e, se você acrescentar um zero aos seus números, eu compro um quadro. Mas não posso fazer isso agora. Simplesmente pareceria uma tolice.

Meu queixo caiu à guisa de resposta.

— Você precisa colocar uma valoração mais ambiciosa nessas obras. Não pode simplesmente vendê-las como um lixo qualquer. Isso é pior do que doá-las.

Pensei que Jason estivesse brincando, que mais uma vez eu era motivo de chacota, e que a cultura da escola de segundo grau de Potters Prairie me seguira até ali com meus romances de Ron Thoroughgood. Portanto, guardei silêncio sobre a conversa que havíamos tido.

Só que então, quando na semana seguinte ele realmente reapareceu, eu ainda não mudara os números oficialmente, mas já tirara as etiquetas, só por precaução, mantendo os preços em uma lista. Esta prática suscitou alguns comentários negativos por parte de Alex e Gavin Entwhistle, mas Jerry me deu muito apoio. Então Jason se aproximou de mim, dessa vez acompanhado por uma loura magra feito um palito, mas de boa aparência, apresentada por ele como Melanie Clement.

— Vou levar esta — disse ele, olhando para *Vácuo*, minha maior peça. — Quanto é?

Eu me tensionei e citei o preço, com um nada extra no fim. Jason assentiu, sugando o lábio inferior. Então perguntou pela minha segunda tela em homenagem a Martin-via-Shore, *A Queda da Nova Babilônia*. Embora seu tom fosse relaxado, eu ainda fiquei atônita quando ele me fez um cheque na hora. (E só cheguei a acreditar mesmo quando o cheque foi compensado, na quarta seguinte!) Portanto, dois quadros que eu oferecera por 700 e 900 dólares na semana anterior foram vendidos por 7 mil e 9 mil dólares. Eu deveria estar eufórica. Todos ao meu redor estavam. Eu era uma aluna do segundo ano, e aquilo era algo absolutamente sem precedentes.

Em vez disto, fiquei superassustada. Mal conseguia olhar para Jerry, Alex, Kim, Amanda, Olivia, ou qualquer um dos outros ali no recinto, principalmente a ardilosa Andres, que parecia pairar perenemente por perto. E certamente não podia contar a eles o que Jason sussurrara para mim depois, enquanto bebericávamos vinho branco em um canto, com uma vibração quase pós-coital zumbindo entre nós.

– Esses seus amigos aí... você nunca mais pode expor junto com eles – disse ele, balançando a cabeça em sinal de lamento, feito um imperador romano esclarecido, pessoalmente contrário a esportes sangrentos, mas tristemente obrigado a concordar que as massas precisavam daquilo. – Eles não estão com nada. Qualquer associação com eles só puxará você para baixo.

Durante dois segundos, eu quis protestar, berrando, "Como você ousa! Eles são meus amigos!" Mas não fiz isso. Não consegui. Não apenas porque me senti valorizada e intoxicada pelas palavras dele, mas porque no fundo eu sabia que elas eram absolutamente verdadeiras. Os outros eram bons: cheios de excentricidades, interessantes, talvez. Em certos trechos, até grandes. Mas não havia neles uma voz que se impusesse, uma preocupação temática dominante, nada que atestasse seu brilhantismo único como artistas. E quando faziam uma peça que era decente, eles se recostavam e ficavam se alimentando emocionalmente daquilo, com uma gratidão tão infantil quanto a da garotada da minha escola em Potters Prairie. E enquanto eu pensava tudo isso, fiquei vendo Andrea, com seu corpo magro e anguloso, seus dentes reluzentes, segurando uma taça de vinho e rondando sedutora em torno de Jerry. Não havia desejo. Nenhum motor.

Em uma manhã fria, mas ensolarada, no fim de novembro, poucas semanas depois disso, Jerry e eu fomos acordados sobre nosso colchão à luz matinal pelo som de um pigarro forçado. Alex botou a cabeça ao lado da nossa divisória.

– Telefone para você, Lena.

Era um outro colecionador de Nova York, chamado Donovan Summerly. Ele me contou que ouvira falar das aquisições de Jason, e queria saber se podia combinar uma visita particular. Eu disse "claro" com o máximo de displicência que consegui, e cerca de dois dias depois ele veio à cidade. Eu vendi mais três quadros, por 8 mil, 5 mil e 9 mil dólares.

A essa altura, eu até me permiti demonstrar minha empolgação ao mundo. Isto deu a Jerry, que até então se mostrara entusiasmado, a deixa para fazer soar uma nota de cautela.

— Estamos vendendo a um preço baixo. Aquele cara provavelmente voou de Nova York para cá de primeira classe, e deve ter se hospedado em um dos melhores quartos do Drake.

Com tais comentários, ele assumiu *de facto* a administração dos meus negócios.

— Agora é melhor dar um tempo... chega de vendas. Vamos deixar as coisas se acomodarem.

Só que eles não iam fazer isso. Eu fui convidada a expor na prestigiosa galeria Cooper-Mayes, no Near North Side. Então Melanie Clement, a garota que estivera na exposição com Jason Mitford, fez um convite para que eu expusesse na GoTolt, a sua galeria em Nova York. Ela explicou que tanto Donovan Summerly quanto Jason haviam generosamente aceitado ceder para a exposição as obras já adquiridas, de modo que o meu acervo inteiro poderia ser visto. Eu intitularia a exposição de *Vácuo*, por causa da tela maior. De passagem, eu mencionei que admirava Ron Thoroughgood, o escritor de ficção científica. Para meu espanto, a galeria de Melanie imediatamente encomendou a ele a autoria do catálogo de *Vácuo*.

Se eu estava entusiasmada, Jerry enlouqueceu. Ele já se formara e passava todo o seu tempo (quando não estava bebendo) tirando fotos dos vagabundos que viviam perto das lojas de bebida e das casas de reabilitação no centro da cidade, pedindo dinheiro aos turistas e funcionários dos escritórios. Eu logo percebi que minha exposição nova-iorquina era um cartão de visitas para ele, tanto quanto para mim.

Como colecionadores legítimos estariam presentes à exposição de Nova York, nós decidimos que era o momento de tentar vender o resto do acervo, com preços majorados. Logo de início, eu fiquei chocada e encantada ao ver que Ron Thoroughgood estava presente. Ele era muito diferente do personagem bigodudo, semelhante a um mago, das orelhas dos seus livros. Era um bêbado, cafajeste e tarado, bem mais velho, que ficou fazendo propostas obscenas para mim, e depois para várias outras jovens presentes. Jerry ficou amigo dele, já que, apesar de suas afetações intelectuais, ele gostava de alguns gêneros de ficção, principalmente crime e suspense. Cada vez mais inebriado pela birita gratuita, e após reclamações copiosas, Thoroughgood acabou escoltado para fora pelos seguranças da galeria. Foi uma decepção considerável, mas nada poderia arruinar uma grande noite. A intensidade esquizoide de Jerry era útil: ele sabia animar um salão. Seu sorriso caloroso atraía as pessoas certas. Ele farejava e lisonjeava os compradores, não de um jeito óbvio, mas arrebanhando o pessoal feito um cão pastor: amistoso, entusiástico, e estranhamente fascinante. Inversamente, seu olhar psicótico congelado fazia as pessoas perderem a vontade de ficar por perto. Ele repelia os interlocutores errados, vagabundos e vigaristas, que conseguia farejar feito um cão de caça. E agora eu sei por quê: ele era um deles.

Nós ganhamos... não, *eu* ganhei uma fortuna. No verão seguinte, quando o contrato do loft venceu, decidimos renová-lo, mas sem convidar Alex, Olivia, Amanda e Kim a se juntarem a nós. Afinal a Blue era, como explicava Jerry, uma marca Sorenson, e eu precisava de mais espaço para trabalhar. Amanda e eu havíamos ficado muito amigas, mas ela não gostava de Jerry. Estava namorando um arquiteto de Nova York. Passava muitos finais de semana lá, ou ele aqui, e a nossa amizade esfriou. Jerry me convenceu de que ela era uma "garota careta e rica, com inveja do seu talento", e não representava uma grande perda. Kim continuou minha amiga, assim como Alex e Olivia eram nossos amigos.

Então encomendamos uma reforma com paredes de gesso. O espaço foi dividido em um quarto de verdade, um escritório e uma oficina para mim, e um estúdio fotográfico para Jerry, repleto de equipamentos novos. Acima de tudo, porém, nós retivemos uma grande área clara para exposições, com alvas paredes nuas. A Blue já era uma verdadeira galeria.

Jerry e eu éramos ativos socialmente, e ainda festejávamos muito. Bares. Shows. Exposições. Baldes de cerveja. Doses. Vinho bom. Jerry ainda era popular, mas estacionou, enquanto eu disparava. Continuei estudando para me formar, e trabalhando duro; eu não era burra a ponto de pensar que não precisava mais apurar minha técnica. À medida que eu florescia, porém, havia mais exposições, vendas e reportagens sobre mim como uma estrela em ascensão. *Tribune. Reader. Sun Times. Chicago Magazine.* A cidade de Chicago é muito generosa com seus filhos e filhas, mesmo os que são adotados, que não abandonam o navio por Nova York ou Los Angeles ao primeiro sinal de sucesso.

Portanto, eu já tinha uma vibrante carreira no mundo da arte enquanto ainda estudava, coisa que era inédita. Descobri que era impossível gozar este tipo de sucesso sem despertar inveja, principalmente em pessoas de famílias mais abastadas, e com um senso de prerrogativa maior que o talento. Foi simplesmente a fonte disso que me surpreendeu.

Jerry pareceu ficar mais nervoso. Uma vez, durante uma festa na casa nova de Alex, em Pilsen, ele ficou muito bêbado e cheirou muita cocaína. Nós estávamos apinhados na cozinha, falando de nossos planos futuros, quando ele começou uma arenga amarga, que só culminou quando ele lançou seu costumeiro olhar enervante para mim e soltou uma proclamação. "Eu é que deveria estar fazendo exposições! Eu!"

Só que ele não fazia isso. Porque não tinha coisa alguma que valesse a pena ser exposta. Suas fotografias, em preto e branco com alto contraste, constituíam a visão estereotipada e amplamente condescendente que um branco liberal rico tinha dos afro-americanos despossuídos. Ele, que sabia vender minhas obras tão bem, via os possíveis compradores desanimarem maciçamente quando tentava despertar qualquer interesse pelas suas. A coisa chegou a um ponto tal, que ele nem sequer se dava ao trabalho de disfarçar seu sofrimento quando uma pintura minha era vendida.

Um dia eu cheguei ao seu estúdio e encontrei lá, nua, uma aluna bonita do primeiro ano. Era o seu mais novo projeto, informou Jerry bruscamente: estudos sobre o nu feminino. Tive vontade de falar que aquilo era patético e sinistro, ou pior, que fazia com que ele parecesse *artisticamente medíocre*. Até Alex já estava perdendo a fé. Só que Jerry estava perdido no mundo autovirtuoso dos viciados em pó. E foi levando mais garotas para lá. Eu ia pintando, esculpindo e fazendo meus bonecos, ouvindo os dois brincando, rindo, puxando fumo e bebendo, enquanto ele fotografava a garota na área do estúdio. Sim, eu tinha um ciúme sufocante de todas as garotas que ele fotografava. Mas eu amava Jerry, então me calava. Afinal, supostamente eu era uma artista liberada, sofisticada e mundana, não uma garota fresca de Potters Prairie, Minnesota.

Em relação a minha mãe e ao meu pai, eu já não conseguia mais viver aquela mentira da Faculdade de Administração. Juntei um monte de reportagens na imprensa, fotografias e cópias de notas fiscais de vendas, antes de escrever uma carta a eles, explicando que a Faculdade de Administração que eu jamais frequentara não tinha funcionado para mim, que eu me transferira para o curso de arte e que fizera um sucesso espantoso. Eles não aceitaram a coisa muito bem, no início. Depois vieram de carro até Chicago e viram tudo funcionando, a escola e a galeria. Eu já tinha dito que não precisava mais do apoio financeiro deles, e que pagaria de volta o dinheiro que vovô Olsen deixara para a faculdade. Embora mamãe desse seus chiliques e fricotes, dava para ver que papai ficara discretamente impressionado. Quando os dois já estavam prestes a partir, ele simplesmente olhou para mim e pronunciou uma única palavra, "Iniciativa", depois entrou no carro. Eu nunca tinha me sentido tão bem perto dele.

Foi em uma prosaica noite de outono, pouco tempo depois, que eu ouvi Jerry fazendo uns barulhos excitados. Ele encontrara alguns antigos retratos meus, da época em que eu era uma adolescente gorda. E não conseguia acreditar que eu já fora assim. Falou que eu tinha uma capacidade incrível de perder ou ganhar peso rapidamente.

E me convenceu a posar nua. No início, eu me senti lisonjeada. Eu amava Jerry tanto, e ele pareceu perder todo o interesse nas outras garotas imediatamente. "Com elas eu só estava descobrindo o processo, a luz, a sombra, os ângulos. Tudo foi uma simples preparação para você", disse ele. E essas palavras soaram tão doces – para a idiota que eu era. Não consegui perceber como eram traiçoeiras. Assim como qualquer pessoa que encara a vida por trás do véu do amor, eu só via o que queria ver.

Na primeira sexta-feira de cada mês, durante um ano, Jerry tirou três fotos minhas em preto e branco: posando de costas, de frente e perfilada do lado esquerdo. Todas em local idêntico, e com a mesma iluminação. Mas ele também me incentivava a comer. Dizia que queria ver meu corpo mudar. Era arte de verdade. Ele tinha razão. Eu era Robert de Niro em *Touro indomável*. Podia ganhar peso, sim, mas depois perderia facilmente. Teria feito qualquer coisa por ele.

E eu continuava trabalhando duro, ainda estudando. Não só começara cursos adicionais no instituto, como estava aprendendo taxidermia. Conheci um cara, Russ Birchinall, do tipo saudável que vive ao ar livre, como depois percebia que essa estirpe toda é, especializado em pequenos mamíferos, e que tinha uma oficina perto da avenida Western. Russ foi me guiando meticulosamente por todos os estágios do processo desde a gradação do espécime, passando pelas etapas que envolvem esfolar, curtir, codificar, montar e dar acabamento, até a instalação em uma base feita sob medida, que é o habitat final. Eu aprendi a inspecionar o estado e a pele de um animal, medindo seu couro, ou *capa*, como dizia ele, e o volume de carne; a virar os lábios, os olhos e as orelhas; a codificar, salgar e curtir a capa. Aprendi a fazer alterações de forma sob medida, bem como práticas de montagem e técnicas de acabamento ou *airbrushing*. Achei que ficaria com nojo, mas não fiquei. Depois que o animal morrera, estava morto, e eu adorei a ideia de restaurá-lo a um estado próximo, mesmo que com falhas, do que fora outrora.

Jerry debochava de mim com seu já costumeiro escárnio. Por que eu estava desperdiçando tempo com aquilo? Qual era o objetivo? Ele parecia meu pai. A voz patriarcal, a voz do controlador, é sempre a mesma. Quando é filtrada através da névoa do amor, porém, você não a ouve direito, e faz concessões. Eu ainda comia, ainda engordava, e continuava posando para as fotos, mas comecei a temer aquelas sextas-feiras, rodeadas por Jerry com uma caneta vermelha no calendário da parede.

Grande parte do dinheiro que eu ganhara (muito dinheiro, com a venda dos quadros) parecia estar sumindo depressa. Desaparecia em espeluncas, ou nos bolsos dos traficantes de cocaína. O dinheiro encolhia, enquanto eu crescia. E Jerry só continuava a me encorajar. Encorajando a comer. Ele pedia e implorava; em último caso, chegava a me recompensar com comida.

E quando eu mudei demais, pouco depois de completarmos a décima segunda série de fotos, Jerry me falou que era hora de deixarmos Chicago.

41
SÍNDROME DE ESTOCOLMO

Estou numa pressa do caralho porque Marge está atrasada outra vez. São 15:23 quando ela entra argumentando uma bobajada que *eu não quero ouvir* sobre a porra do seu gato e o veterinário. Minhas margens são apertadas: ou a piranha vai na minha onda, ou simplesmente não vai, cacete. O dia tem 24 horas, 1.440 minutos e 86.400 segundos, e uma parte grande demais dele eu desperdiço com fracassadas. (Devorei todos os livros de Lieb sobre gestão do tempo logo que cheguei à Flórida.) Dentro de duas horas tenho o lançamento do livro de papai. Portanto, ponho Marge para fazer sua série e vou embora o mais rápido possível.

Quando chego ao Cadillac, sinto um nó de ansiedade no estômago. O trânsito vai ficar pesado na ponte MacArthur e eu ainda preciso alimentar Sorenson. O único lugar de fast-food acessível é esta pizzaria, então peço duas fatias. A fila é grande, com apenas uma gorducha suando atrás do balcão e tentando acompanhar os pedidos.

– Desculpe a má impressão – diz ela.

– Bom, já é um começo. Mas não fique se punindo por isso, faça alguma coisa – digo, estendendo a ela meu cartão.

Ela olha para mim como se fosse prorromper em lágrimas. – Eu quis dizer... quis dizer a *espera*! Sua espera nesta fila!

– Então me perdoe, eu entendi errado – digo, olhando para os seus olhos assombrados. – Por favor, me dê duas fatias de pepperoni.

Ela se curva desanimada e mete a porcaria gosmenta em uma caixa plástica transparente. Eu resolvo lhe fazer um sinal de paz.

– Sei que pode ser uma merda trabalhar num estabelecimento de fast-food. Você tem meu telefone aí: entre em ação e entre em forma.

Ao sair, percebo que magoei a garota. Muito bom: ela assimilou o recado. É o primeiro passo. O segundo ato vai depender desta irmã inchada.

Volto ao Cadillac e pego a ponte MacArthur, evitando o pior horário do trânsito insano. Quando chego ao apartamento, Lena está em posição de lótus sobre o colchão, vendo o noticiário na TV.

– Já fiz o número dois duas vezes hoje – diz ela, apontando para o balde nojento.

Eu ponho a caixa de pizza no chão diante dela.

Sorenson levanta e põe as mãos nos quadris, já mais esbeltos. Fica olhando para a pizza. Depois para mim.

– Que porra é essa, Lucy?

Eu vim para cá pronta para arrancar o couro dela, mas Sorenson parece estar cagando e andando. Nem parece ser ela mesma mais, e isto não é só pelo peso perdido. Seu maxilar assumiu uma expressão dura, e seus olhos parecem duas fendas estreitas. A pele do pescoço e do peito está vermelha, mas o rosto está branco como um fantasma.

Eu me sinto pedalando para trás. – Desculpe... eu estava com pressa. As coisas andam caóticas...

Sorenson afasta a caixa com o pé.

– Você sabe o que é isto aí? Isto aí é uma merda! – diz ela. Depois agarra a caixa e joga seu conteúdo no balde de cocô. – Esse é o lugar certo para esta bosta! Você *me sequestra* para *me forçar a perder peso*, caralho, e depois me alimenta com ESSA MERDA? Como vou perder peso comendo merda?

– Mas não tinha mais nada aberto...

– Você poderia ter ido ao Lime e comprado um *burrito* com pouco carboidrato e peixe Baja, ou qualquer coisa da Whole Foods! Se quer ser uma piranha sequestradora psicopata, ao menos faça a coisa direito e me dê a porra de uma comida decente, porque prefiro morrer de fome a comer essa bosta aí!

E nada posso fazer, além de concordar. – Você tem razão. Desculpe.

Então jogo o balde cheio de bosta na privada, saio novamente e vou até o carro. Meia hora depois, quando volto com os *burritos* de baixo carboidrato com peixe Baja, Lena está fazendo flexões de braço.

– Dezoito... dezenove... vinte – arqueja ela, recuperando o fôlego.

– A comida está esfriando!

– Só mais uma série – ofega ela, começando mais vinte flexões. Quando termina, ela senta, abre o invólucro de alumínio, segura o *burrito* de peixe com a mão algemada e começa a comer, lenta e deliberadamente. Eu não almocei, graças à porra das minhas clientes nada confiáveis, de modo que estou esfaimada. Não vou conseguir resistir até o jantar com papai mais tarde, então também trato de botar o meu *burrito* pra dentro. Sorenson ergue para mim um olhar que me espanta.

– Devagar! – manda ela.

– Estou com pressa!

– Aonde você vai?

– Até Gables, meu pai vai lançar o livro dele no hotel Biltmore.

– Ah, sim... o escritor de romances policiais – ela diz rindo, jogando a cabeça para trás e expondo os dentes recapeados. – Ele deve entender bastante do assunto, já que gerou uma filha que é uma piranha psicótica criminosa!

– Olhe aqui, Sorenson...

– Não, olhe aqui você, Brennan! Não tente se enganar que isto aqui tem a ver comigo – diz ela, chacoalhando a algema outra vez. – Isto tem a ver com a merda da *sua* cabeça fodida!

– Você estava morrendo! Ia comer até morrer...

– E você ainda tem coragem de falar sobre os meus problemas com a minha mãe? Vá dar um jeito na sua própria cabeça fodida! Alguém sem problemas se comporta assim?

– Vá se foder!

– Vá pra porra, só isso – diz ela, recostando o corpo no colchão e ligando a TV com o controle remoto.

Eu solto uma tonelada de ar que nem tinha percebido que estava retendo. Fico me dizendo que o comportamento dela é normal, que ela já deixou de ser uma criança dependente e passou a ser uma adolescente metida a rebelde. Está testando seus limites, e tudo isso faz parte de sua jornada de volta ao mundo adulto funcional. Sinto vontade de tomar desta piranha anã o controle remoto e dizer que ela perdeu alguns privilégios. Mas isto só serviria para que eu me rebaixasse ao seu nível. Eu aguento as merdas dela. Mas como fico feliz ao sair dali e me afastar daquela vaca maluca! Eu não gosto de recuar, e Sorenson, a *Sorenson acorrentada*, está me provocando. Jesus, é verdade o que se diz por aí: pessoas gordas, mesmo as que estão *em recuperação* como Sorenson, são realmente difíceis de sequestrar!

*

Levei séculos para conseguir uma vaga decente no Biltmore, porque o estacionamento estava entupido de mastodontes beberrões de gasolina. Fui andando para a torre iluminada feito uma catedral espanhola, um palácio dourado, em silhueta contra o céu azul-arroxeado. Há muita gente, e parece que todo mundo está indo para o evento de papai. Entro no saguão do hotel e, embora já tenha estado ali umas duas vezes, em apresentações e seminários, nunca deixo de admirar o prédio: as enormes arcadas e colunas de mármore, os caros ladrilhos do piso, os detalhes em mogno, a mobília antiga e as imponentes palmeiras em vasos gigantescos. Vou seguindo em frente até uma varanda que dá vista para luxuriantes jardins iluminados em torno de uma imensa piscina e, mais além, um campo de golfe.

Eu deveria encontrar-me com papai na sua suíte, mas estou atrasada, então mando um torpedo e vou direto para o salão, que já está se enchendo com uma mistura de velhos de classe média com cabelos brancos, de aposentados que moram em condomínios e de aficcionados por romances policiais com ar levemente autista. E acima de tudo, há uma porrada de americano-irlandeses inúteis, mas ainda vivazes, transferidos de Massachusetts para cá, e que compõem o núcleo duro dos leitores de papai. O lugar tem o ranço presunçoso de água-de-colônia cara e fumaça de charuto.

Eu vou para o bar. Provavelmente já bebi mais no último mês do que nos dez anos anteriores, mas preciso de uma taça de vinho tinto para me acalmar. Um velho encharcado de bêbado, que parece o que John ou Bob Kennedy teriam vindo a ser caso houvessem conseguido se esquivar das balas financiadas pela elite branca conservadora, fixa em mim um olhar de alegria lasciva. E puta que me pariu, enquanto pego o drinque com o tíquete de cortesia e vou para o meu lugar, vejo Mona acenando teatralmente para mim, depois se aproximando e se aboletando ao meu lado.

– Oi, você!

– Bacana você ter vindo – digo com os dentes cerrados.

– Sempre tive vergonha de falar para você que adoro os livros do seu pai. Consigo até *ouvir* aquelas vozes na minha cabeça, como quando a gente fala na hora da raiva. *Eu paaaro meu caaarro em uma ruuua de Boooston.*

Eu tento sorrir, mas sinto meu rosto murchar feito um saco de batatas chips descartado, quando papai aparece diante de uma cortina, saudado por aplausos polidos. Ele está sendo conduzido por um sujeito de meia-idade e ar acadêmico, vestido como se houvesse acabado de sair do campo de golfe ao lado. Já papai segue um estilo estudadamente casual, com um blusão dos New England Patriots, e perdeu uns 15 quilos desde que o vi da última vez. Não só deixou o cabelo crescer, como começou a usar uma tintura, mas retendo estratégicos pontos grisalhos nas têmporas. Ele me avista e faz uma continência brincalhona.

– Seu pai parece ótimo – diz Mona. – Que idade ele tem?

– Cinquenta e oito – digo.

– Uau! Aparenta ser muuuito mais jovem! É errado da minha parte dizer que ele parece gostosão?

– Se por errado você quer dizer inapropriado e grosseiro, sim, é errado pra caralho – rebato, vendo a cabeça dela se encolher dentro dos ombros. A piranha teve de engolir isso como se fosse uma fatia de torta de limão com mil calorias.

Ouço vagamente uma qualificção sussurrada, mas não entendo direito. Só consigo entender que os pelos do meu corpo estão ficando em pé e a minha pele, arrepiada: *mamãe* e *Lieb* estão na plateia! Eles estão se acomodando umas duas fileiras na minha frente. Não posso acreditar nessa porra! Eles deveriam passar mais oito dias fora!

Fico sem saber o que fazer, mas o meu impulso irresistível é o de sair correndo na mesma hora. E de fato chego a me levantar para ir, Mona ainda tagarelando no meu ouvido. Só que mamãe se vira nesse instante e registra minha presença, sorrindo um pouco chocada diante do meu horror indisfarçado. Eu entro em pânico, a pele congelada, enquanto uma imagem de Sorenson acorrentada inunda meu cérebro. Não há tempo de sair correndo desta porra, pois mamãe e Lieb se aproximam de nós, fazendo outro casal deixar relutantemente seus lugares para que eles se sentem. Sem jeito, eu apresento os dois a Mona, tentando controlar minha respiração. Está quente demais ali dentro e sinto o cheiro dos corpos velhos e pegajosos que nos cercam, enquanto mamãe e Lieb nos cumprimentam amavelmente. Para meu alívio monumental, eles obviamente não foram ao apartamento nem encontraram Lena. Ainda.

O tal acadêmico se aproxima do microfone e pigarreia, fazendo com que o barulho de estática silencie o salão.

– Bem-vindos ao hotel Biltmore. Eu sou Kenneth Gary, do departamento de literatura inglesa da Universidade de Miami.

Enquanto eu penso: *eu nem sabia que a Universidade de Miami tinha um departamento de literatura inglesa*, Lieb se inclina para mim.

– Isto não foi ideia minha, Lucy – declara ele enfaticamente. Esqueci que ele é um cara muito legal. Até tentou ser meu padrasto, mas acho que nunca lhe dei muita chance.

– Eu sei, Lieb, já chega – diz mamãe, balançando a cabeça e dando-lhe um empurrão brincalhão para que ele volte ao seu lugar. Depois ela se ajeita mais perto de mim. – A curiosidade mórbida me venceu, Chuchu... – Ela sorri, mas depois seu rosto assume uma expressão mais séria. – Como você está?

– Eu estou... estou bem... mas quando vocês voltaram? O que estão fazendo aqui? A viagem de reconciliação...

– Foi melhor do que o esperado, Chuchu – diz ela, estendendo a mão para me mostrar uma aliança cintilante. – Conheça a futura sra. Benjamin Lieberman, o que serei o mais depressa possível.

– Parabéns...

Mona solta um arquejo. – É tããão linda...

– Mas e o cruzeiro? – Eu me ouço engolindo em seco com urgência.

– Nós voltamos ontem. Encurtamos a viagem abandonando o navio na Jamaica, dispensando a costa sul-americana e voando de volta via Miami – diz ela, estreitando as sobrancelhas e espiando por cima dos óculos. – Tudo certo lá no meu apartamento?

– Sim, claro que sim – digo com um alívio abjeto, enquanto voltamos a nos concentrar no apresentador do evento.

– Tom Brennan saiu do nada para se tornar não apenas um dos maiores campeões de vendagem da literatura policial americana, como também uma das melhores vozes literárias que temos em qualquer gênero – diz ele, olhando para a plateia e quase que desafiando alguém a discordar, enquanto mamãe revira os olhos. – Vendo a qualidade do que se intitula literatura policial hoje em dia, eu diria que o verdadeiro crime é essas obras nunca disputarem prêmios literários como o Pulitzer...

Mamãe baixa a voz e se inclina perto de mim.

– Que bom, porque precisamos que você cuide do lugar por mais um mês. Decidimos que o Caribe já tinha feito a sua mágica, e que não fazia sentido permanecer ali, era hora de fechar negócio – diz ela, enquanto Lieb aperta sua mão afetuosamente. Ela mostra a aliança novamente e arqueja. – Viajamos para Tel Aviv amanhã... e amarramos o nó.

– Parabéns – sussurro.

– Que maravilha – guincha Mona naquela sua irritante estridência, fazendo as pessoas à nossa frente se virarem.

– Ideia minha – diz Lieb. – Nunca fui a Israel. E quis que nós nos casássemos lá.

– Jerusalém, Chuchu... todo mundo deve ter aquele lugar na sua lista de visitas obrigatórias. Digo visitas obrigatórias em vez de "antes de morrer", já que Debra Wilson nos aconselha a cortar toda a morbidez do nosso vocabulário – diz mamãe, antes de se recostar na cadeira e examinar papai no palco. Deve fazer umas duas décadas que os dois não ficam juntos no mesmo lugar.

Papai fica tentando não parecer convencido demais, enquanto o acadêmico continua entoando seus louvores.

– Um homem notável, que fez a transição da luta contra o crime para a escrita sobre o crime. E a sua Boston, bem como a de seu complexo protagonista, Matt Flynn, é retratada tão vividamente por um estilo de prosa fluido, porém econômico, e preciso feito um bisturi...

– Esse babaca não vai parar nunca? Isto já está me parecendo um grande erro – geme mamãe, fazendo um sujeito à sua frente se virar outra vez.

Lieb lança para ela um olhar tipo "eu avisei".

– Papai parece estar bem – digo a ela.

– Até que sim – diz mamãe com relutância, já apertando a pata de Lieb. – Mas eu tenho o que é bom mesmo no meu braço aqui.

Depois ela baixa o tom uma oitava, enquanto eu farejo a bebida no seu hálito, e arremata: – Um judeu versus um irlandês na cama? Não dá nem para competir, meu bem!

Enquanto a sicofântica introdução termina e papai se levanta para ir ao pódio, mamãe recomeça a falar, mas é repreendida por uma velha corpulenta atrás de nós. Então ela levanta abruptamente e se vira para a senhora.

– Aquele homem ali não conseguiu me silenciar em quase 17 anos de casamento. Ele não vai começar agora! – diz ela, já agarrando a mão de Lieb e forçando-o a sair atrás dela. Os dois iniciam uma caminhada cerimonial até a porta.

O acadêmico permanece imperturbável. – Portanto, convido todos vocês a aproveitarem o humor e a sabedoria de Matt Flynn e, acima de tudo, de Tom Brennan!

A plateia prorrompe em aplausos e algumas pessoas acompanham o olhar de papai, que vai rastreando mamãe e Lieb. Ela abre a porta com um repelão e sai sem olhar para trás.

– Mais uma cliente satisfeita – comenta papai ao microfone, provocando um riso de classe média, sem se deixar afetar. Fico pensando que talvez ele nem tenha reconhecido mamãe. – De qualquer forma, este trecho que vou ler é do novo romance de Matt Flynn, intitulado *O cenário do Apocalipse*.

42

MATT FLYNN

Mick Doherty já sabia como aquilo ia terminar. Toda vez que sua filha Lindy voltava do seu atual habitat em Miami para sua casa em Boston era encrenca na certa. Encrenca da grossa. Mick levantou sob a luz do sol filtrada, enrolou um roupão em torno do corpo, sentindo aquela familiar pontada de consternação, enquanto o cinto cada vez mais apertado enlaçava sua pança avantajada. Conseguia ouvir os sons insossos da programação televisiva matinal se espalhando pela casa vindos da sala de estar. Lindy já tinha levantado e estava em posição de lótus sobre a espreguiçadeira, vendo infomerciais e mastigando uma barra de cereais. Trajava uma roupa de corrida: top e short, com o par de Nikes jogado no tapete. Os fios de suor na sua testa revelavam um exercício físico recente.

Ele olhou para a filha, absorvendo o rosto nobre e levemente alongado que herdara dele, e aquelas fluidas mechas castanhas, tingidas com reflexos dourados. Também havia aqueles olhos, lâmpadas fulgurantes que podiam se estreitar até virar fendas de ódio concentrado, e que vinham direto do arsenal de sua mãe. Era sempre tão difícil não ver Jenny na garota. No momento, os olhos estavam neutros, o que convinha a Mick; em geral, ele evitava indagar sobre a vida pessoal de Lindy.

Só que ela não teria mudado. Ainda seria a mesma vadia dura, demente e convicta de antes. Era uma coisa horrível para um homem admitir isso sobre a própria filha. A verdade nua e crua, porém, era que desde a puberdade Lindy parecia incapaz de resistir à atenção de qualquer pretendente; homem ou mulher, ela não era difícil de contentar.

E pior, ela mesma perseguia ativamente a maioria deles, da forma mais despudorada e predadora possível.

Ele relembrou com o costumeiro calafrio o trauma daquele dia horrendo, há tanto tempo no passado, mas que ainda ardia em sua psique a ponto de assomar vívido e nítido como se fosse ontem. Ao dar uma corrida pelo estacionamento atrás do shopping, ele dobrara uma esquina e vira uma turma de jovens reunidos na boca de uma viela estreita em forma de L. Aquele era um local de reunião popular entre a garotada; pela gritaria e energia que sentira no ar, Mick achou que provavelmente havia dois garotos envolvidos em uma briga. Como um consciencioso policial de Boston, ele se dirigiu até lá para separar os dois. Só que era Lindy, ainda uma colegial, que estava ali, sendo fodida por um garoto que mal parecia ter idade para ter um par de bolas no saco! Mick ficara paralisado por um segundo, pronunciando um palavrão de incredulidade, enquanto a garotada se mandava. Depois seu próximo berro ecoara por todo o estacionamento, enquanto ele separava, como se fossem dois cachorros, o casal que copulava. Aterrorizado, o garoto fugiu, puxando a calça para cima, enquanto Lindy fazia a mesma coisa com sua calcinha, abaixando depois a saia. Mick mantivera o olhar desviado até sua filha completar esta tarefa mortificante. Depois colocara a garota de pé e saíra arrastando-a pelo estacionamento. O que mais o impressionara durante essa caminhada tensa e envergonhada até sua casa fora que Lindy parecera totalmente despreocupada, sem o menor sinal de arrependimento, e quase nada constrangida, após superar o choque inicial. "No início nós só estávamos tirando um sarro, mas depois as coisas ficaram meio fora de controle", dissera ela, dando de ombros de um jeito que parecia ligeiramente afetado.

Mick Doherty estivera prestes a reagir, quando olhara para o perfil da filha. Era o mesmo que ela estava exibindo para ele ali naquele momento: olhar vidrado e vago, com braços cruzados sobre o peito. Na época aquele peito era o de uma criança, refletiu ele, tomado pela visão de Lindy vestida para a primeira comunhão. Como aquela ali podia ser a sua menininha? Como aquilo podia ter acontecido?

Agora ela estava sentada ali, vendo o infomercial, e como sempre Mick se sentia excluído da vida e dos pensamentos dela. O comportamento da filha se tornava ainda mais incompreensível dada a estrutura parental que Jenny (apesar de todas as suas falhas como mãe) e ele haviam fornecido à sua prole. E a irmã dela, Joanne, a filha caçula, estava atualmente trabalhando em uma zona de guerra e fome em Darfur, tentando ajudar crianças em perigo.

Uma filha tentando salvar o mundo, e a outra aparentemente determinada a foder com o mundo até morrer.

Havia muito que Mick encarara esses fatos perturbadores. Apesar da disciplina do pano de fundo esportivo que ele providenciara para ela, Lindy era quase uma ninfomaníaca, exigente e insaciável, com tendências psicopatas. E Mick às vezes se culpava por ter inoculado na filha esse ímpeto competitivo, essa atitude de desejar vencer a qualquer custo.

Mas seria ela também uma assassina? Arthur Rose estava tão morto quanto jamais estaria, com as costas perfuradas por feridas múltiplas, na mesma viela onde ele descobrira as tristes cópulas de sua filha tantos anos atrás. Lindy chegara à cidade alguns dias antes da descoberta do corpo. Já ameaçara Rose publicamente uma vez, no que era mais um capítulo sombrio de sua vida perturbada. E estaria dentro da história; os peritos em homicídio de Boston ainda não haviam aparecido na casa dele, mas isso aconteceria, tão certo quanto a noite segue o dia.

Lindy ergueu o olhar, reconhecendo apenas tacitamente a presença de Mick, e mantendo no rosto aquela expressão de ligeiro desdém de que não conseguira se livrar desde os anos de adolescência. A abertura casual dele, perguntando se a corrida fora boa, produziu pouco mais do que um breve e desdenhoso dar de ombros por parte dela. Ainda assim, apesar de toda distância entre os dois, Mick Patrick Doherty não acreditava que sua filha mais velha fosse capaz de assassinato a sangue-frio. Mas conhecia uma pessoa que podia descobrir isso, um antigo colega seu no Departamento de Polícia de Boston.

Era hora de chamar Matt Flynn.

43

A COMISSÃO DA VERDADE E RECONCILIAÇÃO DE MIAMI BEACH

Estou ardendo de raiva silenciosa da porra desse velho porco rançoso, sentindo suas palavras me atingirem como golpes devastadores. Com minha visão periférica, vejo Mona olhar para mim, enquanto cravo as unhas no assento da cadeira. *BABACA FILHADAPUTA!* Preciso ficar com ele sozinha e perguntar qual foi o objetivo desta humilhação pública, e ainda por cima na frente de uma piranha com quem eu trabalho! A leitura termina sob uma ovação polida, e durante as perguntas da plateia, o velho escroto, todo prosa, ainda declara, "Acho que todo escritor usa suas próprias experiências. Isto é inevitável".

O que é inevitável é que eu vou dizer a esse babaca tudo que penso. Ele não tinha o direito de me usar assim desse jeito! Nem sequer sabe a história verdadeira! Enquanto ele termina, porém, Mona me segue até a mesa de autógrafos, onde já se formou uma enorme fila.

– Ele foi óóótimo!

O idiota do meu pai me avista e abre um sorriso de desculpas para a mulher na frente da fila, antes de virar-se outra vez para mim.

– Querida! Que bom ver você! – diz ele. Depois filma Mona com seu olhar de lobo. – E quem é este tesouro?

Fico engolindo minha intensa raiva, tentando lembrar que a vingança é um prato que se deve comer frio.

– É a Mona, que trabalha comigo.

– Outra *personal trainer*! Pensei mesmo que fosse. Você meio que irradia essa saúde e vitalidade.

– Obrigada. – Mona se finge de ruborizada e ajeita o cabelo, enquanto minhas tripas viram do avesso.

– As opções de restaurantes aqui no hotel são muito boas, mas eu fiz reserva para nós em um lugar em Miami Beach – diz meu pai, baixando a voz e pondo a mão em concha sobre a boca. – É para conseguir fugir dos meus fãs aqui. Então queiram me dar licença por um tempinho, meninas... e Mona, espero que você vá jantar conosco?

Antes que eu consiga reagir, ela diz: – Eu adoraria!

Portanto, lá vamos nós para o bar, esperar sentadas que o velho dinossauro se livre da fila para autógrafos. Tudo é tão grotesco que o bartender pede a identidade de Mona.

– Isto sempre me acontece – diz ela com um sorriso lupino, causado por uma nova cepa de botox mais forte do que nitrogênio líquido. E então mostra uma carteira de motorista estadual, a foto menos laminada do que seu rosto real, e que faz o bartender erguer as sobrancelhas.

– É, bem que você me enganou – diz ele, sorrindo antes de se afastar.

Mona ajeita o cabelo novamente, mas só porque pensa que avistou um jogador do Miami Heat. Eu sigo sua linha de visão, mas como não se trata de LeBron, Dwyane Wade, ou Bosh, nem faz sentido saber quem é. Meu cérebro está um tumulto só, e fico pensando: apesar do que mamãe disse, o que aconteceria se ela e Lieb aparecessem no apartamento e descobrissem Sorenson? Fico assediada pela lembrança daqueles momentos horríveis no parque... já superei essa porra toda... não posso deixar que os fracos e doentes governem minha vida... e aquele velho escroto não sabe porra nenhuma! Enquanto isso, Mona continua falando mais besteiras na porra do meu ouvido...

– Não vou dormir com o Trent de novo. Ele pensa que basta me chamar assim do nada... – ela estala os dedos – ... que eu vou correndo. Tudo bem dizer que "é só sexo"... – ela faz um sinal de aspas com os dedos – ... mas o que corrói toda a sua autoestima é você se ver voltando constantemente a um criança de 30 anos que não consegue se comprometer com coisa alguma...

Meu pai leva a hora mais longa da porra da minha vida para terminar e dispensar os retardatários. Então saímos e papai, só para se livrar do assédio de uma dona de casa maluca que não para de perguntar todo tipo de merda idiota sobre Matt Flynn, aponta para o Cadillac DeVille no estacionamento, que mais parece um bêbado triste que conseguiu penetrar em um evento grã-fino, e diz para mim, "Vamos pegar o seu carro, ou nunca conseguiremos sair daqui".

Então nós três entramos no Cadillac e seguimos para South Beach. É uma viagem silenciosa para mim, e bem tagarela para os dois, com papai se virando no banco do carona e olhando para Mona no banco traseiro, cheio de papinhos alegres sobre a turnê. Enquanto as inanidades jorram da boca dos dois, ricocheteando dentro do carro, minha ira vai se incubando. Eu acelero, pensando em arrancar o cinto de segurança dele e jogar a porra desse velho traiçoeiro no asfalto. Só fico aliviada quando voltamos a South Beach e chegamos a um restaurante francês na Collins. Enquanto o garçom nos acomoda e nos traz uns drinques, Mona fica olhando com tanta intensidade para papai que seus olhos arregalados sugerem uma lebre sendo fodida por um lobo.

– Eu simplesmente adoro que o Matt Flynn nunca fique vulnerável. Ele está sempre no controle. Um homem de verdade. Quer dizer, um homem que simplesmente... *toma* uma mulher para si.

– Acho que chamam isso de estupro – digo, ouvindo as palavras saírem sibilando entre minhas mandíbulas tensas, como se estivessem sendo ditas por outra pessoa. Um zumbido grave ressoa na minha cabeça, e subitamente as luzes do restaurante parecem me esmagar. Não consigo fazer minhas mandíbulas pararem de chacoalhar. *Segure sua onda.*

– Você está bem, Lucy?

As palavras emergem debilmente do rosto paralisado de Mona, como que da grade do alto-falante de um carro.

Eu me recosto no assento, forçando um pouco de ar para dentro dos pulmões.

– Estou bem – digo, com a sensação de ser uma adolescente gótica que foi levada para conhecer a namorada do pai... não, a porra da sua futura sogra... esta posta de carne seca bronzeada, estrategicamente inchada com silicone, que é *oito anos* mais nova do que eu.

– Mona tem razão, Chuchu, há uma crise de masculinidade na América contemporânea, e caras como nós, em vez de culpar a sociedade e a economia por essa emasculação, deveríamos simplesmente bancar os homens, largar a frescura e ter culhões de admitir que fizemos isso com nós mesmos.

Papai leva seu drinque aos lábios.

– Tem toooda razão, Tom – diz Mona com um grande sorriso, enquanto eu percebo que estou quase invisível ali no meio.

Espero que o garçom irritante se afaste de nós e viro para papai. – A porra daquela merda toda lá foi sobre o quê? A filha ninfo!

– O quê?

– Foi sobre mim! Aquele lance no estacionamento!

Os olhos de Mona se arregalam ainda mais, e ela vai deslizando em direção à borda da cadeira.

– Não teve nada a ver com isso! São personagens fictícios! Aconteceu em um estacionamento, não em um parque público...

– Todos os outros detalhes são praticamente iguais! Só que eu... eu não estava... foi...

Tento fechar minha boca, porque só está saindo merda. Por que não consigo dizer ESTUPRO, por que não consigo encarar o olhar dele e dizer a porra da palavra?

– Você sabe o que foi – diz papai irritado, com as manchas na pele do pescoço realçadas, fazendo com que eu me sinta uma menininha outra vez. – Não finja que era só agarração, você sabe o que aquilo era, e você era só uma criança...

– Sim, eu sei, porque aquilo era...

– Não vamos começar com isso – grita ele, levando as mãos aos lados da cabeça, enquanto Mona observa atentamente. Papai respira fundo e contorce o rosto até abrir um sorriso de fantoche. Seu tom é grave e comedido. – De qualquer forma, isso não vem ao caso. Trata-se de ficção, benzinho, e você está sendo sensível *demaaaais*. Os escritores inventam essas merdas... é o que nós fazemos.

Eu também respiro fundo e dou um gole no meu martíni. Minha mão treme quando baixo a taça até a mesa. Fixo meu olhar no vidro... qualquer coisa, menos o seu rosto grave, com uma pele grossa feito lixa, ou aquele ornamento congelado com botox.

– E você faz isso tão bem, Tom – ronrona Mona, baixando a mão até o pulso de papai, que escancara os dentes em um sorriso de crocodilo.

– Acho que dei sorte.

– Não acho que sorte tenha a ver com isso, Tom...

O garçom esvoaçante volta para anotar nossos pedidos e eu consigo me controlar. Não posso ser fraca e permitir que um pentelhinho assustado feito Austin tome assento a esta mesa. Então peço um filé quase cru, com salada mista, acompanhado por uma garrafa de vinho tinto. Mona se empluma e se enerva, enfim optando por linguini com vieiras, camarões e amêijoas. Surpreendentemente, papai ignora o filé e escolhe um robalo.

– Foi carne vermelha demais nesta turnê – diz ele, em resposta à minha sobrancelha arqueada. – Está vendo... eu escuto você!

Eu decido aceitar sua proposta de paz e pigarreio secamente. – E como anda o Biltmore?

Hesitantemente, papai vira na minha direção um sorriso castigado pelo tempo.

– Absolutamente a última palavra em termos de luxo. Peguei um chalé à beira da piscina. É cercado por palmeiras, buganvílias e hibiscos. Só que... não me entenda mal... – diz ele, girando de volta para Mona com um sorriso profundo – ... os quartos do hotel são imbatíveis, mas quando eu estou nos trópicos gosto de me *sentir* nos trópicos, se é que você me entende.

– Ah, totalmente – diz Mona, quase ofegando. – E tem um spa?

– Não apenas *um* spa, mas *o* spa – diz ele, com os olhos cintilando. – Você devia dar uma olhada lá. Para quem é aficcionada por spas, lá é um lugar quase que essencial.

Para mim chega. Subitamente, lembro da facilidade com que esta piranha deixou seu carro no estacionamento do Biltmore. Será que ela conseguiria fazer uma jogada mais óbvia, se tentasse? Eu entorno o resto do meu martíni e me levanto.

– Isto aqui já ficou nojento *demaaaais* para mim, vou sair fora. Você aí... obrigada pelo drinque – digo a papai, apontando para a taça. Depois viro para Mona. – E você... obrigada por nada! Sua falsa do caralho!

Giro nos calcanhares e rumo para a saída, apontando de volta para ela e anunciando aos outros comensais: – Aquela piranha ali é toda falsificada! Eu nunca vi a porra de uma piranha mais falsificada!

Enquanto o garçom se aproxima com o vinho, eu ouço Mona implorar com uma vozinha triste. – O que foi que eu fiz?

– Absolutamente nada – diz o porco mentiroso. – Ela anda sob uma certa pressão... melhor deixar que vá embora e esfrie um pouco a cabeça.

Eu paro e dou um passo de volta à mesa.

– A piranha é toda falsificada – anuncio outra vez para a clientela. – Bunda falsa, peitos falsos, lábios falsos, cabelo falso, olhos falsos, dentes falsos, nariz falso, voz falsa... ela é uma impostora, caralho! Minhas bonecas Barbie sangravam mais do que essa piranha!

– Lucy! Por favor! – retruca papai, já de pé, enquanto os comensais arquejam horrorizados e bufam escandalizados.

Um maître avança. – A senhorita precisa realmente sair daqui!

– Não se preocupe, já estou indo! Mas a piranha é falsa – digo, novamente apontando o dedo para a chorosa Mona. – Tu é falsa, piranha! Falsa pra caralho!

A vagabunda precisou engolir essa até o fundo da garganta, como se fosse um pau de plástico com arame farpado.

Então vou saindo e empurro a porta até sentir o ar quente da noite. Parada na rua lá fora, grito para que o viado do manobrista vá pegar o meu carro. Fico andando de um lado para o outro, esperando que o Cadillac apareça, enquanto verifico ansiosamente o telefone. Nenhum telefonema, mas cinco e-mails novos, e eu percebo que estou na conta de Sorenson. Uma das mensagens faz o meu sangue ferver:

Para: lenadiannesorenson@thebluegallery.com
De: toddpaulsorenson15@twincityhardware.org
Assunto: (sem assunto)

Eu sou seu pai!

Babaca! Escrevo de volta:

Para: toddpaulsorenson15@twincityhardware.org
De: lenadiannesorenson@thebluegallery.com
Assunto: (sem assunto)

EU SOU A PORRA DA SUA FILHA!

Assim que aperto o botão de enviar, uma pedra psíquica imediatamente bate nas minhas entranhas. Puta merda. Eu tinha me cadastrado como Lena Sorenson na porra do meu iPhone! Já me acostumei tanto a me corresponder com esses babacas.

Fico esperando, durante o que me parecem séculos, o Cadillac chegar, vendo o drama dos bêbados de rua que cambaleiam pelas calçadas ao som do hip hop e da EDM que sai dos conversíveis que passam. Dou uma espiadela pela janela do restaurante e vejo Mona derramando lágrimas de piranha falsificada, com o braço nodoso e peludo de papai envolvendo seus ombros ossudos. Não consigo decidir qual dos dois é mais escroto, manipulador e escorregadio.

Pulo para dentro do carro, deixando sem gorjeta o manobrista, que murmura com raiva: – Muito *obrigado*.

– Vá se foder – rosno, mostrando o dedo médio para ele e partindo velozmente. Pego a rua 14 em direção a Alton. Se o babaca tivesse sido mais rápido, eu teria sido poupada de ver aquela piranha de bunda falsa cantando meu pai. Já na Alton vou passando pela loja de bebidas, quando vejo surgir um vulto molengão, carregando uma garrafa dentro de um saco de papel pardo. Timothy Winter. Ele começa a cruzar o estacionamento e eu manobro rapidamente para também entrar ali, fazendo um babaca buzinar atrás de mim. Olho para trás a fim de ver se ele não estancou, enquanto vejo as costas magras de Timothy, cobertas por uma camisa havaiana, surgirem diante dos meus faróis baixos. Vou chegando bem perto dele e freio o Cadillac. Embora esteja escuro, boto no rosto meus óculos de sol.

Quando salto do carro, ele se vira para mim, parecendo malevolamente curioso.

— Escute, parceiro, eu preciso *muito* de um gole. Se você me der um gole disso aí, eu compro outra quando essa acabar, e então a gente pode festejar!

Ele estreita os olhos na escuridão irregular. Olha para mim e depois para o meu carro velho. Então sorri, expondo dentes amarelos.

— Melhor oferta que eu tive o dia inteiro!

Eu vou lhe fazer a porra de uma oferta, seu lixo pedófilo. Pego a garrafa estendida por aquela mão ensebada e giro o corpo, quebrando o vidro com força na lateral da sua cabeça. A garrafa se estilhaça e fico apenas com o gargalo afiado na minha mão. Dou estocadas nele, virando o pulso feito um boxeador, enquanto as pontas e os estilhaços rasgam seu rosto de fantoche encerado.

Winter não faz um único som, só cambaleia para trás sobre a planta dos pés. As coisas parecem se congelar e então um dilúvio de sangue jorra do seu rosto, salpicando todo o asfalto. Ele levanta a cabeça bruscamente e parece pronto para berrar, enchendo o peito de ar, mas eu avanço depressa, desferindo na garganta do filho da puta um soco tão forte que lhe arrebenta a laringe, produzindo um som abafado e gargarejante. Cego pelo sangue e desorientado pela falta de ar, Winter se afasta cambaleando na direção da Alton, arquejando em busca de segurança. *Nada disso, cegueta.* Eu pulo dentro do carro e ligo o motor, acelerando para cima do vulto cambaleante, que rola sobre o capô e desaba no chão com uma série de baques seguidos. Eu abaixo a janela diante daquela massa alquebrada no chão e solto um grito.

— SÓ PARA LEMBRAR DOS VELHOS TEMPOS, SEU PEDÓFILO FILHADAPUTA!

Então saio velozmente do estacionamento e tomo o rumo norte pela Alton.

Depois que a carga de excitação se dissipa, eu fico tremendo e soluçando diante da casa de Sorenson na rua 46. Fui burra demais. Posso até ir para a cadeia. Por causa da porra de um *pedófilo*. Fico tentando me controlar e regularizar minha respiração curta, ofegante. Subitamente, alguém bate na janela. O medo queima minha pele. Tenho a expectativa de que haja um uniforme por trás dos nós daqueles dedos; em vez disso, porém, vejo dois atentos olhos negros me espiando, entre uma cabeleira escura e um irônico bigode estiloso.

Ele está usando camiseta e calça jeans pretas. Instintivamente, já sei de quem se trata, embora não tenha conhecido o sujeito. É o tal quase-artista que virou fotógrafo. O bofe da Sorenson. Como ela chamava esse idiota? Jeffrey?

– Ei... tudo bem com você?

Eu abaixo o vidro e desligo a ignição. Rapidamente, decido bancar a burrinha.

– Desculpe... hoje foi um dia daqueles.

– Eu conheço esses dias – diz o cara, com um sorriso tristonho e um meneio empático. Seu rosto é bonito e vivaz. Meu Deus, este cara é bom pra caralho.

– Uma amiga minha sumiu recentemente – digo. – Não atende mais o telefone, de modo que eu fico passando aqui na sua casa, só para ver se ela apareceu.

– Essa amiga não seria Lena Sorenson, por acaso? – pergunto enquanto salto do carro. – Você conhece a Lena?

O cara sorri e dá de ombros.

– Bom... nós... bom, acho que nós fomos meio que casados – diz ele. Depois fixa sobre mim um olhar fervoroso e taciturno. – Meu nome é Jerry Whittendean. E você, quem seria?

Jerry: era isso. – Sou uma amiga da Lena.

Ele olha para mim de um jeito inquisitivo, mas é só isso mesmo que vai saber agora. Eu também sei olhar. Posso ficar brincando desta merda a noite toda. Ele cede e balança a cabeça devagar.

– Escute, preciso entrar para pegar uns troços meus. Lena deixou uma chave com você?

Eu não estou raciocinando direito, em parte porque continuo fixada no estrago que causei em Winter lá naquele estacionamento, pensando se alguém me viu ou relatou à polícia. Por isso, desajeitadamente entrego a esse tal de Jerry a porra da chave; e imediatamente me arrependo, enquanto seus dedos fortes, mas de unhas tratadas na manicure, fecham um círculo em torno dela.

– Fico feliz por ter encontrado você – diz ele, dando um triunfante sorriso convencido. – Eu estava ficando tão desesperado que já ia arrombar a porta. Como você disse, Lena não está atendendo o telefone, ou respondendo e-mails, e nem tem sido vista por alguém. Eu pensei que descobriria onde ela está, se conseguisse entrar na casa.

– Sei... bem pensado – digo vagamente atrás dele, enquanto passamos pelo portão, seguimos a trilha e entramos na casa. – Mas por que você não tem uma chave?

– Nós passamos por um período difícil – diz ele com um sorriso sem charme. – Eu estava em Nova York, para dar mais espaço a ela.

Com isso ele quer dizer: para comer aquela outra piranha de cabeça ruim. Que babaca mais esperto. A tal da Melanie falou tudo na sua carta: ele é um perigo para as mulheres. Mas *eu* sou um perigo da porra para homens como ele. Portanto, vamos vasculhando a casa, e eu sei que ele vai dar um tiro na água, pois já me certifiquei de que não existe à vista coisa alguma incriminadora, feito a porra do caderno dele.

Sua frustração logo começa a aparecer.

– Você vem muito aqui? Porque não há sinal de correspondência, e eu sei que ela recebeu um pacote com coisas minhas dentro.

– Não – digo rapidamente. – Uma amiga nossa, Mona, é quem recolhe a correspondência.

– E por onde ela anda?

– Ela mora em alguma parte de South Beach, mas agora está em Atlanta – minto. – Tem um namorado escritor. Os dois estão fazendo uma turnê.

– Ah, é? Alguém famoso?

– Um babaca que escreve uns romances policiais de bosta.

– Qual é o nome dele?

– Tom Brennan.

Jerry sorri e aponta um dedo para mim à guisa de reconhecimento.

– O autor do Matt Flynn? Cara, eu adoro aqueles livros!

– Então, é ele.

Jerry balança a cabeça, mas já perdeu o interesse, e começa a vasculhar a mesa no escritório de Lena.

– Nada – geme ele. Depois seu rosto se incendeia. – Espere...

Ele abre outra gaveta e mostra uma chave.

– Bingo! Acho que isto aqui abre o ateliê. Tenho o palpite de que aquilo que quero pode estar lá dentro.

Tenho o palpite de que você está enganado pra caralho, seu babaca. – Não acho muito legal que a gente vasculhe as coisas da Lena, principalmente no ateliê dela.

Jerry parece não me ouvir e se afasta, fazendo com que eu seja obrigada a ir atrás dele pelo jardim escuro. A luz de um sensor de movimento brilha no seu rosto, e ele pisca de irritação, enquanto enfia a chave na fechadura do ateliê.

– Eureca – diz ele, já abrindo a porta, enquanto eu vou atrás. Ele liga uma lâmpada. A escultura grande, ainda uma obra em progresso, domina o espaço. O idiota mal registra a existência da coisa. Em vez disto, começa a vasculhar violentamente os armários de Lena, puxando merdas para o chão.

– Ei, calma aí! – protesto, enquanto ele sibila "puta merda" toda vez que uma gaveta ou um armário não produz resultado. Logo, porém, fica evidente que nada há ali, ou nada que este filho da puta quer; o caderno e as fotografias estão no meu apartamento.

Nós tornamos a entrar na casa. Jerry pega um vinho em uma prateleira na cozinha e abre a garrafa. Depois serve uma taça para si mesmo e me oferece outra. Ocasionalmente eu até bebo uma taça de vinho tinto, que é rico em antioxidantes, mas já tomei mais do que o suficiente dessa merda na leitura e no restaurante; nem fodendo vou beber álcool com este imbecil. Abro uma San Pellegrino. Este babaca certamente se ama; parece menos preocupado com o sumiço de Lena do que com sua própria carreira, seja lá o que isso for.

– Eu estava juntando um material para uma exposição... deixei um pessoal em Nova York e Londres já apalavrado, mas tudo isso exige dinheiro, e eu meio que fiquei sem grana. Tinha esperança de que Lena...

bom, essa é outra história – diz ele, dando de ombros, erguendo a taça para a luz e bebericando. – Você tem ideia de onde ela possa estar?

– Ela andava falando muito de um projeto artístico grande, e queria ir até os Everglades filmar umas coisas – minto novamente. Depois acrescento: – Ela queria uma paisagem filmada como pano de fundo para os seus homenzinhos verdes.

Jerry olha atentamente para mim, como que tentando descobrir se eu estou de sacanagem.

– Os humanos futuros dela – ri ele, sentando em uma das poltronas de couro.

– Pois é.

Dou um sorriso forçado, irritada comigo mesma por entrar em conluio com este idiota contra Lena. E sento no sofá diante dele.

– Legal... eu tentei fazer Lena curtir multimídia, então mereço um pouco de crédito por isso aí – diz ele, balançando a cabeça com um sorriso de autossatisfação. – E você, como conheceu a Lena... é artista?

Um estalo agressivo do ar-condicionado voltando à vida me faz estremecer. Jerry nota minha fraqueza com um sorriso de reconhecimento. Isto esfria o aposento tanto quanto o ar frio que sai dos dutos.

– Não, eu sou uma *personal trainer*. Ela está se exercitando comigo.

– Uau, bem que eu achei que você parecia, bom, sarada – diz ele, erguendo uma das sobrancelhas. – Mas isso nem parece coisa da Lena.

– Não, ela anda... quer dizer, *andava* trabalhando muito.

– Que bom. Então, hum...

Jerry ergue as sobrancelhas, pousando a bebida na mesa de vidro.

– Lucy.

– Bom, Lucy – diz ele, estreitando os olhos. – Se você já está se sentindo melhor, pode se mandar, enquanto eu continuo tentando bancar o Sherlock Holmes aqui dentro.

– Não, eu vou precisar pedir que *você* vá embora e devolva a chave que foi confiada a mim. Não posso deixar que você fique com isso.

Subitamente, Jerry reassume aquele seu olhar assassino. O olhar me enerva, e isto me deixa com raiva de mim mesma.

– Por que Lena confiaria uma chave a você, sra. Fitness? Não estou entendendo.

– Não sei, mas ela fez isso. Olhe, eu sei quem você é, e sei que Lena não quer você aqui!

– Ah, é? – Ele sorri e levanta da cadeira, pondo-se de pé. Deve ter 1,80 m, talvez mais. Nada há além de crueldade em seus olhos e sua boca tensa. A certeza absoluta de seu próprio poder. Eu sinto ondas de medo passando por mim e me enfraquecendo.

– Bom, eu não sei quem *você* é, mas sei que é abusada pra caralho. Vai tomar a chave de volta? Vai me expulsar daqui?

Ah, meu Deus. A última coisa que eu quero agora é outra briga. Só que a adrenalina já está começando a aumentar dentro de mim, para queimar a ansiedade.

– Se for preciso – digo, levantando do sofá. Além da altura, ele tem uma certa ginga, como se já houvesse feito um pouco de boxe ou caratê.

– Bom. – Sorri ele, alisando o bolso para indicar a chave. – Vá em frente, florzinha.

Porra de panaca condescendente. Eu só quero me aproximar o suficiente para fazer com os seus culhões o que aquele peixe fez com os do coitado do Jon. Então abro as palmas das mãos em um gesto conciliatório.

– Olhe, não precisa ser assim...

Então, subitamente ele avança para mim, estendendo a mão e agarrando meu queixo. *Eu não reagi.* Sinto seu bafo de álcool no meu rosto, e não reagi.

– Sabe o que eu acho? Acho que você é que anda aprontando alguma coisa. Farejo isso em você!

Preciso me manter forte. Graças a Deus a fúria está aumentando, derretendo a paralisia do medo, e eu afasto a mão dele com um golpe do meu antebraço. Depois acerto no seu rosto um *jab* que faz com que ele cambaleie para trás. Não é um golpe matador, mas fico aliviada por estar dentro da zona, reagindo como fui treinada a fazer.

– Estou avisando... chegue pra trás, caralho!

Ele toca em um pouco de sangue ao redor dos lábios e diz: – Agora é tarde demais para isso, piranha!

Então pula pra cima de mim e mais uma vez eu falho na reação, tentando erguer o joelho, mas errando, e nós dois desabamos no chão, ele por cima, com seu peso expulsando o ar de dentro de mim. Fico lutando em busca de um ponto de apoio, enquanto ele soca o meu rosto. Vou bloqueando, mas estou presa; se ele me acertar direito, e eu enxergar estrelas, vai ser o fim da história. Meus números sagrados não estão funcionando. As estatísticas nunca mentem. Elas predizem o desfecho de uma partida de tênis antes que uma só bola cruze a rede. O resultado de uma eleição antes da contagem de um só voto. E quando ele me golpeia outra vez, com um gancho em torno da minha guarda, eu consigo sentir tudo, sentir *Jerry*, encostado em mim, duro junto a mim...

— PARE! – grito. Jerry se detém por um segundo, e eu assumo um tom urgente, desesperado, ofegante. – A gente devia foder...

— O quê?! – Ele tem o punho fechado acima do meu rosto, pronto para me golpear novamente. – O que você disse?

— Não finja que já não estamos perto disso, e que você não quer... você está tão a fim quanto eu...

Ele parece atônito por um segundo, e então seu rosto é rasgado por um sorriso horrendo.

— Ao que parece, eu finalmente encontrei uma piranha que me entende...

— E como – arquejo, enquanto ele se ajoelha, começando a desafivelar o cinto e abrir o zíper. Fico apalpando atrás de mim com a mão esquerda e esbarro com uma coisa sólida. Penso que é um dos utensílios da lareira, como a pinça de bronze ou um atiçador. Vejo a expressão de Jerry mudar em reconhecimento, mas só quando ergo o objeto e o atinjo com todas as forças que ainda me restam é que percebo que se trata do machado, indo em direção à sua cabeça e se cravando no crânio, dividindo quase perfeitamente o cabelo já repartido.

Imediatamente, sinto não apenas a força, mas a própria vida se esvaindo do seu corpo, enquanto ele desaba com todo o seu peso morto em cima de mim, meio que rolando de lado, quando eu saio rastejando de baixo do corpo. O machado continua encravado na sua cabeça. No início, não há sangue. Só depois começa a jorrar, feito um esgoto gargarejante de Miami Beach; é quase uma fonte, encharcando o tapete antigo. Eu me recosto no sofá, com os braços em volta do corpo, incapaz de me mexer.

Fico assim por muito tempo, com frio devido ao ar-condicionado, imobilizada enquanto o sangue do corpo sem vida vaza por baixo do tapete, empoçando no assoalho de madeira e fluindo lentamente em direção aos meus pés. Sorte, habilidade, trapaça: você pode inverter as probabilidades. Pode forçar a mão da fortuna. Fodam-se os números; na vida valem mais as exceções. E os excepcionais é que criam as exceções, como papai costumava dizer.

Mas com que objetivo?

Eu não me importava com ele. Algumas pessoas não conseguem fazer nada além de explorar as outras. Elas se veem como leões ou tigres, predadores no topo da cadeia, mas na realidade parecem mais ratos ou baratas, meras pragas sujas que desperdiçam a porra do nosso tempo. Estão ali para nos ensinar a ser cuidadosos, cautelosos e circunspectos ao lidar com os outros. Mas são vermes, e precisam ser esmagados. Certamente não pode haver remorsos quando elas se vão.

Olho para o escritório de Lena, onde o grande Apple Mac jaz sobre a escrivaninha. Realmente fiz uma besteira, e então me ocorre que só há uma coisa a fazer para tentar melhorar a situação. Quando ligo o computador e entro na conta de e-mail de Lena, vejo uma abertura perfeita para mim.

44

CONTATO 17

Para: lenadiannesorenson@thebluegallery.com
De: mollyrennesorenson@gmail.com
Assunto: Por favor, podemos só conversar?

Lena

Andei pensando muito no que você falou. Só queria que você tentasse ser menos agressiva no seu tom, e mais parecida com a filha que eu conheço. E que eu amo mais do que qualquer coisa, seja lá o que você possa pensar.

Sim, nós tememos por você. Talvez seja burrice. Somos pessoas interioranas, tementes a Deus, e talvez seja um erro nos sentirmos assim, mas às vezes o mundo parece um lugar horrível e perigoso, e quando for mãe você talvez perceba a necessidade esmagadora de proteger seus filhos.

Mas eu também percebo que nós cometemos alguns erros, e quero endireitar as coisas. Quero fazer isso porque realmente amo você muito.

Na realidade eu mesma já perdi algum peso, porque venho seguindo o programa dos Vigilantes do Peso.

Notei que você tem um iPhone novo. Pode atender quando eu ligar, por favor?

Amor,

Mamãe

Para: mollyrennesorenson@gmail.com
De: lenadiannesorenson@thebluegallery.com
Assunto: Sim, podemos

Mamãe

Desculpe se pareci agressiva. Precisava tirar algumas coisas do meu peito. Espero que agora possamos ter uma correspondência mais comedida, sem recorrer a uma conduta manipuladora (você) ou a insultos frios e perversos (eu).

Primeiras coisas em primeiro lugar: quero expressar como estou orgulhosa de você, por ter dado os primeiros passos nesse programa dos Vigilantes do Peso. Podemos até discutir a eficácia de diversos programas, mas o meu está funcionando muito bem (estou com 60 quilos), e devemos nos encorajar mutuamente. Incluo aqui um plano de exercícios e um formulário de dieta, que a minha treinadora, Lucy, acha adequados para uma pessoa com o seu peso, a sua idade e a sua saúde geral. Siga isso para ver uma melhora rápida e sustentável.

O número do iPhone não é meu, porque pertence a Lucy. Só pedi emprestado o aparelho para verificar algumas mensagens. Meu próprio telefone ainda não está funcionando, já que, para ser bem franca, eu estou adorando a liberdade de não ser interrompida, pois ando trabalhando direto no meu projeto, e meu prazo final termina dentro de dois meses. Só depois disso é que terei um novo número telefônico.

Aluguei um espaço em um arranha-céu no centro de Miami, e venho trabalhando lá, em vez de ficar naquele meu velho ateliê escuro. O lugar tem uma vista bárbara para a baía, é inundado de luz, e vem fazendo maravilhas pelo meu humor.

Amor,

L

P.S.: Perca o peso por VOCÊ. A afeição/atenção de papai não deve estar relacionada ao número que você ostenta na balança, mas se você se respeita e percebe que VOCÊ vale a pena o esforço, então outras pessoas também respeitarão você mais.

45
FLÓRIDA X NOVA YORK

Quando você sofre de depressão, simplesmente precisa aguentar firme. Eu leio toda porcaria de livro de autoajuda sobre o assunto. O mais inacreditável é que, seguindo o conselho de um deles, cheguei a escrever cartas de e para o meu eu de 10 anos de idade: "Lena, você é uma pessoa tão corajosa e bonita"... Um monte de troços bobos, ocos e inúteis, vendidos por vigaristas que lucram com o sofrimento de gente fraca, desesperada e insegura. Há muitas pessoas sofridas na América. Sei disso, porque eu era uma delas.

Levei algum tempo para perceber que Jerry estava tendo um caso com Melanie Clement, da galeria nova-iorquina GoTolt. Nem tanto para perceber, mas para *admitir* a mim mesma que já percebera. Eu só ficava sentada, comendo, pintando e esculpindo. Ou tentava pintar e esculpir. Quanto mais eu comia, menos trabalhava. Geralmente, via filmes ou programas na TV a cabo, fingindo, como fazem muitos artistas, que tudo aquilo era uma pesquisa de imagens. A quantos episódios de *CSI Miami* você precisa assistir?

Era uma tarde ensolarada em Chicago. A primavera acabara de começar, e visivelmente a cidade estava voltando à vida. Jerry tinha retornado de uma viagem "de trabalho" a Nova York (ou talvez fosse uma "visita" a seus pais em Connecticut, ali ao lado, em quem até então ele demonstrara ter interesse zero), e estava olhando para mim como se estivesse me vendo pela primeira vez. Havia algo naquele escrutínio que ia além de constrangimento e preocupação. Culpa? Fosse o que fosse, seu tom parecia mais suave do que costumava estar ultimamente.

— Você anda deprimida. Eu também. Nós entramos em uma rotina aqui. Precisamos de uma inspiração nova. Precisamos sair de Chicago.

— Eu não vou me mudar para Nova York!

— Quem falou em Nova York? Gata, esse troço com a Melanie só existe na sua cabeça — disse ele, já tentando me acalmar preventivamente. — Não, foda-se Nova York. Miami é que é o lugar. Todo fotógrafo que vale a pena... — Ele fez uma pausa, para depois se corrigir. — Todo *artista* que vale a pena vai para lá, por causa da luz.

Eu não tinha interesse em deixar Chicago. Adorava a cidade, que viera a considerar como meu lar, mas Jerry insistiu. E eu sabia que nós não podíamos continuar daquele jeito; pelo menos, ao deixar a cidade parecia que estávamos fazendo *alguma coisa*. Então seguimos de carro para o sul, com um caminhão da U-Haul rebocando o carro de Jerry. Ficávamos em hotéis luxuosos ou em motéis vagabundos, onde todo quarto parecia ter uma história horrível para contar. Chegamos a Miami Beach exatamente no momento em que o sol se punha atrás dos arranha-céus no centro da cidade. Quando entramos na Ocean Drive, fomos bombardeados por uma furiosa torrente de letreiros de néon berrando na nossa cara que ali tudo era festa.

Fomos para um hotel *art dèco* na Collins e paramos em um estacionamento que era um campo de pedrinhas brancas cimentadas. Por dentro, o hotel não cumpria o que prometia na fachada; era uma pilha de quartos funcionais com pisos de linóleo e janelas escurecidas por cortinas baratas. A nossa janela dava para um beco e um outro estacionamento. Não que passeássemos muito, mas conhecemos logo os bares, as boates e as galerias de South Beach. No início, foi maravilhoso; aquilo parecia mesmo a grande aventura de que precisávamos para restaurar nosso relacionamento. Resolvemos que estávamos no caminho certo e começamos a procurar um lugar para morar. Comprei mediante hipoteca uma casa na rua 46, que nos fundos tinha um anexo grande capaz de abrigar uma oficina independente. Imediatamente, decidi convertê-lo no meu ateliê. Isso levou muito tempo e consumiu muita energia minha. Comecei a perder peso.

Eu tinha planejado trabalhar com metal além de plástico, então precisava de equipamento de solda, bem como um forno, prateleiras para secagem, armários para ferramentas e bancadas de trabalho. Uma boa proteção contra incêndios também era essencial, devido à proximidade de materiais inflamáveis, assim como um sistema de ventilação com exaustão, por conta das substâncias químicas e resinas que estariam sendo usadas.

Minha maior aquisição, porém, foi um grande incinerador Phoenix de aço inoxidável, projetado para o descarte de carcaças de animais. Esse modelo era ao mesmo tempo altamente eficaz e simples de operar. Tinha uma única câmara, já que funcionava com temperaturas extremamente altas. Você simplesmente enfiava a carcaça ali, ligava o aparelho e ia embora, sem precisar monitorar os níveis de calor. O incinerador tinha até uma porta para inspeção, de modo que você podia ver quando a carcaça do animal estava reduzida a cinzas. E era possível botar ali dentro até um cachorro de porte médio.

Inspirada por Germaine Richier, eu estava gostando da minha passagem para a escultura, e adorando o espaço novo. A oficina virou o meu refúgio. Parecia que a mudança de cidade estava funcionando para mim, pelo menos em termos criativos. Jerry vivia saindo, bebendo (ou "fazendo *networking*", como ele dizia), e, pelo que eu sabia, fodendo. A essa altura, porém, eu já mal ligava. Minha verdadeira paixão era o meu trabalho. Fiz minha primeira exposição em uma galeria de Wynwood. Embora muitos críticos continuassem torcendo o nariz, entre os colecionadores as peças menores em 3D que eu estava produzindo eram ainda mais populares do que minhas pinturas. Eu estava indo bem: trabalhando duro, e perdendo peso, por ter me livrado do hábito de me recompensar com comida.

Jerry me falou que estava desesperado para expor as fotografias que tirara de mim. Antes talvez eu até tivesse concordado, mas minha confiança já crescera, devido ao sucesso das esculturas e à validação que aquilo me dava como artista. Eu também sabia que o seu suposto projeto era uma tentativa rasa e digna de pena de faturar à custa da minha fama, e que no decorrer do processo só me humilharia. Então me recusei à queima-roupa, dizendo que ele estava maluco. Ele continuou insistindo, ficando mais e mais enraivecido a cada rejeição, a tal ponto que fiquei com medo do que ele poderia fazer. Jerry era forte, e fisicamente intimidador; já lutara, esgrimira, e sempre malhava com pesos pesados. Nós discutimos e ele me deu um tapa forte no rosto. O tempo congelou. Eu só conseguia sentir aquela pulsação constante na minha face. Isso, e as batidas do meu coração. Jerry nem sequer tentou pedir desculpas. Foi empacotando suas coisas, e o mais estranho é que *eu* implorei que ele ficasse, embora soubesse, com aquele tapa, que tudo acabara. Ele falou que tinha de ir para Nova York, pois precisava de "tempo para pensar e fazer sua exposição acontecer". Com aquele tom decepcionado e ressentido, ele agia como se *eu* fosse a agressora.

Então fiquei vendo Jerry encher o carro e partir. Era uma noite tempestuosa. O ar quente tinha gosto de poeira, e o vento seco fazia o cabelo chicotear meus olhos. Eu estava ao mesmo tempo aterrorizada e aliviada com a partida dele. Acabara ficando com medo de Jerry e do que ele poderia fazer comigo. Mesmo assim, não conseguia enxergar como seria minha vida sem ele. Tudo que eu já imaginara sobre mim mesma desaparecera junto com a última batida da porta do carro e o barulho do motor sendo ligado.

Então ele ficou em Nova York com Melanie, tentando fazer sua exposição na GoTolt, a galeria dela. Continuava divulgando aquele cachorro morto que era a sua coleção de fotos estereotipadas dos sem-teto de Chicago. E me ligava na maioria dos fins de semana, geralmente de um bar, quando já estava bêbado. Enquanto tentava me convencer a assinar um "contrato" que me enviara, e que permitia que ele expusesse aquelas fotos horríveis de mim, Jerry insistia que tudo era culpa minha. "Você nunca quer sair e curtir a vida. Voltou a ser aquela garota de Potters Prairie, gorda e chatinha, que era quando eu conheci você. Eu tentei de tudo. Mas acho que nós somos o que somos", especulava ele, fingindo estar triste, mas debochado e desdenhoso.

Essas palavras me roíam por dentro. Eu ficava tentando trabalhar, apesar disso, mas elas ressoavam na minha cabeça. Parecia um interruptor que eu não conseguia desligar.

E mamãe continuava me mandando comida. Sempre fora assim. Seus brownies, seus bolos e suas tortas, em pacotes selados a vácuo, chegavam dentro de uma caixa uma vez por semana, às vezes duas. Lá no loft em Chicago, eu simplesmente colocava tudo onde os demais ocupantes ou o nosso tráfego constante pudessem mastigá-los agradecidamente. Aqui, sozinha na casa da rua 46, era tudo meu. Antes, devido à culpa, eu simplesmente jogava tudo no lixo, ou deixava que estragasse, mas agora comecei a me recompensar com aquilo novamente. Quando estava eufórica devido ao açúcar, ou sentindo o reconforto familiar de satisfação, eu não conseguia mais ouvir a voz de Jerry. *A voz da reprovação.*

O peso tornou a aumentar, e parei com as esculturas. Até podia botar um pouco de argila em uma roda, mas não conseguia dar forma à coisa. Na soldagem, vivia cometendo erros. Meu toque e meu olho estavam fora de sincronia. Nem os moldes eu conseguia fazer direito. E descontava minha frustração nos fornecedores, criticando a qualidade dos materiais que me enviavam. Inevitavelmente, eles paravam de fornecer.

Então Jerry me falou que resolvera ficar um tempo em Nova York, que era mais "vital" e "real" do que Miami. Na realidade, ele já tinha me largado por Melanie Clement, aquela imensamente privilegiada filha de um abastado financista com uma estilista elegante. A GoTolt, galeria modernosa de Melanie, tinha uma filial em TriBeCa e outra nos Hamptons. Eu ouvi dizer que ela ia abrir uma terceira no Brooklyn, que prometia ser "um ambiente de vanguarda para artistas mais desafiadores". Presumi que fosse nesse nicho que Jerry estivesse tentando desesperadamente se enfiar.

Sim, e ele ainda tinha a audácia de ficar insistindo que eu assinasse um formulário de liberação para expor aquelas fotografias minhas na galeria de Melanie.

Eu continuei recusando.

Ele parou de ligar.

Eu fui ficando mais gorda e deprimida. Não conseguia entender como trocara Chicago (onde tinha realização, sucesso e namorado) por aquela existência solitária e humilhante em Miami. Estava tão desesperada que voltei a Potters Prairie por algum tempo, já pesando mais de 90 quilos. Papai nem pareceu notar. Na verdade, ele só falava do seu trabalho, geralmente para reclamar que estava sendo tirado do comércio pela Menards. Já mamãe ficou muito satisfeita. "Eu achava que você estava anoréxica", dizia ela, estendendo outra fatia de torta para mim. "Fiquei tão preocupada!"

Mas nem tudo foi desperdício. Eu tinha me matriculado em outro curso de taxidermia com um instrutor experiente, que dava aulas individuais. Kenny Saunderson era um maníaco que vivia à base de café e fumava sem parar. Era um taxidermista incrível, especializado em aves aquáticas, e já fora até campeão mundial em sua categoria. Eu admirava sua habilidade ao estripar, limpar, empalhar e reconstruir cisnes, patos, gansos mortos, restaurando ao menos parte da antiga beleza dos animais. Não tinha medo de sujar minhas mãos. Era a única hora em que me sentia eu mesma.

A maior parte do tempo, porém, eu passava jogada na frente da TV, com mamãe e um pacote jumbo de Doritos, vendo a programação diurna. Meu mergulho na depressão foi até mais rápido do que em Miami. Como as pessoas podiam viver assim? Eu queria ir embora, mas não conseguiria encarar Miami naquele momento, e então peguei o carro rumo ao que eu já considerava o meu lar: Chicago.

Voltei ao West Loop. O prédio que abrigava a Blue estava sendo remodelado como um condomínio residencial. Da minha antiga galeria sobrara apenas o site. Embora a maioria das minhas amizades já houvessem partido, Kim continuava lá, trabalhando em uma agência de publicidade no centro, e eu fiquei hospedada no seu apartamento em Wicker Park durante algum tempo. Era ótimo sair só para curtir, ver os espigões da cidade, frequentar os velhos bares da vizinhança, como o Quenchers e o Mutiny, e ouvir o trem da linha elevada, com seu barítono de metal turbulento, chacoalhando acima de mim. Só que eu não podia ficar, pois tinha de tentar me concentrar no trabalho. Embora estivesse sem produzir coisa alguma havia algum tempo, eu sentia falta do meu ateliê, e voltei para Miami.

Buscando continuar estudando taxidermia, descobri outro tutor. Eu não me sentia exatamente revitalizada pela minha fuga, mas ao menos estava tentando trabalhar, tanto em mamíferos grandes quanto menores. Davis Reiner era um homem alto, com um semblante triste e uma tosse de fumante. Seu corpo magro, com bochechas bronzeadas que pendiam frouxas ao lado do rosto enrugado, sempre me lembrava um dogue alemão amistoso. Embora Davis fosse muito mais velho, eu andava me sentindo solitária: aquecida pela sua bondade, dormi com ele. Como muitos taxidermistas, ele tinha as mãos ásperas e pesadas de um homem que trabalhava para viver, mas que eram muito hábeis quando se tratava de tomar medidas mais intrincadas. Eu mal me incomodava com a sua papada de peru balançando em cima do meu peito, ou com os seus olhos empedernidos, porém vidrados, e ferozmente concentrados. Ele podia até ser velho e um pouco asqueroso, mas aquele cara *queria* me foder.

Só que as atenções de Davis não interromperam a minha comilança. Eu comia, comia e comia. Jerry recomeçou a me ligar. Falava que eu não prestava, e sem nem sequer respirar implorava que eu permitisse a exposição das fotos. Eu me sentia envergonhada e humilhada pelo domínio que ele tinha sobre mim. Alquebrada, mandei que ele me enviasse o tal contrato. Que eu assinaria. Estava confusa e deprimida. Parei de dormir com Davis, parei de ir às aulas. Ficava sentada em casa, incapaz de trabalhar: comendo, vendo TV, vendo as paredes se fecharem ao meu redor.

A coisa chegou ao auge naquela noite, em que eu saí dirigindo por aí, pensando em parar o carro na ponte Julia Tuttle, saltar, cruzar as moitas espinhosas, trepar na balaustrada e mergulhar nas frias águas escuras da baía. Parecia a única saída. Não podia existir outra salvação. Eu não estava só dirigindo sem rumo. Tinha posto um pequeno bilhete em um saco Ziploc e colocado no bolso do ridículo blusão cor-de-rosa que eu usava para parecer "alegrinha". Em maiúsculas, estava rabiscado:

ISTO NÃO É BOM O SUFICIENTE.

O mais constrangedor é que eu tinha ficado presa em uns espinhos, e levado algum tempo para me livrar deles. Então descobri que era baixinha e gorda demais para escalar a barreira com facilidade. Em vez disso, comecei a chorar com uma frustração raivosa, enquanto tentava içar meu corpo debaixo de chuva, berrando com ódio que eu era imprestável até o último momento. Então ouvi o guincho das freadas na pista, e luzes se espalharam por todo lado. Agarrei meu celular e chamei a polícia. Depois vieram os tiros. Vi Lucy saltar do carro, e o olhar aterrorizado do homem que estava batendo na janela dela. Então o atirador apareceu. E passou direto por ela. Então ela deu um chute nele, que caiu. Eu me aproximei, filmando enquanto ela montava nele. Quando ele mijou, eu parei de gravar.

Lucy.

Na minha cabeça, vejo Lucy correndo no Lummus Park, com o cabelo preso severamente em um rabo de cavalo, seios magníficos balançando (embora na realidade nunca balançassem, presos como estavam por um resistente sutiã esportivo) e o rosto ostentando aquela fria determinação violenta.

Quem é ela? Por que se importa tanto comigo? Qual a patologia que a impele, tal como eu sou impelida pelo meu subconsciente, com sua necessidade de ser dominado, mandado e manipulado? Minha autoestima baixa me faz tratar cada elogio ou louvor como se fosse uma armadilha. Mas essa sou eu; o que acontece dentro *dela*?

Tento me entender, ou entender Lucy? Somos opostas, ou gêmeas – como aquelas garotas do Arkansas?

Estamos entrincheiradas nas nossas posições sobre a cirurgia das irmãs siamesas. Lucy é a favor da separação cirúrgica, eu sou contra. Ela diz que a probabilidade de 40% vale o risco para Amy, e que é uma decisão dela. Mas eu sei que Amy foi levada a isso oprimida por

Annabel. Também sei que a probabilidade está longe de 40%. Acredito nos outros especialistas, e não no rapaz glamouroso que só deseja a glória de realizar a operação ao vivo na TV.

E que tal a *minha* "irmã" aberrante, minha "gêmea"? O que aquela piranha magnífica e durona quer comigo? Lucy, Lucy, Lucy. As rachaduras já estão aparecendo. Preciso manter você forte. Continuar encorajando você. Porque tudo isto ainda vai valer muito a pena. Nós precisamos muito descobrir quem somos, exatamente. Chegou a hora.

Eu pego aquele fragmento de sabão, que usei para limpar meu rosto manchado de fezes e sangue, e que fica escondido no bolso da minha calça de malha. Ali dentro também fica o material do forro da algema, que venho raspando sorrateiramente. Passo o sabão no meu pulso, puxando, empurrando, e puxando novamente. Minha mão até embranquece um pouco, mas eu fico embasbacada diante da facilidade com que a algema sai. Sinto no peito uma pontada de medo. Enfio a mão de volta, olho para o pulso e sacudo a algema feito uma pulseira, enquanto minha pulsação desacelera até ficar normal. Então começo a rir.

Liga-desliga. Liga-desliga.

Meu corpo dói de prazer, e depois treme com um medo doentio enquanto eu cruzo o aposento, andando cautelosamente, ardilosamente, nesse espaço formidável, como se cada passo pudesse detonar uma mina terrestre. Sinto meu braço livre, liberado do peso da algema, quase que se elevando em direção ao teto por conta própria. Olho de volta para a corrente, que jaz estendida no assoalho de madeira feito uma cobra abatida. Vou até a coluna de sustentação. Dou um chute nela. Dou um beijo nela. Giro em torno dela feito uma criança em um parque.

Vou até o banheiro. Como é bom mijar e cagar com apoio. Entrando no chuveiro, um chuveiro *quente*, consigo sentir os jatos de água eliminando de mim várias camadas de suor e sujeira, como se gordura de verdade estivesse desaparecendo ralo abaixo. Quando acabo, olho para mim mesma nua no espelho: meu corpo está tão magro e trabalhado, que fico na expectativa de que uma garota gorda venha correndo e expulse da imagem este elfo desconhecido. Minhas camadas de músculo, que substituíram a banha molenga, conseguem me deixar admirada. Acima de tudo, mal consigo acreditar no meu pescoço. Parece o de um cisne; eu *nunca* tive um pescoço assim!

Sobre a bancada da cozinha está minha bolsa, com o celular e os cartões de crédito. Agilmente, tiro da carteira um dos cartões, deixando todo o resto como está. Volto para o quarto que Lucy vem usando, onde encontro uma calça de malha e um top. Então me visto e desço de elevador. Saio pela rua deserta e quente, andando nervosamente ao longo da calçada. Tudo é tão estranho ao ar livre. No começo tenho medo até da minha própria sombra, com a sensação esmagadora de que há um perigo à espreita em cada esquina. Depois, porém, vejo que minha sombra está muito mais estreita e começo a adorar entrever o meu reflexo. Aguço o olhar para a torre de vidro verde, tentando contar os andares até a minha prisão. Quarenta.

Caminhando um pouco, passo por um bar cheio de gente que vejo através de uma vidraça enorme. Todos usam fantasias elegantes, bebendo cerveja e destilados. Um homem lá dentro faz contato visual comigo e me aponta, feito um bêbado rindo silenciosamente, para duas garotas com máscaras cobertas de lantejoulas.

Eu cruzo até Bayside, vendo as pessoas nos bares e restaurantes, todas comendo e bebendo lixo que não me interessa em absoluto. Paro um táxi e peço que o motorista conversador me leve até o shopping mais próximo, a fim de comprar uns itens importantes. Ele olha para mim como se eu fosse mais uma passageira de Miami. "A coisa está boa para o Heat", diz ele. "O LeBron estava endiabrado ontem à noite."

Não sei do que ele está falando, mas retruco afirmativamente, chocada com o som da minha voz... estranha, mais aguda e rápida do que eu lembrava, como se cada palavra fosse uma borboleta esvoaçando fora do meu alcance.

No shopping, faço minhas compras. Depois, ansiosa para chegar antes de Lucy, volto para o apartamento.

De volta à minha reconfortante prisão.

46
ALGEMAS VAZIAS

O primeiro cadáver que vejo. Já cor de cera, já algo distante de humano. Um pequeno lago de sangue, em forma de rim, vai vazando do corpo. Eu começo a chorar, com a garganta inchada por um instável misto de emoções. Fico pensando no tipo de garoto que Jerry deve ter sido. Vejo um garotinho atônito diante do mundo e tento imaginar como ele virou esse babaca. E em que momento foi levado a isso? Um monte de carne e ossos no chão, odiado e desprezado, ainda jovem, morto antes do tempo, e só impedido de apodrecer pelo ar-condicionado.

Na minha paralisia, o único impulso que surge é o de pegar o carro e voltar para o apartamento. Libertar Lena e contar a ela tudo sobre Jerry, mostrando o caderno, as fotos e os negativos. Sinto um calafrio ao pensar assim, mas aquela história babaca do papai era uma profecia. Sim, eu sou uma assassina. Tá legal, foi autodefesa, mas eu preciso do apoio de Lena, ou vou passar os próximos vinte anos encarando uma dieta de xotas sem paus de plástico. Sou uma assassina; possivelmente, uma assassina dupla; ninguém sabe em que estado deixei a porra do Winter. E tudo isto significa que agora estou à mercê da minha refém.

Autodefesa. Fico repetindo isto sem parar, enquanto saio, vou andando sob a luz irregular e entro no Cadillac. Meus movimentos parecem ser de um autômato. Ruídos leves, mas nítidos e insistentes, vazam de uma fonte que só pode ser eu mesma, mas que parece ser alguém sussurrando no meu ouvido.

Autodefesa. Embora em outro nível, sei que estou mentindo para mim mesma; despachar o babaca do Jerry foi o que eu estava destinada a fazer havia anos. Já conhecia aquele escroto, ou outras versões dele, pelo menos. O escroto estava morto desde que cruzou o meu caminho, e agora eu tenho de pagar por isso.

Esfregando os olhos. Um céu noturno denso, iluminado por duas estrelas brilhantes. As luzes dos carros à minha volta fracas na escuridão irregular. Eu paro no meu apartamento a fim de pegar algo, depois cruzo o centro novamente. Estou péssima, as mãos tremendo no volante. Tentando virar no último minuto, quase colido com um conversível em um cruzamento. Um motorista buzina para mim, um cara bem-vestido, de terno e chapéu-panamá.

– Caramba! – diz ele, batendo com o dedo na lateral da cabeça. – Olhe para a rua, por favor, minha senhora! Obrigado! Alô!

Quando chego ao apartamento, a porra da Sorenson sumiu! As algemas vazias jazem ali, ligadas à ponta da corrente. Subitamente ouço os movimentos dela, farfalhando na cozinha. Fico na expectativa de que ela tenha uma faca e venha pra cima de mim. Nem sequer sinto medo; se esse é o meu destino, já estou resignada, alquebrada demais para assumir uma postura defensiva. Ela pode fazer o que quiser. Ou talvez a polícia já esteja a caminho, convocada pela minha ex-prisioneira. Então Lena aparece, mas simplesmente acena para mim e sobe na esteira.

– Não ligue para mim, Lucy... tenho mais 50 calorias para perder hoje.

– Você... você saiu – digo sem acreditar, enquanto ela liga o aparelho e começa a correr. – Como... quando...?

– Saí das algemas pela primeira vez anteontem. Meus pulsos... eu estou com 60 quilos, Lucy – balbucia ela encantada, aumentando o controle de velocidade. – Não ficava assim desde o meu segundo ano no Instituto de Arte!

– Você está ótima – digo, sentindo as lágrimas brotarem. Pela primeira vez, estou vendo Lena como ela realmente é. Ela *não está* mais gorda. – Você... você poderia ter escapado antes de agora...

– Mas por que eu faria isso? Estou vendo os resultados. – Ela sorri. – Claro que eu *realmente* também queria matar você... – Ela dá uma risadinha. Depois arqueja, regularizando a respiração e as passadas, antes de continuar: – Em vez disso, saí e comprei champanhe. No começo, foi esquisito e assustador estar lá fora... sua pirada filhadaputa e linda... – Ela sorri, erguendo a camiseta para mostrar uma barriga tão drasticamente reduzida que quase não existe mais, e arremata: – Mas os fins realmente justificam os meios!

Eu não consigo acreditar nesta porra. – Uau... nem sei o que dizer. Pensei que você fosse me odiar! Achei que você iria direto para a polícia!

– Como eu poderia fazer isso? – diz ela, balançando a cabeça. – Você salvou a minha vida! Preciso admitir que em certas ocasiões queria ver você morta, mas eu estava sob tratamento de choque. Agora vejo o que você fez, o que me deu...

– O que VOCÊ se deu – arquejo. – Mas, Lena... escute... tem uma coisa que eu preciso contar...

– O que você me *possibilitou* fazer – interrompe ela. – Para *me* trazer de volta, e eu agradeço do fundo do coração...

Ela olha para o monitor da esteira. – Cinquenta!

Então desliga o aparelho e desce, seguindo para a cozinha. Vou atrás, estupefata, com uma cascata de pensamentos e imagens passando pelo meu cérebro. Chego e encontro Lena servindo duas taças de champanhe.

– Precisamos conversar, Lena... aconteceu uma coisa...

– Não, primeiro vamos beber – diz ela, virando para mim e acrescentando com energia: – Depois de tudo que passei, você pode me dar *a porra de um momento*, antes de jogar mais merdas suas em cima de mim. Jesus!

Não há o que eu possa dizer. Lena realmente merece este momento, e muito mais além disso. Certamente mais do que eu, de modo que vou seguindo atrás dela novamente, em direção à sala.

– Saúde – digo soturnamente, erguendo a taça de Cuvée aos meus lábios e pensando em Jerry no meio da poça de sangue naquele tapete. Bebo um longo gole.

– Você me transformou no que sou hoje... ao me fazer enfrentar quem eu era – diz Lena. – O que os outros tomaram de mim... – Ela continua falando, mas eu mal escuto, porque aquela merda já está me subindo à cabeça, deixando minha boca mole e meus membros pesados. – Você conseguiu me devolver...

– Devolver – repito, entorpecida, mas consciente de que Sorenson está olhando para mim com um sorriso malicioso.

– Só que você é uma puta malvada e precisa ser punida. – Ela sorri, enquanto eu deito no colchão e afundo. Estou impotente para esboçar qualquer reação quando ela prende as algemas no meu pulso.

*

Estou de volta à escola secundária, correndo no evento de atletismo contra Sally Ford, a competidora mais rápida. Eu era sempre a número dois. Via o rosto avermelhado do meu pai, sempre me incentivando, e quase consegui derrotar Sally. Quase. Fora o mais perto que eu já conseguira chegar da piranha.

A caminho de casa, papai se manteve em silêncio no carro.

– Eu quase ganhei – implorei.

– Quase não é bom o suficiente. Você se deixou vencer por aquela coisinha besta outra vez – disse ele, balançando a cabeça. – Mas não é culpa sua. Você é só uma menina.

E então me volta a imagem de Clint Austin sorrindo para mim na sala de aula, perguntando se vamos tirar um sarro. Eu dizendo talvez. Mas depois, quando ele e seus amigos me cercaram no parque, eu simplesmente fiquei paralisada. Então ele me beijou e enfiou a língua na minha boca. Eles começaram a gritar encorajando. Então ele me levou para uma moita ao lado da árvore, um grande ponto de agarração, uma caverna quase oculta formada por galhos em cima e arbustos espessos, mas depois gritou para os amigos entrarem, dizendo "A gente quer ver a sua bucetinha". Eu já estava deitada de costas e eles ficaram me agarrando, apalpando e arrancando minhas roupas, com Clint em cima de mim, e dentro de mim. Eu não lutei, nem protestei. Estava determinada a não ser uma menina, como papai tinha dito, a não chorar, nem ser fraca ou implorar. Só fiquei deitada ali, em transe, deixando Clint fazer tudo. Fechei os olhos. Cravei minhas unhas e meus dedos no chão embaixo de mim, enquanto sentia uma ardência me queimar entre as pernas. De repente, todos eles se espalharam feito moscas, Clint saiu de mim e eu vi o rosto de papai olhando para baixo. Esqueci a dor entre as minhas pernas. Levantei, ergui a calcinha e alisei a saia. Não queria contar a ele que tinha sido estuprada, oprimida por um psicótico e sua gangue, e que não conseguira reagir e lutar, como uma ver-

dadeira Brennan teria feito. E que provavelmente teria sido currada sucessivamente por todos os demais, caso ele não houvesse me encontrado. Não. Preferia que ele me julgasse uma vagabunda em vez de uma covarde fraca, ou até mesmo uma menina: isto teria sido a maior das vergonhas.

Depois disso fui fazer taekwondo, kickboxing e caratê. Queria mostrar a todos eles que nunca mais teria medo, nunca mais ficaria paralisada daquele jeito, nunca mais. Que conseguiria fazer qualquer porra que eles fizessem. Que poderia machucar aqueles filhos da puta, e quebrar todos eles...

*

... começo a piscar até retomar uma consciência pegajosa, com uma turma de operários de obra em miniatura deitando os alicerces de outro Walgreens dentro da minha cabeça. Sorenson assoma acima de mim. Há uma variedade de embalagens do McDonald's e Taco Bell no chão, ao lado dos dois baldes.

– Jogo semelhante, com regras ligeiramente diferentes – explica Lena. Minha garganta está tão seca que nem consigo falar para protestar. – Você vai ficar aqui até pesar 90 quilos. Isto é factível: 3.500 calorias por dia equivalem a mais meio quilo de gordura. Se você se entupir, conseguirá sair daqui rapidinho. Eu trouxe Coca-Cola e batata chips para você lanchar, além de latas de cerveja e caixas de vinho...

Eu olho para as embalagens que ela está colocando diante de mim. Minha boca está tão seca. Não há água, então pego uma lata de Coca-Cola. Sinto um gosto de ácido de bateria na minha boca e garganta, mas aquilo me ajuda a reencontrar minha voz.

– Lena, eu entendo que você sinta vontade de fazer isto, mas precisa me escutar... lá na sua casa...

– Cale a boca, sua piranha fascista psicótica! Já estou farta de escutar você! A partir de agora é bom *você* escutar o que *eu* digo – berra ela. – Eu vou deixar você inchada feito um ganso francês! Noventa quilos! Você só sai daqui quando chegar a essa marca na balança, caralho!

Em pânico, eu me obrigo a sentar ereta e digo: – Minha mãe já voltou! Ela vai passar por aqui em breve!

– Você falou que nós tínhamos mais duas semanas, sua mentirosa da porra!

Na realidade temos mais do que isso: eles irão para Tel Aviv amanhã de manhã. Fico sentada ali, olhando para aquela merda à minha frente. Dou uma olhada para o lado e vejo meu iPhone em cima da mesa, com o aplicativo Lifemap.

– É que... tem uma coisa que eu preciso falar para você...

– Já disse que você não me fala mais nada...

– É O JERRY! EU MATEI A PORRA DO CARA!

Ela me lança um olhar de descrença.

– Deixa de besteira... como você poderia matar o Jerry? Ele está em Nova York...

– Ele está no seu tapete com a cabeça arrebentada.

– Você realmente é maluca pra caralho! – ruge Lena, mas com uma expressão no rosto que mostra que ela não sabe que eu não estou de sacanagem.

– Não, não... escute – insisto, tremendo e arquejando em busca de fôlego.

Lena fica de queixo caído, com um olhar ardente.

– Eu passei na sua casa para verificar a correspondência e ele estava esperando do lado de fora. Eu fiquei confusa. Tinha tido uma discussão com meu pai e não estava raciocinando direito...

– O contrário do seu estado normal e racional – interrompe Lena, em tom displicente.

– O Jerry me enganou e acabei deixando que ele entrasse na casa. E ficou vasculhando o lugar, procurando uma merda que estava comigo, confesso – digo, com um gesto culpado da cabeça. – Ali na minha bolsa há uma carta, um caderno e umas fotos.

Aponto para a cadeira e Lena vai até lá. Abre a bolsa e tira o pacote. Examina as fotografias, lê a carta e começa a esquadrinhar o caderno. Seus olhos se expandem, depois ficam vidrados, e então se estreitam. Ela fica lutando para manter a respiração sob controle, enquanto suas narinas parecem pegar fogo.

– Como já falei, eu deixei que o Jerry entrasse. Não estava raciocinando direito. Então percebi o que ele estava fazendo e tentei mandar que ele saísse. Ele enlouqueceu e nós brigamos. Achei que ele fosse me matar! Já tinha me imobilizado no chão, mas eu estendi o braço atrás da cabeça e bati nele com aquele machado ornamental que você mantém afiado, porque às vezes usa nas suas carcaças de animais... foi um acidente, Lena, eu juro! Eu estava tentando me proteger, mas não tinha intenção de matar o Jerry!

Sorenson continua olhando para as fotografias. Então gira sobre os calcanhares e sai do apartamento.

– LEEENAAAHHH!!!

Só que eu ouço a porta bater com força, e ela se foi. Fico contemplando minha última refeição neste planeta que não será comida de cadeia. Pego um dos Big Macs (540) e uma das batatas fritas grandes (540) e começo a morder, mastigando e engolindo, deixando o açúcar, o sal e as toxinas químicas percorrerem meu sistema. Provocando uma tontura. Fazendo com que eu queira mais... então sinto algo subindo dentro de mim, enquanto meu corpo rejeita a merda venenosa...

Olho para a pilha de vômito no chão diante de mim, através de olhos marejados. Preciso fazer isto. É a minha penitência. Volto à embalagem e tento novamente, desta vez pegando bocados menores, sentindo o açúcar e o sal inundando cada parte do meu corpo. Fico ali comendo e bebendo excremento químico feito em fábricas, esperando que o som de sirenes distantes se aproxime e os policiais venham me levar, para compartilhar o mesmo destino que McCandless e Balbosa. Depois, enquanto o tempo se arrasta, eu percebo que a coisa pode ser ainda pior: talvez uma Sorenson desequilibrada esteja neste momento na Home Depot, comprando um estoque de ferramentas elétricas para me torturar e mutilar, como eu fiz com Winter, ou até me destruir, como eu fiz com Jerry.

Fico assustada, começando a puxar as algemas e a corrente, berrando de raiva, medo e frustração por não sei quanto tempo. Lena fica séculos sem voltar ao apartamento, e lá fora está escuro feito breu. Eu deito no colchão, cansada de chorar, olhando para o teto, flutuando entre pensamentos horrendos e sonhos aterrorizantes. Sinto-me esmagada por um sofrimento tão antigo que poderia ter crescido no Jardim do Éden. Então ouço o apavorante ruído da fechadura na porta, aguardando o final da minha vida, ou ao menos desta fase dela. A luz matinal já está quase visível quando Lena reaparece, parecendo nervosa e exausta, com uma pesada bolsa pendurada no ombro.

– Lena... o que aconteceu... o que você fez? Para onde foi?

– Para casa. Tive de passar na Home Depot para comprar umas ferramentas novas.

Ah, meu Deus, vai acontecer...

– Lena, por favor...

Vou recuando em direção à pilastra de aço, mas ela balança a cabeça para mim, enquanto larga a bolsa.

– Não vou machucar você – diz em tom de desdém, fazendo com que eu me sinta uma tola patética. – Já dei um jeito em tudo.

– O quê?

– Limpei a porcariada que você fez.

– Mas...

– É só isso que você precisa saber. Nós não vamos mencionar isto, nem o nome dele, nunca mais. Sacou?

– Mas...

– Perguntei se você sacou isso.

– Sim, claro! Mas meu Deus, Lena... eu... eu realmente fico devendo a você...

– Está na hora – rebate ela, enfiando a mão na bolsa e tirando uma caixa cheia de guloseimas de padaria matinais ainda quentes, e largando tudo no meu colo. – Agora coma!

47
CONTATO 18

Para: lenadiannesorenson@thebluegallery.com
De: mollyrennesorenson@gmail.com
Assunto: Coisas que preciso dizer

Lena, querida

Nunca lhe falamos do orgulho que sentimos quando você entrou no Instituto de Arte e depois fez sua primeira exposição quando ainda era estudante. Seu pai, mais do que todos. Ele conta isso para todo mundo lá na loja de ferragens e na igreja, falando que sua filha é famosa e talentosa. Eu também. Sei que seu pai ainda guarda aquele artigo do *Star Tribune*, porque de vez em quando ele tira da carteira o recorte e fica lendo.

Por que nós sempre somos tão silenciosos e culpados acerca do nosso orgulho?

Por que conseguimos falar disso para outras pessoas, mas não para nós mesmos?

Você tem razão, Lena... Todas aquelas coisas que disse foram duras, até cruéis, mas precisavam ser ditas. Na verdade, nesta vida só temos uns aos outros, e realmente devemos dar aos mais próximos de nós nossa apreciação e nosso apoio.

Portanto, estou tentando seguir o seu plano, embora a coisa das frutas e verduras seja mais difícil do que você pensa... aqui é Minnesota, e não Flórida! A notícia mais importante é que parei de assar coisas! Andei lendo na internet sobre a farinha e seus prejuízos.

Sempre quis aprender um idioma, e pensei, nunca é tarde demais, de modo que comecei um curso de espanhol para principiantes na faculdade comunitária. Portanto, quando eu for visitar você em Miami, estarei hablo española!

Seja o que for que enfrentemos, você é a nossa garota de ouro, e amamos você.

Muito amor,

bjs
Mamãe

48
DE UM JEITO OU DE OUTRO

Sinto cansaço em todos os nervos e ossos. Mas também há uma onda de euforia que me puxa para cima. Meu trabalho, que é o meu destino: tudo está indo muito bem. Foi isso que fui posta aqui para fazer. Entro no apartamento e vou direto para o quarto. Ouço os gritos de Lucy lá na sala. "Lena! Por que você está fazendo isso?! Não faz sentido!"

Eu parei de falar com ela, porque isso me enerva. Não gosto de ouvir o tom de vilã hollywoodiana regozijante que minha voz assume diante dela. Só que... quem consegue ter tamanho poder sobre outra pessoa e não descer a uma arrogância exagerada? Quanto a ela: após tudo que sofremos, fico me perguntando por que ainda se dá ao trabalho de tentar me trabalhar!

Este quarto em que ela se esgueirava à noite: o colchão inflável, o edredom fino. Seus livros; a maioria de ciência dos esportes e troços repugnantes sobre gestão de performance. Os poucos itens pessoais: bolsa, maquiagem, roupas. Sim, ela realmente foi quase tão prisioneira aqui quanto eu. O mais incrível, além daquela sujeira horrível que ela acabou me forçando a limpar lá em casa, foi a troca de e-mails entre "mim" e minha mãe. As mensagens que eu sempre quis mandar, mas nunca consegui. E que mudaram minha relação com ela, possivelmente para sempre.

Enquanto visto minhas roupas novas, percebo que estou usando um sutiã que combina com a calcinha pela primeira vez em meses, muitos meses. Que pecado para uma mulher solteira! O item principal da minha ida às compras provoca uma sensação estranha. Eu começo a andar, mas no início me sinto muito desconfortável e desajeitada. Depois relaxo, cruzo o corredor e abro a porta. Lucy está parada ali, dando puxões inúteis na corrente.

— Por quê? — pergunta ela suavemente. Seus enormes olhos manipuladores quase pestanejam. — Por que você está fazendo isto?

Eu vou me aproximando de Lucy, que parece não notar meu andar desconfortável. Olho para ela.

— Bom, a pergunta é por que você se importava tanto comigo a ponto de querer fazer essa merda para mim? A ponto de acabar matando meu ex-namorado?

Lucy começa a piscar rapidamente, como se sentisse um tremor no olho.

— Eu me importo, sim! E agora você está tentando me punir! Olhe só para você! — Ela aponta para o meu corpo com a mão algemada. — Eu dei isso a você!

— E agora eu quero que você me diga por quê. Suponho que sequestrar e manter cativas as clientes não seja sua maneira habitual de lidar com elas, portanto... por que eu? Ou essa explicação, ou 90 quilos. A escolha é sua — digo a ela. — Qualquer caminho para a liberdade servirá.

— Eu chego aos 90 quilos — debocha ela. — Mas em dois meses volto a 55 e mais sarada.

Eu me aproximo mais dela. — Então me fale: o que você ganhou me sequestrando?

Ela chega a recuar um passo, mas seus olhos fulgurantes continuam fixados nos meus. — O que você vai fazer comigo?

Eu estendo a mão e afasto seu cabelo do rosto. Ela olha para mim curiosamente, como se estivesse se sentindo afrontada, mas não me detém. Então eu me aproximo ainda mais.

— Uma coisa que eu já queria fazer há muito, muito tempo — sussurro no seu ouvido. — Mas não me sentia merecedora.

Então minha boca encosta na de Lucy e, quando sinto que ela corresponde, um tremor lento se espalha pelo meu corpo.

— Quero tocar em você — digo a ela.

— Sim — arqueja ela, feito uma bêbada.

Então desfaço o nó do cordão da calça de malha de Lucy baixando-a sobre os quadris, deixando cair pelas coxas até os tornozelos. Ela respira aceleradamente, enquanto eu me ajoelho entre suas pernas. Nem sequer pede para ser libertada da algema quando tiro sua calcinha e abro seus lábios externos, siderada por aquelas mechas pubianas macias e castanhas, resplandecentes acima do seu clitóris, que brilha com seus sucos e seu suor. Vou puxando seus quadris, guiando-a até uma posição reclinada no chão. Então vou para cima dela, enfiando minha língua na sua abertura, lambendo como uma escavadeira na neve de Chicago, desde a boceta encharcada até o clitóris. O corpo de Lucy treme involuntariamente e um gemido explode na sua boca. Mal consigo acreditar que ela esteja tão molhada assim, enquanto meu dedo desliza para dentro dela e começo a chupar suavemente o nó duro do seu clitóris. Meu dedo entra e sai de Lucy e aumento a velocidade das linguadas no clitóris e do dedo dentro dela, até que ela emite um som feito um guincho longo. Sinto sua mão pousada no topo da minha cabeça com gentileza, mas também firmeza, para me prender à tarefa. Sua boceta tem um gosto tão doce, e eu realmente quero provocar esta puta desprezível, fazê-la implorar, mas essa opção não está disponível, pois sua mão aperta meu cabelo com força e ela goza com os espasmos arquejantes de uma vítima de epilepsia, borrifando meu rosto com seus sucos.

Por alguns segundos penso que cometi um erro terrível, que sou dela novamente, pois sua mão é tão forte e aquele braço musculoso irradia tanto poder, mas então seus quadris se empinam em uma reprise espantosa, enquanto outro gemido estoura nos seus pulmões, e ela esperneia e escoiceia feito alguém morrendo, antes de se acalmar pacificamente e abrir os dedos, para alívio do meu dolorido couro cabeludo. Eu pouso minha cabeça no seu abdome malhado (ela nunca pode ser descrita como tendo uma barriga), enquanto ela alisa meu cabelo e quase distraidamente enfio outra vez dois dedos dentro dela, dando leves estocadas que fazem Lucy chegar a outro orgasmo.

— Ah, Lena, meu bem...

49
COMA OU SEJA COMIDA

Após alguns minutos de prostração atordoada, peço que Lena Sorenson me foda com o dedo outra vez, para me fazer gozar, dizendo a ela como aquilo é bom...

— Você andou sendo uma garota muito má — diz ela, recuando. Só então vejo sua cinta: ela está usando um pau que eu nem tinha notado. — Vou meter meu pau na sua boceta e foder você com força. Quer isso?

— Quero. — Balanço a cabeça e lanço os quadris à frente já na expectativa. Agora eu poderia lhe dar uma chave de pernas, feito uma jiboia, e sufocá-la com minha mão livre até ela desmaiar. Só de pensar na ideia fico excitada, mas não vou fazer nada, porque isto aqui, uma boa trepada, é o que desejo acima de tudo.

Lena faz exatamente o que prometeu, inserindo a cabeça do pau de plástico na minha boceta molhada e empurrando lentamente para a frente. Quando ele está todo dentro de mim, ela gira os quadris para esfregar o pau no perímetro da minha boceta. Seus impulsos iniciais são lentos e relaxados, aumentando minha excitação enquanto ela vai me sentindo por dentro. O pau entra e sai feito um pistão, enquanto a velocidade e a força dos movimentos de Lena vão aumentando, até que ela está agarrando minha bunda e me estocando, mordendo freneticamente o meu pescoço e falando.

— Foi isso, era para isso que você me queria aqui, para que a gente pudesse brincar assim... não é? Não é?!

Que porra é...

— Ah, meu Deus. Lena, continue me fodendo...

Estou implorando, porque é bom demais. Muito bom. Puta merda, como ela pode ter aprendido a usar esse pau?! Totalmente saciada, minha boceta fica eletrificada, enquanto meu corpo inteiro parece formigar.

– Me faz... me faz gozar, caralho!

Ela para, mergulhada profundamente dentro de mim. Por um segundo cessa toda a movimentação; eu ouço a sua respiração, forte e pesada, e depois um estalo, quando Lena subitamente recua, arrancando parte da minha alma com ela.

– Não... não pare...

Ela olha para mim com uma expressão cruel.

– Você é uma puta muito da gostosa, eu sabia que você queria isso. – E subitamente ela me agarra novamente, jogando-se de volta sobre mim, metendo aquele poderoso pau outra vez na minha xota faminta. Só que desta vez não há movimento dos quadris: ela arranca minha camiseta e meu sutiã, expondo meus seios. Suas mãos agarram meus peitos com força, esmagando-os feito um garoto adolescente desajeitado e desesperado para se livrar da virgindade. Então segura meus seios com as mãos em concha, juntando os dois no meio, com os olhos arregalados de fascínio.

– Sim! Eu quero gozar! Me faça gozar muito, Lena.

Eu me contorço embaixo da sua perna, tentando fazer com que ela recomece a me foder com força. Lena simplesmente aperta meus mamilos fortemente, me provocando um ganido de dor.

– Acho que é isso mesmo que você quer. Mas eu quero ouvir você implorar isso, feito a piranha que você é! Implore!

– Lena... por favor... me fode, não é brincadeira... eu preciso gozar, realmente preciso disso mais do que qualquer coisa... por favor, me fode!

Ela abre um sorriso vitorioso e volta a me martelar com o seu pau, enquanto alisa meu clitóris com força, fazendo círculos bem apertados. Eu agarro punhados de sua bunda com minhas mãos, tanto a livre quanto a algemada, enquanto vou sentindo as ondas de choque do orgasmo. Meus quadris se lançam à frente e minhas unhas se cravam na carne de Lena. Ela faz um ruído gargarejante quando também chega ao clímax e para de meter, mas fica dentro de mim. Nossos rostos ficam lado a lado e nossa respiração acelerada vai ganhando um ritmo mais brando.

Eu poderia enlaçar Lena com qualquer um dos meus braços agora, mas não consigo me mexer, não quero me mexer. Mesmo após alguns minutos (algumas horas? alguns dias?) grogues, quando ela levanta e começa a se vestir, eu continuo imobilizada. Ouço Lena ir até um grande saco de papel pardo cheio de caixas de poliestireno.

– Agora você come – diz ela.

Eu nem consigo começar a me mexer. Estou fodida e entupida de sexo. Quase sonhadoramente, só consigo dizer: – Que propósito... qual o propósito disso tudo?

– Eu precisava aprender uma lição. E aprendi. Mas agora você também precisa aprender uma.

Ergo o olhar para Lena, sentindo um véu lacrimoso enevoar meus olhos. Já saquei. Então sento ereta e vou mastigando aquelas merdas cheias de açúcar, gordura, carboidratos e calorias, tentando fazer tudo com gratidão e amor.

– Que boa menina – arrulha Lena.

Enquanto vou me forçando a engolir, Lena subitamente tira da minha mão o hambúrguer, que coloca de lado. Depois me toma em seus braços. Então percebo que é porque estou tremendo e chorando.

– Pronto, pronto – sussurra ela. – Já passou.

Ergo o olhar para ela. – Aquela menina gêmea, a Amy, vai morrer, não é?

– É o que parece – diz ela.

Lena liga a TV, onde o professor Rex Convey está condenando a operação das gêmeas como um ato bárbaro.

– Trata-se de assassinato, nada mais. Os planos de filmar e mostrar esse procedimento na televisão, como uma espécie de reality show, são doentios e perversos. Será isto o que nós nos tornamos? Televisionar a execução de uma garota, enquanto cantamos triunfalmente porque a outra poderá levar uma vida normal?

Lena balança a cabeça, trocando de canal para um noticiário. Vários políticos estão discutindo a baía da Guantánamo. Subitamente, uma barra de notícias aparece, piscando no rodapé da tela.

CANCELADA A OPERAÇÃO DAS GÊMEAS SIAMESAS
ANNABEL WILKS DESISTE...

Lena e eu trocamos um olhar de perplexidade, enquanto a âncora botocada interrompe um homem que está falando de terrorismo para informar: "Obviamente importantes desdobramentos para as liberdades civis neste país. Só que precisamos interromper para dar a vocês uma sensacional atualização sobre o desenrolar da história das gêmeas siamesas do Arkansas. Annabel e Amy Wilks são gêmeas siamesas de 16 anos, e após algumas rusgas concordaram em fazer um arriscado procedimento cirúrgico de separação, sendo que as chances de sobrevivência de Amy foram estimadas, por diferentes especialistas, entre um máximo de 40 e um mínimo de 10%. Agora Annabel, a gêmea dominante, que esperava se recuperar plenamente e levar uma vida normal, desistiu da operação, marcada para ocorrer dentro de poucas semanas. Antoinette Mellis relata o caso lá de Yellowtree, no Arkansas."

Eles cortam para uma área verdejante e a casa da família Wilks, com uma voz pegajosa em off: "Amy e Annabel Wilks são adolescentes normais, só que com uma diferença: são literalmente ligadas, uma à outra. Como todas as adolescentes, elas às vezes discutem e brigam. Então resolveram, depois de uma rusga por causa de uma rapaz, que iriam se separar. Agora Annabel, a gêmea que pode levar uma vida normal, cancelou o perigoso procedimento de separação."

Cortamos para as meninas, sentadas no balanço da varanda. Annabel olha para Amy. "Eu preferiria ter Amy comigo todos os dias da minha vida, do que nunca mais vê-la e ser chamada de normal. Deus nos fez assim, e é para nós vivermos juntas, não morrer separadas."

Amy olha de volta para Annabel. "Nem consigo dizer o quanto eu amo Annabel."

"Ela mostrou que estava pronta a morrer para que eu pudesse ter uma vida normal", diz Annabel com os olhos marejados, enquanto a câmera se aproxima. "Só que para mim não existe uma vida normal sem ela."

"Acho que só precisávamos lembrar que somos diferentes", diz Amy. "Que não se trata de apenas uma de nós e outra pessoa."

"Sempre se trata de nós duas", diz Annabel com um brilho sereno nos olhos. "Eu preciso dela, e ela precisa de mim. Não é fácil, e a vida é um grande mistério, mas uma coisa é certa... vai ser preciso nós duas para entender tudo juntas."

Eu olho de volta para Lena e pergunto: – Eu realmente preciso passar um tempo aqui, não é?

– Sim, acho que precisa – diz ela.

PARTE TRÊS

Transferências
Vinte e dois meses mais tarde

50
UM SONHO PARA COMPARTILHAR (COM QUEM REALMENTE SE IMPORTA)

O Dia de Ação de Graças ontem foi tão sufocantemente quente, mesmo depois que o sol já tinha se posto, que um aguaceiro para resfriar teria sido saudado com aleluias, apesar de o nosso lar ser ateísta-agnóstico. Mesmo com o ar-condicionado, dava para sentir a densa gravidade puxando nossos ossos sofá adentro. O céu já havia trovejado ameaçadoramente sem cumprir sua ruidosa promessa, mas por fim tudo se abriu à noite. Os relâmpagos, radiografando o quarto, e o som do ar desmoronando não me incomodavam, ao menos diretamente, mas eu sentia Lucy se contorcendo nos lençóis úmidos, quase no mesmo ritmo da música brutal da natureza.

Hora de levantar e roubar algumas horas antes de mamãe e papai despertarem. Por que gente velha nunca dorme? Quando penso neles é sempre com uma culpa tão intensa: como se pode amar alguém em um nível profundo, com todas as fibras do seu ser, e ainda assim querer tão desesperadamente não virar aquela pessoa?

Felizmente, Lucy está agora mergulhada no país dos sonhos, com aquela boca dura entreaberta, e as narinas se abrindo cada vez que ela respira. Quando eu levanto, ela vira o corpo no espaço que eu vaguei na cama com um murmúrio levemente truculento. Eu visto meu sutiã esportivo, uma blusa de seda sem mangas, um short e um par de tênis. Depois amarro o cabelo para trás, passando o rabo por um boné de beisebol dos Twins.

Lá fora, saio correndo pelo dia que amanhece, rumando para o sul junto à baía, gozando a fresca brisa nos meus braços e ombros antes que o sol opressivo se erga. O ar tem cheiro de asfalto molhado e espirais de névoa se erguem da calçada.

É bom ter meus pais aqui, mas eles ficam totalmente perdidos em Miami. Precisei comprar praticamente todo um guarda-roupa novo para os dois, quando chegaram. Acho que meu pai nunca possuiu um short na vida. Já mamãe parece muito melhor, depois de ter perdido a porcaria daquele peso, embora ainda haja muito trabalho a ser feito. Nem sempre é fácil ficar perto deles, ainda que hoje nosso relacionamento esteja melhor do que nunca, e tudo isto se deve a Lucy e seus e-mails! Que ironia!

Foi isso que toda aquela confusão uns dois anos atrás me ensinou: não evite um problema, enfrente. Embora mamãe e papai possam exigir muito em termos de tempo, eu adorei que o Dia de Ação de Graças na casa de Tom e Mona tenha transcorrido sem incidentes, principalmente depois do trauma do ano passado. Com o acréscimo do fator da presença dos meus próprios pais, eu estava preocupada, mas foi Lucy que me mandou relaxar, dizendo que eu estava forçando a barra. Juro, nós nos tornamos mais parecidas uma com a outra a cada dia!

Meu Deus, como eu *adoro* correr. Como não há, praticamente, carros na rua, entro em um ritmo bom, tanto nas passadas quanto na respiração, ignorando mais um sinal de trânsito. Quando se entra em um ritmo assim, você sente a tensão abandonar seu corpo, o que não tem preço nessa época do ano: o Dia de Ação de Graças é muito complicado. Depois daquela *debacle* no ano passado (Mona e Lucy brigaram), tive vontade de sugerir a Lucy que simplesmente largássemos tudo e fôssemos para as Bahamas, deixando Nelson com Tom e Mona durante alguns dias. Só que ela jamais teria concordado: aquele garoto era uma espoleta. Preciso abordar este assunto com cautela, mas é verdade, como sua mãe biológica, Lucy é muito mais protetora em relação a ele. Já eu sou mais parecida com um pai divertido. Além disso, ela anda bem deprê desde o funeral de Marge Falconetti mês passado. A pobre coitada comeu até morrer depois que parou de ir à academia. Como Marge era sua cliente, Lucy sofreu um grande baque com isso.

O mais incrível de se ter um filho, porém, é que você fica tão ocupada limpando o rastro dele que não tem tempo para perder com as outras babaquices que a vida põe no seu caminho!

O sol está surgindo acima da baía e vejo o Wynwood do outro lado da ponte, o bairro de arte e design. A gente se divertiu muito lá há poucas semanas. Lucy e eu fomos comemorar (pela primeira vez desde a chegada de Nelson), após minha exposição na nova filial da galeria GoTolt em Miami. A exposição foi um enorme sucesso em Nova York, e agora está atraindo multidões aqui. Eu realmente devo muito ao Jerry.

Dobro na rua West para voltar para casa, cortando a Alton, e passando pelos gramados aparados que já estão adquirindo um tom mais escuro de verde após a chuva na noite passada.

Que bênção... a casa ainda está silenciosa! Eu preparo um shake de banana com manteiga de amendoim e penso em Lucy, sentindo minhas ruminações matinais se cristalizarem em um desejo persistente de falar com ela.

Ouço sua risada em outra parte da casa, e encontro Lucy ainda no nosso quarto, sentada em posição de lótus sobre a cama, vendo aquele programa novo sobre perda de peso, um híbrido de *O noivo perfeito* com *O grande perdedor*. Chama-se *Há um namoro em algum lugar aí dentro*. Simon Andrews, um corretor de Connecticut, jovem e rico, trabalhou com aquela especialista em treinamento e fitness, Michelle Parish, para pegar, como diz o anfitrião, "quatro mulheres com obesidade mórbida e transformá-las nessas beldades altamente namoráveis e extremamente *casáveis* que você vê à sua frente hoje".

Simon arqueia uma sobrancelha e parece dolorosamente sincero ao encarar as quatro garotas. "Eu deveria ter me sentido lisonjeado, Patti, quando você falou que meu amor impediria você de recuperar o peso. Só que esse comentário disparou o alarme. Lamento, Patti, mas nós fazemos isto aqui por *nós*. Você não entendeu o principal do programa. E isso me diz que, apesar desse corpo esguio e gostoso, por dentro você ainda é uma garota gorda. Vou precisar dispensar você."

Enquanto Patti irrompe em lágrimas, Lucy veste uma camisa de hóquei no gelo dos Bruins. — Dê uma olhada nesta merda! Aquela Michelle Parish é tão filha da puta!

Dou um beijo nela e Lucy agarra minha bunda de brincadeira, sem desviar a atenção da tela. Eu vou até o escritório verificar meus e-mails. Há muitos, mas um deles captura minha atenção: é a nota fiscal de venda da minha escultura *O novo homem*. Uma onda de euforia me atinge, quando percebo que estamos ricas novamente! Ricas pra caralho! Abro o anexo, imprimo uma cópia do contrato, assino, escaneio e envio tudo de volta para os agentes. Está feito!

Rapidamente, a euforia é substituída por uma pontada de perda. *O novo homem* é o meu melhor trabalho, o mais pessoal, e está me deixando. Subitamente, sinto vontade de passar o maior tempo possível com ele, antes que seja enviado para seu novo lugar. Então saio em direção ao ateliê.

Encontro-o como sempre está, agachado, o olhar erguido, quase canino em sua postura. Ando ao seu redor, estudando-o de ângulos diferentes, sua expressão estupefata, congelada, como se ele estivesse tentando entender tudo. Sim, de longe é a minha melhor criação. Eu fecho as persianas, eliminando os raios de luz, e ligo o vídeo dos Everglades, criando um ambiente pantanoso em torno dele. Isto foi ideia de Lucy, e realmente funciona. Os alto-falantes roncam com os grasnidos de aves e o farfalhar do vento nos arbustos de mangue. Fico sentada na escuridão, subitamente tomada de medo pela minha invenção, desejando acender as luzes ou abrir as persianas. De repente, *O novo homem* parece muito raivoso, ressentido, como se pudesse pular sobre mim e me despedaçar. Eu me levanto e abro com um repelão as persianas escuras, piscando quando a luz inunda a oficina e banha *O novo homem*, acalentando-o de volta à serenidade.

51
AÇÃO DE GRAÇAS

Lena foi dar uma corrida e eu estou vendo umas merdas de reprises na TV. Agora já saiu outra vez, talvez queira um pouco de tempo para trabalhar no ateliê. Ela nunca para. Ainda me lembro quando eu também tinha esse gás todo.

Meu peso baixou novamente, embora seja difícil encontrar motivação. Estou com 67 quilos, o que é longe do ideal, mas melhor do que os 90 que ela me forçou a ter a fim de aprender a lição. Bom, na verdade foram 89,5, e eu bebi muito líquido antes da pesagem naquele dia, mas não discutimos por essa ninharia. Lena me implorara para parar, e na realidade já me desacorrentara poucos dias antes (algumas pessoas simplesmente não são talhadas para manter reféns em cativeiro), mas eu insistira em ir até o final.

Eu levanto da cama e pego o laptop. Vou ver de novo o meu blog, para reviver a loucura e o sofrimento.

Comi o último doce, ansiando imediatamente por um hambúrguer com fritas para obliterar a doçura doentia. Mas já sabia que, se comesse isso, quereria mais doces depois. Então bebi a última garrafa de Budweiser, alinhando todas feito soldados, sentindo seu efeito luxuriante aumentar o barato confuso e mortiço que as outras haviam construído. Comecei a puxar a corrente.

– É ISSO QUE VOCÊS QUEREM, SEUS FILHOS DA PUTA?! VENHAM AQUI, VENHAM ME PEGAR QUE EU VOU ARRANCAR A PORRA DESSES OLHOS NOJENTOS DAS SUAS CARAS DE BICHONAS!

Então Lena entra com mais batata frita, biscoitos e cerveja. – Nós não precisamos fazer isto.

— Não me desacorrente, ou eu corto fora a sua garganta! Traga mais dessas fritas, porra!

— Não posso...

— Porra, Lena, mostre que tem culhões! Eu mantive você aqui durante seis semanas, caralho! COMIDA, POR FAVOR!

— Conte pra mim, Lucy. Simplesmente me conte!

— Não posso. Agora banque a porra de uma mulher e me alimente.

Toda aquela merda que ela me dava, porém, era realmente viciante. Eu só nunca percebera o quanto: levei mais da metade de um ano para me curar. Fiquei comendo escondido durante mais de seis meses, incapaz de evitar uma lanchonete, ou de recusar uma barra de chocolate. Não foi fácil, e só agora vejo como fui dura com ela, e com algumas das minhas clientes. Acho que oprimi as coitadas, e tentar expulsar a fraqueza do organismo delas era uma maneira torta de tentar expulsar a dúvida do meu próprio.

Não gosto de examinar a última anotação. Aquela que é sobre *a conversa*, e que eu poderia ter tido com Lena para evitar todo esse ganho de peso, essa comida horrorosa, a merda desse cativeiro, mas que não consegui ter antes de atingir o alvo na balança. Foi minha versão perversa de penitência.

Só que vou rolando os textos do blog até chegar lá: a última anotação no meu diário, *a conversa*.

Já estou ansiando por amido e sustância: faz mais de uma hora que devorei as duas porções grandes da batata frita que Lena trouxe de carro de um Burger King. Engoli tudo com um milkshake de chocolate bem adocicado. E isso me fez querer mais fritas. Sal, açúcar, gordura e carboidratos. A coisa realmente não tinha fim.

Mandei Lena buscar mais há vinte minutos. Onde Lena se meteu, caralho?

O som bem-vindo da porta do elevador, e ela entra com a minha merda. Não é comida. Eu mal consigo olhar para a minha pança acima do cós da calça de malha. Lena senta com uma embalagem de salada e cuscuz marroquino, enquanto o Big Mac fica suando no meu colo feito um cagalhão carcinogênico em cima de um pão, erguendo o olhar para mim. Eu já estou à beira dos 90 quilos. Subitamente, me ocorre que não posso comer isso. E percebo que chegou a hora.

— Estou pronta para a tal conversa – digo a ela.

Lena senta ao meu lado e tenta me puxar para perto, mas fico rígida, ouvindo uma voz oca que vem do mais fundo de mim, então ela recua para me dar espaço.

— Era um dia de domingo em Weymouth e eu tinha ido visitar minha amiga Lizzie para escutar um pouco de música e bater papo. Estava voltando para casa pela rua North. Quando passei por baixo do viaduto, percebi uns garotos andando atrás de mim, cochichando e de vez em quando rindo. Como eles baixavam o tom de voz, quase que conspirando, senti que estavam planejando algo. Mas não olhei para trás. Só apertei o passo e fui avançando pela rua.

— Ah, Lucy – diz Lena, apertando o meu ombro.

— Foi quando cometi um grande erro. Virei à direita e cortei caminho pelo Abigail Adams Green, um espaço pequeno cheio de árvores e arbustos, que era um atalho para a minha casa na rua Altura. Um segundo grupo deles estava esperando por mim lá. Clint Austin, o líder, chegou mais perto e olhou para mim com dureza. Falou que queria aquele beijo que tinha me pedido na aula. Os seus amigos me cercaram. Eu não sabia o que dizer. O que a gente diz?

Um aperto mais forte da parte de Lena.

Então, de repente eu já estava deitada de costas; alguém se agachara atrás de mim e um forte empurrão de Austin me jogou na grama. Antes que eu pudesse reagir, dois garotos já estavam me arrastando pelos braços até os arbustos. Uma mão tapou a minha boca, enquanto minha saia era erguida e minha calcinha abaixada. Com aquela cara de sarampo e os olhos verdes com olheiras, Austin começou a cuspir violentamente em mim e depois forçou passagem dentro de mim com um movimento horrível e rápido, que me rasgou. Eu sangrei por dias a fio depois. Virei a cabeça para o lado e senti pouca coisa, além de uma dormência. Ouvi uma algazarra de aprovação e então abri os olhos. Vi Austin olhando para mim, cheio de fúria e medo, como se houvesse caído em uma armadilha, também coagido a fazer aquilo. Então o seu sorriso cruel reapareceu e ele começou a dizer coisas que eu não entendia direito. Mas ele odiava garotas. Percebi e entendi que ele odiava garotas.

— Ah, meu Deus... Lucy... que horrível...

— Eu não queria chorar ou implorar. Eu era uma Brennan. Devolvi o seu deboche e vi seu medo ressurgir. Então outra voz ressoou no parque, dispersando os garotos feito um tiro no início de uma corrida. O rosto de papai assomou lá no alto, e Clint Austin saiu de cima de mim, fugindo aterrorizado. A raiva de Austin agora suplantada pela fúria mais profunda dele, a porra do meu pai.

– Você nunca tentou conversar com Tom? Por que ele não percebeu?

– Porque eu fingi a porra toda! – berro no rosto rígido de Lena, apertando sua mão à guisa de desculpas, enquanto ela recua. – Eu não podia ser uma decepção outra vez. Precisava resistir, engolir tudo, não podia bancar a vítima. Preferia ser uma vagabunda do que uma vítima. Então fomos andando, enquanto eu esperava a surra dele, que nunca veio. Só que eu estava sendo falsa. Falsa. Falsa. Falsa.

– Não, Lucy – diz Lena. – Você, não. Nunca você.

– Quando cheguei em casa, eu fui tomar banho para me lavar e esfregar. Não falei nada. No dia seguinte, precisei encarar Austin na escola. No início, ele estava com uma expressão assustada, meio boba, e ficou me evitando, talvez temendo uma retaliação do meu pai. Quando percebeu que isso não aconteceria, recuperou a arrogância. Passei a ser rotineiramente chamada de vadia, piranha ou ninfo pelos membros da sua gangue, que espalharam para todos que eu tinha consentido em fazer sexo com uma multidão de garotos.

– Isso é horroroso...

– Na porra da minha casa eu também não tinha sossego. Recebi um sermão da mamãe. Quando papai olhava para mim, eu só conseguia enxergar uma decepção amarga nos seus olhos.

"Poucos meses depois a mesma gangue, liderada por Austin, atacou e estuprou outra garota, Crystal Summersby. Foi no Beals Park, não muito longe do mesmo ponto. Eles emboscaram a garota e uma amiga, que estavam a caminho de casa vindo da Coffee Express, na rua Bridge. Arrastaram as duas da trilha que cortava o parque até o arvoredo. Ameaçaram fazer a mesma coisa com a amiga aterrorizada, se ela contasse algo. No julgamento, Crystal disse que na hora conseguia ver o campanário branco da igreja que ela frequentava com a família. E eles só fizeram isso, porque *eu* tinha me calado. Eu, a heroína da ponte Julia Tuttle, fiquei parada, muda, fazendo com que aquele cretino pérfido ficasse livre para fazer o que fez com as outras garotas. Eu era a porra de uma impostora!"

– Não, você só era uma criança assustada!

– A verdadeira heroína foi Crystal Summersby, que junto com a amiga falou a verdade e fez aquele escroto doente ser mandado para o reformatório.

– Você era uma criança, Lucy! Deveria ter tido o apoio de alguém naquela hora!

– Não havia ninguém – digo. Sinto a mão de Lucy deslizando devagar para cima e para baixo nas minhas costas. – Então eu aprendi a me defender. Mergulhei no taekwondo, no caratê e no kickboxing, planejando uma recepção para aquele babaca quando ele fosse solto, mas a sua família já se mudara, e eu nunca mais ouvi falar dele.

– Mas... mas...

– Eu não falei a verdade porque não queria ser vista como vítima. Só que era isto que eu era. Mas decidi: nunca, nunca mais. A gente precisa se impor. Precisa falar a verdade.

– Sim. Você me ensinou isso. *Você*. – Ela aponta para mim. – Lucy Brennan.

Minha mão agarra a dela, que é menor, e ela aperta de volta.

– E agora eu preciso contar a papai essa história real. Você é a única pessoa a quem eu já expliquei isso direito. Quando eu... você sabe, com Jerry...

Eu baixo o tom de voz e instintivamente olho em torno do apartamento. Lena faz o mesmo.

– Eu já estava cansada. Foi como exorcizar um fantasma. Eu estava pronta para ser acorrentada e deixar qualquer um fazer o que quisesse. Estava pronta a me render voluntariamente...

Eu abraço Lena com força, bebendo seu cheiro bonito e reconfortante.

– E fico muito feliz por ter me rendido a você, e não à polícia...

Olho para os olhos verdes de Lena e sinto seus lábios frios nos meus. Não consigo resistir quando sinto que ela está me livrando das algemas.

Acabou.

Nós ficamos nos beijando um pouco e uma montanha de paixão começa a borbulhar dentro de mim. Meus dedos vão afastando roupas e trabalhando em Lena, mostrando a ela o que eu sou. Quando ela começa a ficar excitada, eu coloco a outra mão dentro da minha calça, fazendo os nós dos dedos moerem meu clitóris feito um boxeador tentando reabrir uma cicatriz do seu adversário. Gozo de imediato, enquanto Lena arqueja, mas continuo trabalhando meus dois pulsos com força máxima sobre o meu osso pubiano e o dela. Por um breve instante, vejo Lena revirar os olhos para o céu e rosnar feito uma selvagem, batendo as pernas como uma nadadora, antes de sentir meus próprios olhos se voltando para o céu.

– Porra...

Abro as pernas para aproveitar melhor a prazerosa pulsação, uma sensação tão maravilhosa que sinto meus dentes morderem de prazer o lábio inferior. – Porra... porra... porra...

– Porra – suspira Lena, enquanto afasto do rosto o meu cabelo úmido. – Foi tão gostooooso...

– E eu não sei?

*

Meu Deus, fico com tanto tesão ao ler esta última parte. Mas estava mesmo precisando me recompensar depois daquela confissão, revivendo o momento *pós-conversa* no blog. O mais importante de tudo, porém, era que eu finalmente estava mais livre do que nunca, *e* tinha Lena. Então tudo que eu tinha a fazer era perder a banha. E foi o que fiz. Depois veio a gravidez, e com ela voltou a gordura, mas já estou me livrando dela novamente.

Depois que Lena e eu resolvemos que queríamos um filho, nunca houve dúvida acerca de quem seria inseminada e engravidaria. A carreira de Lena na arte estava decolando outra vez, com uma maciça renovação do interesse por suas esculturas, principalmente *O novo homem*, além, é claro, da exposição de fotografia, de modo que ela realmente precisava trabalhar. "Levei tanto tempo para chegar a este ponto", argumentara ela. "Já você é uma especialista, e será capaz de recuperar a forma em dois tempos."

Parecia plausível, só que não funcionou bem assim. Mas não estou reclamando... bom, não muito. Acho que todos nós vivemos nos justificando. Sei que também me sentiria realizada com uma carreira, embora de outro tipo. Em certos aspectos, porém, nunca estive tão feliz quanto agora, como mãe. Mas nem tudo é um mar de rosas... nada é, e eu realmente me canso um pouco com Nelson. Ele precisa de muita atenção, e às vezes Lena não pode ajudar tanto, pois passa a maior parte dos dias trabalhando no ateliê.

Eu fecho o laptop e fico vendo a piranha da Michelle fazer seu programa de bosta sobre peso-e-namoro. Lena entra com a testa toda franzida.

– O que houve?

– Nada... na realidade, é uma notícia muito boa – diz ela, com uma alegria forçada no rosto, enquanto me estende a cópia de uma nota fiscal de venda.

Eu olho para as cifras na última linha e ouço meu próprio arquejo de descrença. Depois lanço meus braços em torno de Lena. – Jesus todo-poderoso do caralho!

– Ele será levado embora na próxima semana – diz ela melancolicamente, como se estivesse falando de Nelson.

– Ah, sim...

Até tento injetar alguma preocupação na minha voz, mas nunca consegui sacar essa maluquice dos artistas na hora de vender suas obras. Eu só pensaria no dinheiro, e continuaria martelando a próxima merda.

Ela lê a minha mente.

– Eu sei – diz, sorrindo e me beijando, para me dar um cheiro de seu suor fresco. – Preciso ir. Mamãe e papai já levantaram?

– Não vi os dois, mas ouvi uns resmungos na suíte de hóspedes – digo, baixando o tom de voz. Sinto minha boca se tensionar, enquanto ponho a mão em concha no ouvido. – E barulhos gargarejantes me dizem que Nelson já acordou.

Lena vai tomar uma chuveirada para trocar de roupa e eu começo a me preparar, além de aprontar Nelson, para o curto trajeto de carro até o aeroporto. Os Sorenson se juntam a nós para o café da manhã, à base de bagels e suco de laranja. É estranho, porque eles são muito diferentes daquilo que eu imaginava durante aquela correspondência clandestina de e-mails (que eles ainda pensam ter sido com a filha). Eu visualizara Todd como um homem alto e magro, mas ele é baixo e atarracado, com um cabelo curto, louro-acinzentado, e um rosto com rugas profundas. Fala muito pouco. Já Molly fala pelos dois, com uma tagarelice inconsequente. Ela ostenta na cabeça um permanente feito uma palha de aço, e um rosto com traços aquilinos, de queixo duplo. Tem braços carnudos e uma tonelada de celulite. Comemos enquanto debatemos assuntos prosaicos, com Molly falando de um sonho sobre Ação de Graças que ela teve ontem. "Acho que foi por estar em uma casa cercada de água."

Eu nunca, jamais pensara que meu pai se mudaria para cá, mas ele comprou a casa de um astro decadente que o Miami Heat vendera para Cleveland, ou algum outro time do Cinturão da Ferrugem já pela hora da morte. Confesso que às vezes me sinto ultrajada por Mona viver com tamanho luxo, e quase certamente ela será a beneficiária principal, talvez até única, de papai, principalmente depois que o filho deles nascer. Só que nem posso reclamar. Gosto de morar aqui com Lena, e ela deixou que eu desse uns toques pessoais na casa, como salpicar um pouco de cor nas paredes.

Entramos no 4X4 que compramos quando Nelson nasceu. Lena assume o volante, e eu sento junto de Nelson e Molly no banco traseiro, com a bagagem considerável, e em grande parte redundante, dos Sorenson atrás de nós. Molly tenta animadamente tirar a atenção de Nelson dos guinchos do porco de brinquedo que ele adora. Todd parece desconfortável no banco da frente. Vejo seu rosto contraído no espelho, enquanto ele, desacostumado à luz do sol, pisca feito um urso preto perturbado quando estava hibernando. O dia é descrito, como sempre, como "atipicamente quente" por uma estação de rádio local. A temperatura oscila entre 30 e 32, dependendo do aplicativo que você abra no telefone, com uma luz dourada oblíqua que me deixa cega nas esquinas, apesar dos meus óculos Ray-Ban.

– Ah, que fofura – diz Molly para Nelson, quando o porco arqueja sem fôlego novamente.

É falta de educação, mas fico feliz quando um e-mail de minha mãe aparece no meu iPhone e vou abrir a mensagem, escapando assim das banalidades dos Sorenson para as banalidades mais familiares dos Brennan.

52
CONTATO 19

Para: lucypattybrennan@hardass.com
De: jackielieberman-pride@realrealestate.com
Assunto: Feliz Ação de Graças

Lucy

Não quis telefonar, porque sei que você estava na casa de você-sabe-quem, e já deixei bem claro o que sinto acerca daquele lunático e seu jeito controlador. Caso você e Lena um dia pensem em ter outro filho: NÃO PERMITAM QUE AQUELE IDIOTA SE ENVOLVA DE FORMA ALGUMA!

Não consigo entender por que você acha que deve dar àquele velho bobo algum controle sobre a sua vida, só porque ele pegou você de sacanagem com alguns garotos nas moitas do Abbie Adams Green. Sim, nós dois nos preocupávamos com você naquela época. Mas você nunca nos decepcionou, meu bem... aquela promiscuidade era a de uma garota nova, perturbada porque nosso casamento e nossa família estavam desabando e se esfacelando. Mas não deixe que ele arraste você para a merda que é essa viagem de culpa católica! Os seus erros são só seus (e todos nós cometemos erros... que diabo, eu casei com o babaca), por isso não permita que seu pai dite a sua vida!

Chega, já estou delirando.

Eu continuo morando em Toronto. Os canadenses jamais teriam um feriado para celebrar roubo de terras e genocídio. Outro dia eu até disse a Lieb que isto aqui é o futuro para você e Lena... não ser tratadas como cidadãs de segunda classe, como nos Estados

Unidos. E pensar que passei anos votando nos republicanos... embora isto fosse mais para irritar o seu pai. O mercado imobiliário está bombando, e aqui nós temos um grande padrão de vida, além de tratamento de saúde gratuito para todos. Só sinto falta do clima de Miami. É tão *frio* lá fora! Comparando, até Boston tem um clima mais temperado.

Venha nos ver logo, e traga esse menino adorável de vocês.

Muito amor,

Mamãe.

53
A INCURSÃO

Jesus, essa mulher é muito pirada. Mas essa merda toda me diz que eu só serei realmente livre quando tiver *a conversa* com ela e papai... separadamente, é claro. Nós deixamos os Sorenson no Aeroporto Internacional de Miami e pegamos a 95 para Miami Beach. Estamos rodando em total silêncio, aliviadas porque agora somos apenas nós três novamente, mas esgotadas pelo estresse desse contato forçado com a família ampliada. Até Nelson está anormalmente sonolento em sua cadeirinha no banco traseiro.

Assim que entramos em South Beach pela rua 5, eu vejo um enorme cartaz de cinema:

**A VIDA SEXUAL DAS
GÊMEAS SIAMESAS**

A imagem mostra as atrizes Kristen Stewart e Megan Fox ligadas do quadril para cima, sentadas em um banco de praça, arrogantemente viradas de costas uma para a outra. Ryan Reynolds está parado atrás delas, olhando para as duas com uma expressão de apelo impotente.

Abaixo vem a legenda:

DUAS GAROTAS BRIGONAS
UM SÓ CORPO GOSTOSO
ENCRENCA NA CERTA

As gêmeas reais, não as da versão cinematográfica, já se aquietaram e descobriram a religião. Vi as duas recentemente em um daqueles programas malucos que passam de manhã. Só foram trazidas de volta à berlinda pelo filme, que Amy já renegou, e Annabel aparentemente se recusa a comentar.

Boa sorte para elas com esse circo. Eu gosto de ter uma vida calma, e certamente não sinto falta do pessoal da TV ou dos paparazzi atrás do meu rabo. Adoro que não haja nada sobre mim na imprensa. Jillian largou *O grande perdedor* e o programa nunca mais foi o mesmo. Eles deram o trabalho a uma tenista russa qualquer que pediu para sair depois de seis meses. Já a primeira temporada de *Entre em forma ou caia fora* deve estrear neste verão, tendo como uma de suas apresentadoras outra ex-tenista, Veronica Lubartski, famosa autora de *Game, Set, and Snatch*. Boa sorte para elas.

A notícia de fato boa pra caralho é que o congressista Quist deverá renunciar devido a um escândalo financeiro. Na Flórida, não há um só político que tenha recusado algum tipo de propina, e era inevitável que Quist caísse, feito tantos outros, sob a espada de uma transação imobiliária suspeita. Vi seu rosto avermelhado na TV, em uma entrevista sem som, há alguns meses, enquanto preparava o almoço. Ao fundo, na parede atrás dele, a cabeça de uma pantera. É por causa de babacas como ele que não existem mais panteras na Flórida, exceto em camisas esportivas. Mas Quist em breve não existirá mais na política da Flórida, o que é uma boa notícia, ainda que um pouco tardia para que eu tire algum proveito.

Só que eu realmente aprendi uma lição quando fui acorrentada por Lena e entupida de comida porcaria: fiquei mais tolerante com as outras pessoas. Sim, vou precisar parar com aquela merda de xingar todo mundo. Lena mandou que eu parasse de me referir a outras mulheres como piranhas ou vacas. Ela sabia que essas eram as palavras com que Clint Austin me ameaçava naquele parque, e desde então elas saem da minha boca do mesmo jeito. Agora que reconheci isso como sendo verdade, devo conseguir parar. Exceto no caso de Mona, é claro. Se a carapuça serve, como se diz por aí... e no caso dela não há nomes mais adequados.

Sim, a vida em família é boa, e está melhorando drasticamente, agora que os Sorenson tomaram o rumo de Potters Prairie, em Otter County, Minnesota. A simples ideia da existência de um lugar assim me provoca um calafrio nos ossos. Pode até haver mais fanáticos religiosos escrotos e babacas na América agora do que em qualquer outra época, mas a resposta a isso tem sido, simplesmente, mais ironia. Hoje termos como "América", "Democracia", "Liberdade" e "Deus" são usados de modo debochado e derrisório, geralmente por pessoas que percebem que aqueles que os empregam *sem* ironia só querem nos controlar, ou nos vender merda. Os Sorenson não eram tão ambiciosos, só queriam dominar uma filha. Lena tirou as palavras da minha boca, quando deixamos a 95 vindo do aeroporto. "Vai ser tão bom termos a casa só para nós, por mais que eu adooooore meus pais!"

Só que nossa paz tem vida curta. Pouco depois de chegarmos em casa, vou ao jardim regar umas plantas. O sol está começando a baixar e uma escuridão mofada já se insinua no ar. Estou pingando de suor, rodeada por insetos esvoaçantes. A piscina atrai mosquitos ao anoitecer e sinto um desses sanguessugas picar meu tornozelo. Dou-lhe um tapa, mas só faço contato com minha própria carne. Enquanto praguejo, olho para a janela iluminada do escritório, vendo Lena com Nelson no colo, imprimindo umas coisas no computador e colorindo para ele.

Subitamente, percebo um veículo parando na frente da casa e alguém, mais do que apenas um só conjunto de passadas, saltando e vindo na direção da porta. Depois, uma batida forte. Volto para dentro, tensa feito uma corda de guitarra, e vou seguindo pelo corredor atrás de Lena, que abre a porta com Nelson nos braços.

É a polícia. Uma das oficiais presentes é Grace Carillo, que eu não vejo há uns dois anos. Quando nossos olhares se cruzam, ela meneia a cabeça secamente, avisando logo que não está ali para tirar o atraso comigo. Grace ganhou peso; a promoção que ouvi dizer que ela recebeu deve significar mais horas de trabalho e menos tempo na academia.

Eu sei do que se trata. Venho esperando por este dia. Mantive a palavra dada a Lena (excetuando a noite da *conversa*, em que ela me deixou livre) e cumpri a promessa, feita logo que ela me acorrentou, de nunca mencionar o nome de Jerry. Mas não consigo deixar de pensar nele, já que é forte a possibilidade de estar vendo pedaços dele todo dia. Lena já terminou a construção de *O novo homem*, mas eu sei, por visitas policiais anteriores, que no mínimo um agente da polícia em Miami acredita que partes de Jerry foram incorporadas à obra... o crânio e a pelve, em particular. Esses dois ossos realmente parecem ter dimensão e forma humanas, parcialmente visíveis através da pele translúcida e levemente azulada.

Sinto todo o calor se esvair do meu corpo, enquanto Grace Carillo diz a Lena que a instalação precisa ser removida dali para um lugar onde possa ser aberta, a fim de que uma amostra de DNA seja retirada dos ossos. Ela aponta para a frente da casa, onde dois homens de macacão azul já se aproximam, empurrando um carrinho de mão dos grandes.

Lena balança a cabeça. – Infelizmente não posso autorizar isso.

– Não está mais nas suas mãos, srta. Sorenson.

Enquanto as ondas de choque vão me bombardeando, minha pulsação dispara. Eu olho para Lena, que continua totalmente imperturbável. Há até um sorriso brincalhão animando seu rosto, enquanto ela dá de ombros displicentemente.

– É exatamente isso que estou tentando lhe dizer, detetive Grace Carillo. Não tenho condição de autorizar isso, pois a escultura não me pertence mais. Foi vendida pela galeria a um colecionador particular na manhã de terça-feira – diz ela, indo com rapidez, mas também segurança, até o escritório e brandindo um e-mail que entrega a Grace. – O comprador em questão, agora proprietário da obra, é considerado pela revista *Forbes* o terceiro homem mais rico do mundo. Caso a escultura seja rompida, mesmo por uma agulha muito fina, a resina rachará e a obra ficará arruinada. Pode-se notar que o comprador pagou 16,25 milhões de dólares por essa obra. Se os ossos no seu interior forem de Jerry Whittendean, obviamente eu terei um grande problema. Caso, porém, os meus moldes estejam lá dentro, em vez de ossos humanos, então o grande problema passa a ser seu. Quase certamente, o novo proprietário processará o Departamento de Polícia de Miami-Dade. E quase certamente terá êxito. Portanto, a pergunta é, detetive Carillo: até que ponto está se sentindo sortuda pra caramba?

Grace olha para ela estatelada. A expressão enfastiada de Lena, de supermãe do Minnesota, nunca muda. Então Grace vira para mim, em uma espécie de apelo desesperado. Eu dou de ombros e olho para o outro policial à paisana, que pegou o e-mail da mão dela. Seu pescoço exibe manchas de pele que vão se avermelhando à medida que ele lê.

Lena aponta para o e-mail na mão dele. – Agora vocês precisam levar o assunto ao comprador em questão.

Grace fica vermelha, olhando para o colega policial. Tentando recuperar ao menos parte do seu poder, ela rosna: – Pode ter certeza de que faremos exatamente isso!

Mas ela parece um cocker spaniel tentando se passar por pit bull. E Lena interpretou da mesma forma.

– Boa sorte então. – Lena sorri enquanto Grace e o colega saem com expressão soturna. Vemos os dois mandarem os dois caras levar o carrinho de mão vazio embora e colocá-lo de volta no caminhão.

Quando Lena ganhou tanta coragem? Ela enfrentou os panacas e eles puseram a porra do galho dentro! É bom lembrar que eu sempre desconfiara que Grace (a xoxota antes conhecida como gostosa) era uma policial meio medrosa.

E os ossos grandes continuam lá dentro, a pelve e o crânio, suspensos na escultura translúcida de Lena feito grandes pedaços de fruta na gelatina de Molly Sorenson. Não sei se são os ossos de Jerry. Podem facilmente ter saído de um dos moldes de Lena que a polícia levou embora. Só sei que o tal comprador abastado tenciona doar a obra para a nova ala de arte moderna do Instituto de Arte em Chicago. Nunca perguntei a Lena, embora saiba que um dia farei isso, mas realmente espero que os restos de Jerry estejam lá dentro. Até gosto da ideia de tê-lo em exibição permanente na sua *alma mater*. Pode parecer estranho, mas acho que ele ficaria em paz com um arranjo assim.

É claro, caso seja mesmo Jerry lá dentro, a vida teria sido muito mais simples se houvéssemos ficado com uma versão da verdade. Lena estava trabalhando longe em um projeto e eu estava cuidando da sua casa. Jerry apareceu, usou um ardil para entrar e vasculhou o lugar todo. Eu pedi que ele saísse, mas Jerry se recusou e me atacou. Eu o matei acidentalmente, em legítima defesa.

Acho que provavelmente Lena interferiu não para se vingar de Jerry, mas simplesmente porque ela era uma artista, e de repente os materiais autênticos para concluir seu importante projeto ficaram à sua disposição. Assim como papai, com seus romances de bosta, o mundo e as pessoas não passam de recursos em potencial para esses carniceiros implacáveis!

Portanto, mais uma vez Lena está tendo um grande impacto no mundo das artes. Ela continua gozando o sucesso de sua recente exposição fotográfica, em que é mostrada engordando, e que foi reintitulada *Um Ano de Problemas com Homem*. Melanie Clement exibiu as fotos na sua galeria GoTolt, com louvores consideráveis. E há poucas semanas tivemos uma grande noite no vernissage da exposição em Miami. Foi como nos velhos tempos: o chef Dominic, Emilio, Jon Pallota, Lester, Angie Forrest (que eu conheci como Henrietta James e que de vez em quando nos ajuda como baby-sitter de Nelson) e até Mindy Tuck (a Foda Lipoaspirada) estavam todos presentes para nos prestigiar e, é claro, festejar. Na abertura da exposição, Lena repetiu seu agradecimento já publicado no catálogo. "Eu não poderia ter feito isto sem a ajuda de Lucy Brennan e Jerry Whittendean, que, de formas diferentes, realmente tornaram possível a minha carreira no mundo da arte."

Então, acho que é verdade, como todos aqueles livros de bosta nos dizem: a grande arte nasce do encontro de opostos. E isto talvez também se aplique ao grande sexo. No momento, ouço Lena pondo Nelson na cama e espero que o pequenino adormeça depressa. Bem depressa *mesmo*.

AGRADECIMENTOS

Agradeço a Chris Andreko, Sarah Kahn, Emer Martin, Amy Cherry, Don de Grazia, Jon Baird, Trevor Engleson, Alex Mebed, Robin Robertson, Gerry Howard, Katherine Fry e, acima de tudo, Elizabeth Quinn.

A diversos treinadores, artistas e amigos em Chicago, Miami, Londres e Edimburgo, por não serem Lucy e Lena.

A todos que compraram os livros e viram os filmes, salvando-me assim de precisar arrumar um emprego decente por anos a fio.

IRVINE WELSH

Este livro foi impresso pela
Lis Gráfica e Editora Ltda., Guarulhos – SP.